NÃO TEMAS O MAL

O Método Pathwork para a Transformação
do Eu Inferior

NÃO TEMAS O MAL

O Método Pathwork para a Transformação do Eu Inferior

Compilado e organizado por
Donovan Thesenga
a partir de material
canalizado por
Eva Pierrakos

Tradução
SÉRGIO LUIZ DOS REIS LASSERRE

Editora
Cultrix
SÃO PAULO

Título original: *Fear no Evil – The Pathwork Method of Transforming the Lower Self.*

Copyright © 1993 The Pathwork Foundation, Inc.

Copyright © 1995 Curadoria da National Gallery of Art, Washington.

Copyright da edição brasileira © 1995 Editora Pensamento-Cultrix Ltda.

1ª edição 1995.
19ª reimpressão 2023.

Capa: Raphael — *São Jorge e o Dragão* (detalhe).

Todos os direitos reservados. Nenhuma parte deste livro pode ser reproduzida ou usada de qualquer forma ou por qualquer meio, eletrônico ou mecânico, inclusive fotocópias, gravações ou sistema de armazenamento em banco de dados, sem permissão por escrito, exceto nos casos de trechos curtos citados em resenhas críticas ou artigos de revistas.

A Editora Cultrix não se responsabiliza por eventuais mudanças ocorridas nos endereços convencionais ou eletrônicos citados neste livro.

Direitos de tradução para a língua portuguesa
adquiridos com exclusividade pela
EDITORA PENSAMENTO-CULTRIX LTDA.
Rua Dr. Mário Vicente, 368 – 04270-000 – São Paulo, SP – Fone: (11) 2066-9000
E-mail: atendimento@editoracultrix.com.br
http://www.editoracultrix.com.br
que se reserva a propriedade literária desta tradução.
Foi feito o depósito legal.

SOBRE OS AUTORES

A capa deste livro exibe os nomes de dois seres humanos, mas nenhum de nós é realmente o seu autor. A maior parte das palavras constantes nesta obra foi proferida por um ser desencarnado, que chamamos de "O Guia", e canalizado por Eva Pierrakos. Por mais de vinte anos Eva desenvolveu-se espiritualmente, aprofundando assim a sua capacidade de servir como canal para uma verdade mais elevada. Contudo, o Guia nunca "ditou" um volume chamado *Não Temas o Mal*. Tampouco foram por ele organizados de forma linear todos os seus comentários sobre a transformação do Eu Inferior. A idéia de reunir os ensinamentos do Guia sobre esse tema, o trabalho de organização e compilação desses ensinamentos e a escolha de um título foram meus. Uma vez que a escolha final de quais palavras do Guia incluir ou omitir foi minha, quaisquer erros são também da minha responsabilidade.

O trabalho editorial e as sugestões de Judith Saly, de John Saly, de Susan Thesenga e de Jan Bresnik foram inestimáveis, assim como o auxílio técnico de Karen Millnick, de Iris Markham, de Hedda Koehler e de Rebecca Daniels.

Não Temas o Mal foi autorizado pela Pathwork Foundation.

Donovan Thesenga
Sevenoaks Center
Madison, Virgínia
Outubro de 1991

Ainda que eu andasse pelo vale das sombras da morte, não temeria mal algum.
Salmo 23 (Tradução de João Ferreira de Almeida, Imprensa Bíblica Brasileira, 1979, RJ)

Se é que existe um caminho para o melhor, ele consiste em olhar de frente para o pior.
Thomas Hardy

SUMÁRIO

Introdução	I. Eu, você e o mal...............................	11
	II. Eva, o Guia, o Pathwork	14
	III. Como usar este livro	16

Parte 1. Autoconhecimento 19

Capítulo 1. Conheça-se a si mesmo 23

Capítulo 2. Eu Superior, Eu Inferior e Máscara 26
Deixando de enganar a si mesmo

Capítulo 3. Realize uma verdadeira mudança de sentimentos...... 32
*Encare a vida; Uma busca completa leva tempo;
O preço do crescimento espiritual é alto;
Três tipos de trabalho*

Capítulo 4. Descubra os seus defeitos 41
*A lei da fraternidade; Os três principais defeitos;
Revisão diária*

Capítulo 5. Imagens... 50
*Será que eu tenho uma imagem?; Como procurar
imagens; Os benefícios da dissolução das imagens;
Vergonha*

Capítulo 6. O círculo vicioso do amor imaturo................. 62
*A criança quer amor exclusivo; Medo do castigo,
medo da felicidade; Duas consciências; Perpetuação*

da inadequação e da inferioridade; A dissolução do círculo

Capítulo 7. A compulsão de recriar e superar feridas infantis 72
A falta de amor maduro; Tentativas de remediar a ferida infantil na idade adulta; A falácia dessa estratégia; Como reexperimentar a ferida infantil; Como deixar de recriar

Capítulo 8. A auto-imagem idealizada 83
O medo da dor e da punição; A máscara moral do eu idealizado; Auto-aceitação; O tirano interior; Afastamento do eu verdadeiro; O abandono do eu idealizado; A volta para casa

Capítulo 9. Amor, poder e serenidade 93
Amor/submissão; Poder/agressividade; Serenidade/ retraimento; A necessidade do desenvolvimento emocional

Capítulo 10. Como enfrentar a dor dos padrões destrutivos 106
A dor das falsas soluções; A dor da mudança; A dor da insatisfação; A mudança da evasão para a realidade

Parte 2. Apego à negatividade 117

Capítulo 11. Como descobrir o "não" inconsciente 121
Mudança através da detecção da corrente de negação; Observe os pensamentos semiconscientes

Capítulo 12. Transição da corrente de negação para a corrente afirmativa 126
É você quem diz não; Compare o positivo com o negativo; Fale sobre o problema

Capítulo 13. A função do ego em relação ao Eu Verdadeiro 135
A necessidade de um ego forte; Vá além do ego

Capítulo 14. O que é o mal? 139

> *O mal como entorpecimento; Crueldade; Ligação da
> força vital com situações negativas; A persistência
> do mal: O prazer ligado à crueldade*

Capítulo 15. O conflito entre as formas positiva e negativa do
prazer como origem da dor 148
*Vida e antivida; O desejo pelo negativo; Ciclos
autoperpetuadores; O prazer negativamente orientado*

Capítulo 16. Positividade e negatividade: Uma única corrente
de energia 157
*A natureza da destrutividade; O prazer da
negatividade; A energia sexual bloqueada*

Capítulo 17. Como vencer a negatividade 164
*Três formas para encontrar a saída; Papéis e jogos;
O quarto passo*

Parte 3. Transformação 171

Capítulo 18. Meditação para três vozes: Ego, Eu Inferior,
Eu Superior 175
*O ego como mediador; A atitude meditativa; As
mudanças proporcionadas pela meditação do
Pathwork; A reeducação do eu destrutivo*

Capítulo 19. A auto-identificação e os estágios da consciência 184
*É você quem integra; A mudança de identificação;
Os quatro estágios de percepção; O terror desaparece;
A expansão da consciência*

Capítulo 20. A dissolução dos seus medos 196
*O mal como defesa contra o sofrimento; O problema
da preguiça; O medo de sentir todos os sentimentos;
O compromisso de entrar e ir até o fim;
A travessia do portal*

Capítulo 21. A identificação com o Eu Espiritual para superar
a negatividade 207
A intencionalidade negativa; Uma nova esperança;

Qual a parte de você com a qual você se identifica?;
Como abandonar a intencionalidade negativa; A saída

Capítulo 22. A transição para a intencionalidade positiva 218
Examine todos os pensamentos; Vá até o fim

Capítulo 23. Um processo de visualização para crescer rumo
ao estado unificado 224
Assuma um compromisso de todo o coração;
Vida interior e vida exterior; A realização da
vida divina

Capítulo 24. Espaço interior, vazio focalizado 234
A descoberta da realidade interior; Os estágios
do vazio focalizado; O "você" real que vive
no mundo real

Uma palavra final — O mal transformado; O mal transcendido;
O estado unificado 242

Para maiores informações sobre o Pathwork.................... 246

INTRODUÇÃO

I. Eu, você e o mal

A natureza humana é capaz de um mal infinito. ... Hoje, como nunca dantes, é importante que os seres humanos não subestimem o perigo representado pelo mal que espreita dentro deles. Ele é, infelizmente, bastante real, e é por essa razão que a psicologia deve insistir na realidade do mal e deve rejeitar qualquer definição que o considere insignificante ou na verdade inexistente.

C. G. Jung[1]

Quando o mal é compreendido como sendo intrinsecamente um fluxo de energia divina momentaneamente distorcido devido a idéias errôneas, a conceitos e imperfeições específicos, então ele não é mais rejeitado na sua essência.

"O significado do mal e a sua transcendência"[2]

Você não é uma pessoa má. Eu não sou uma pessoa má. Contudo, o mal existe no mundo. De onde ele vem?

As coisas más que são feitas sobre a Terra são praticadas por seres humanos. Nós não podemos pôr a culpa nas plantas ou nos animais, numa doença infecciosa ou em influências nefastas do espaço sideral. Mas, se você e eu não somos maus, quem o é? Será que o mal reside apenas em outros lugares tais como a Alemanha nazista ou o "império maligno" da

União Soviética stalinista? Ou será que ele habita somente os corações dos criminosos e dos barões das drogas, mas não os das pessoas que conhecemos?

Será ainda possível que ninguém seja mau, mas apenas desorientado? Podemos nós realmente atribuir o horror do Holocausto, ou o sadismo de Idi Amin, ou a tortura sancionada pelo governo, que acontece exatamente agora em muitos países do mundo, a uma mera desorientação? Essa palavra parece inconsistente e não basta como explicação.

Onde reside o mal? De onde ele surge?

O Pathwork ensina que o mal reside em cada uma e em toda alma humana. Ou, em outras palavras: o mal que existe no mundo nada mais é que a soma do mal que existe em todos os seres humanos.

"Mau" é um adjetivo muito forte. A maioria das pessoas quer reservá-lo para os Hitlers e para os criminosos e se nega a aplicá-lo a elas mesmas. Será ele aplicável a você e a mim?

A primeira definição de "mau" dada pelo meu dicionário é: "moralmente repreensível, pecaminoso, maléfico". Essa definição torna claro que não é apropriado o uso da palavra para falar "dos males da doença e da morte". Doença e morte são aspectos dolorosos da experiência humana, mas decerto não são "moralmente repreensíveis". Por outro lado, é correto usar tal adjetivo para falar da "maléfica instituição da escravidão".

Eu já fiz coisas que são moralmente repreensíveis e tenho fortes suspeitas de que você também fez. Todos nós temos falhas de caráter, todos somos mais ou menos egocêntricos, egoístas e mesquinhos. E essas falhas de caráter levaram-me, muitas vezes, a ser antipático, rancoroso, ciumento, e a agir de formas que só contribuem para aumentar o sofrimento no mundo. Mas isso faz de mim uma pessoa *má*?

Você e eu certamente não somos maus em nossa totalidade, ou em nossa essência, mas temos o mal dentro de nós. Portanto, a palavra "mal" pode descrever um contínuo de comportamento que vai desde a simples mesquinhez e o egocentrismo, num extremo, até o sadismo genocida do nazismo no outro. Aqueles de nós que habitam um extremo inferior do espectro podem ter o desejo de dizer que nada tem em comum com os assassinos do extremo oposto; contudo, será que não temos mesmo *nada* em comum com eles? Para usar o segundo daqueles sinônimos oferecidos pelo dicionário, não somos todos nós *pecadores*?

Há trinta ou quarenta anos atrás, a palavra "pecado" ainda era de uso comum, mas hoje (a não ser entre os fundamentalistas) ela praticamente não é mais empregada. Agora preferimos usar a terminologia da Psicologia, que fala antes dos defeitos e falhas humanos, mas normalmente de uma maneira que põe a culpa alhures — nos pais ou na sociedade — por fazerem de nós o que somos. A mudança pessoal então ocorre quando compreendemos a origem da programação negativa que os outros nos infligiram, vivenciamos todos os sentimentos envolvidos (fundamentalmente raiva e pesar) e então perdoamos a fonte externa da nossa negatividade, da qual ainda sofremos. E isso é uma parte crucial do processo de transformação.

"Contudo, na visão da Psicologia nós perdemos algo que a velha idéia religiosa do pecado nos deu. A saber, que somos responsáveis pela nossa negatividade, pelos nossos atos e omissões. Ser responsável é muito diferente de ser culpado. Significa simplesmente reconhecermo-nos às vezes como a origem da dor, da injustiça e do descaso para conosco mesmos, para com os outros e para com o mundo."[3]

Se eu posso admitir esse grau de responsabilidade — admitir que não sou apenas uma vítima do mal que há no mundo, mas que sou, da minha própria pequena maneira, um iniciador de negatividade — então o que devo fazer a respeito? Como posso transformar o mal que existe em mim?

A religião tradicional nos dá preceitos morais a serem seguidos, tais como: "Faça aos outros o que desejaria que eles fizessem a ti" e "Ama a teu próximo como a ti mesmo". Certamente nós podemos concordar que, se todos pautassem a sua existência por essas regras áureas, o mundo seria um lugar muito mais agradável de se viver. Eu não o faço e você não o faz. Se aceitamos o princípio como válido, por que é tão difícil segui-lo? Como posso mudar o meu comportamento? O que preciso fazer para tornar-me mais amoroso? Com demasiada freqüência a resposta da religião tradicional parece ser apenas: esforce-se mais.

Na religião tradicional, segundo as palavras de Carl Jung: "Todos os esforços são feitos para ensinar crenças ou condutas idealistas às quais as pessoas sabem em seus corações que jamais poderão corresponder, e esses ideais são pregados por pessoas que sabem que eles mesmos nunca corresponderam, e nunca corresponderão, a esses elevados padrões. E mais: ninguém jamais questiona o valor desse tipo de ensinamento."[4]

As respostas da religião tradicional têm sido tão decepcionantes que muitas pessoas que antes teriam consultado um clérigo agora consultam um psicoterapeuta. A moderna Psicologia tem sido bem-sucedida ao tratar com o problema do mal?

Um recente artigo sobre Abraham Maslow, o pai da psicologia humanista, afirma: "Ao final da sua vida, Maslow estava lidando com a natureza da maldade humana. ... [Ele] expressou apreensão quanto à incapacidade da Psicologia humanista e transpessoal em assimilar o nosso lado 'escuro' (aquilo que Jung denominou a sombra) em uma teoria abrangente da natureza humana. O próprio Maslow considerava esse tema preocupante e, na ocasião de sua morte, não havia chegado a qualquer conclusão final sobre ele."[5]

Aqueles dentre nós que estudaram e praticaram o Pathwork descobriram, com um sentimento de alívio, que esses ensinamentos fornecem o elo perdido crucial que tem até aqui escapado à religião e à psicologia.

A vasta maioria das transmissões espirituais da atualidade, ou material canalizado, concentra-se na bondade essencial dos seres humanos, na nossa natureza divina final. E essa é uma mensagem valiosa para o nosso tempo. Mas o que faremos com o nosso "lado escuro"? De onde ele vem, por que é tão intratável e como devemos lidar com ele?

É nas respostas a essas questões que repousa o valor único do Pathwork. A transmissão que veio através de Eva Pierrakos ensina-nos que o mal pode ser encontrado de alguma forma no coração de cada ser humano, mas que ele não precisa ser temido e negado. Um método é oferecido para que possamos ver claramente o nosso "lado escuro", compreender suas raízes e causas e, o que é mais importante, transformá-lo. O resultado dessa transformação será paz no coração humano, e só depois que esta for alcançada haverá paz na Terra.

II. Eva, o Guia, o Pathwork

O material que se encontra reunido aqui foi originalmente transmitido por via oral e não por escrito. Eva Pierrakos não é a sua autora; ela é apenas o canal através do qual ele foi enviado. O verdadeiro autor é um ser desencarnado, que falava através de Eva quando ela entrava em um estado alterado de consciência. Esse ser nada nos diz dele mesmo — nenhum traço de personalidade, nenhuma história, nenhum *glamour*. Ele nem ao menos deu a si mesmo um nome, mas veio a ser conhecido como "O Guia". O material que foi transmitido ficou conhecido como "as Palestras do Guia", e o processo de transformação pessoal exposto nos ensinamentos é conhecido como "O Pathwork".

O Guia colocou toda a ênfase no material exposto e nenhuma sobre a sua fonte. Ele disse, em uma de suas últimas transmissões: "não se preocupem com o fenômeno desta comunicação em si. A única coisa que importa compreender no início de uma aventura como esta é que existem níveis de realidade que vocês ainda não exploraram e experimentaram e sobre os quais podem, no máximo, teorizar. A teoria não é o mesmo que a experiência, e deixar as coisas como estão no momento será bem melhor que tentar forçar uma conclusão definitiva. Lembrem-se de que esta voz não exprime a mente consciente do instrumento humano através do qual eu falo. Além do mais, levem em consideração que cada personalidade tem uma profundidade da qual ela mesma pode ainda não ter consciência. Nessa profundidade, todos possuem os meios para transcender os estreitos limites da sua personalidade e receber acesso a outros reinos e entidades dotadas de um conhecimento mais amplo e mais profundo."[6]

De 1957 a 1979, o Guia proferiu, através de Eva, 258 palestras sobre a natureza da realidade psicológica e espiritual, e sobre o processo de desenvolvimento espiritual pessoal. Uma amostragem de dezessete dessas palestras foi publicada em um volume anterior intitulado *The Pathwork of Self-Transformation*.[7]* O presente volume vai concentrar-se no *método* de autotransformação que o Guia apresentou. Não é um método simples, mas ele promete, caso seja seguido fiel e corajosamente, resultados de enorme alcance.

"Este caminho exige de um indivíduo aquilo que a maioria das pessoas está menos disposta a dar: verdade para consigo mesmo, exposição daquilo que existe agora, eliminação de máscaras e fingimentos e a experiência da sua vulnerabilidade nua. Isso é muito, e contudo é o único caminho que conduz à verdadeira paz e integridade."[8]

No decorrer dos dez primeiros anos das transmissões do Guia, um grupo de pessoas reuniu-se em torno de Eva, aprendendo os princípios que o Guia expunha e tentando colocá-los em prática. Em 1967 Eva conheceu o dr. John Pierrakos, psiquiatra e co-criador de uma escola de terapia conhecida como Bioenergética. Eles se casaram alguns anos depois e a fusão dos seus trabalhos individuais conduziu a uma grande expansão da comunidade Pathwork.

---

* *O Caminho da Autotransformação*, publicado pela Editora Cultrix, São Paulo, 1993.

A rede de pessoas que praticam e ensinam o Pathwork inclui agora duas escolas que ensinam o Pathwork (em Phoenicia, Nova York e Madison, Virgínia) e grupos de estudo em muitas áreas urbanas nos EUA e Europa. Durante a vida de Eva (ela morreu em 1979), a comunidade Pathwork reunia-se todos os meses em um local da cidade de Nova York. Eva entrava num estado que descrevia como um leve transe e o Guia falava através dela por cerca de 45 minutos. As palestras eram gravadas, transcritas e então distribuídas aos membros da comunidade.

A apresentação verbal do material levou a um certo grau de repetição em cada palestra. Ao longo dos 22 anos da sua transmissão, muitos temas também foram repetidos e elaborados. Na preparação deste livro algumas das repetições do Guia foram retiradas, porém, dado o nosso desejo de manter o sabor do original, algo delas foi mantido. Ao final de cada palestra havia uma série de perguntas e respostas. Omitimos a maior parte desse material, mas optamos por manter vários exemplos desse intercâmbio entre os membros e o Guia.

III. Como usar este livro

Recomendamos com insistência que você não tente sentar-se e ler este volume de uma só vez. O material nele contido foi originalmente apresentado com a expectativa de que cada palestra fosse lida e então discutida por um mês inteiro antes que a próxima palestra fosse proferida. Muito desse material é demasiado denso e requer releitura e profundas tentativas de aplicá-lo à sua vida. Caso existam outras pessoas com as quais você possa compartilhar este livro, considerando-o juntos e discutindo-o à medida que avançam, esse seria o ideal. Caso contrário, recomendamos que você leia cada palestra uma vez, aguarde alguns dias e então a leia novamente, reservando algum tempo para a melhor aplicação dos princípios em si mesmo e na sua própria vida antes de passar à leitura da próxima palestra.

A seleção das palestras e partes de palestras que aparecem aqui constituem uma amostra das 258 que foram proferidas. Elas são apresentadas cronologicamente e dão melhor resultado se forem lidas nessa ordem. Contudo, se você achar alguma seção deste livro muito difícil, recomendamos que, em vez de deixá-lo de lado, salte adiante para outra palestra com um título que o interesse.

Estas palestras apresentam um método de auto-observação e uma estrutura teórica que você pode usar para organizar e compreender aquilo que observa. O trabalho então requer diligentes esforços para remover as suas máscaras e defesas e para entrar em contato e reconhecer os verdadeiros sentimentos que você reprimiu e negou. Uma parte desse trabalho pode ser feita individualmente, mas, para a maioria das pessoas que atingiu esse estágio do Pathwork, fica muito difícil continuar o trabalho sozinho. Você precisará de amigos e conselheiros, companheiros de viagem, para ajudá-lo a ver certos aspectos de si mesmo que você prefere manter na sombra.

Uma vez que tenha aprendido a verdadeira auto-observação — e então tenha tido a coragem de trazer a sua sombra, o seu Eu Inferior, para a luz —, você estará pronto e apto a iniciar a prática da verdadeira autotransformação. O trabalho não é rápido nem fácil, mas ele vai realmente mudar a sua vida.

D. T.

1. C. G. Jung, *Aion*. In *Psyche & Symbol*, organizado por V.S. de Laszlo, Doubleday, 1958, pp. 49-50.
2. Palestra do Pathwork nº 184.
3. Susan Thesenga, *The Undefended Self*, Sevenoaks, 1988, p. 19.
4. C. G. Jung, *Memories, Dreams, Reflections,* Pantheon Books, 1973, p. 330.
5. Edward Hoffman, Ph.D., "Abraham Maslow and Transpersonal Psychology", in "the Common Boundary", Maio/Junho de 1988, p. 5.
6. Palestra do Pathwork nº 204.
7. Eva Pierrakos, *The Pathwork of Self-Transformation*, Bantam Books, 1990. [*O Caminho da Autotransformação*, Editora Cultrix, São Paulo, 1993.]
8. Palestra do Pathwork nº 204.

PARTE 1

AUTOCONHECIMENTO

Um homem tem muitas peles, cobrindo as profundezas do seu coração. O homem conhece muitas, muitas coisas; ele não conhece a si mesmo. Ora, trinta ou quarenta peles ou couros, como que de boi ou urso, muito espessas e duras, cobrem a alma. Entre no seu próprio território e aprenda a conhecer-se lá.

Meister Eckhart

É com freqüência trágico ver o quão evidentemente um homem estraga a própria vida e a vida de outros e, ainda assim, permanece totalmente incapaz de ver que toda a tragédia tem origem nele mesmo e como ele continuamente a alimenta e a mantém em curso. Não conscientemente, é claro — pois conscientemente ele está engajado em lamentar um mundo pérfido que se perde cada vez mais na distância. Antes é um fator inconsciente que tece as ilusões que vela o seu mundo.

C. G. Jung[1]

Iniciamos a Parte 1 com um trecho de uma das primeiras palestras do Guia. Esta trata da felicidade, notando que ela é algo pelo qual todos nós ansiamos, ao mesmo tempo em que tendemos a culpar circunstâncias externas por quaisquer sentimentos de infelicidade que possamos ter.[2]

O Guia imediatamente enuncia a doutrina da responsabilidade própria: "O indivíduo espiritualmente imaturo pensa que a felicidade tem de ser criada primeiro no nível exterior, pois as circunstâncias exteriores, que não são necessariamente produzidas por ele, devem atender os seus desejos e quando isso for alcançado, a felicidade se evidenciará. Os que estão amadurecidos espiritualmente sabem que se dá exatamente o contrário." E também: "a felicidade não depende de circunstâncias exteriores ou de outras pessoas, não importa quão convencida esteja a pessoa espiritualmente imatura dessa falácia. A pessoa espiritualmente madura sabe disso. Sabe que ela mesma é a única responsável por sua felicidade ou infelicidade. Ela sabe que é capaz de criar uma vida feliz, primeiro dentro de si mesma, mas então, inevitavelmente, também na sua vida externa."

Essa doutrina é a primeira pedra fundamental sobre a qual está baseado o método Pathwork de autotransformação. O Guia afirma que não se exige que uma pessoa acredite nisso para que comece o trabalho. Mas é preciso que pelo menos se tenha a mente aberta para a possibilidade de que isso possa ser verdade. Em relação a essa idéia, bem como em relação a muitas outras que se seguirão, nós somos instados a pôr de lado velhas certezas e a abrir nossas mentes para novas possibilidades.

Este caminho, o Pathwork, não requer que acreditemos em quaisquer dogmas específicos ou que sejamos adeptos de algum credo. Antes, são nos dadas idéias e métodos para que os experimentemos, trabalhemos com eles e os ponhamos em prática. Caso os métodos funcionem, nós o saberemos pelos resultados. Se as idéias derem frutos, se nos auxiliarem a compreender melhor a nós mesmos e a viver de forma mais feliz e produtiva, então elas se tornarão verdadeiramente nossas; elas serão conhecidas e não apenas artigos de crença.

A primeira chave para a felicidade, diz o Guia, é o autoconhecimento. Esta seria uma afirmação incontroversa; certamente, todas as pessoas cultas concordariam que o autoconhecimento é de inestimável valor. Então, por que ele é tão difícil de alcançar? Talvez porque ninguém goste de ouvir verdades desagradáveis e pouco lisonjeiras a seu respeito, verdades que são, no entanto, as mais importantes que possamos conhecer. As palestras contidas na Parte 1 mostram como é importante para nós conhecer todas aquelas partes de nós mesmos que insistimos em negligenciar e esquecer.

Na psicologia junguiana o termo "sombra" é empregado para descrever aquela parte de nós que preferimos não carregar em nossa mente consciente, que empurramos para a escuridão e esperamos esquecer. No sistema do Pathwork esse complexo de falhas de caráter e negatividades é denominado "o Eu Inferior". Ocultando o Eu Inferior existe uma Máscara, uma autoimagem idealizada, uma representação glorificada de quem achamos que deveríamos ser, e que tentamos fingir que somos.

Os estágios iniciais do Pathwork concentram-se basicamente no aprendizado de como penetrar na Máscara e então em como tornar-se consciente do Eu Inferior que se oculta sob ela; isso porque são essas duas camadas da personalidade que escondem o Eu Superior — aquela centelha de divindade interior que se encontra no âmago de cada um de nós. As primeiras palestras instam-nos a sondar destemidamente aquelas partes de nós mesmos que mais desejamos esconder e fornecem-nos ferramentas práticas para a realização desse trabalho. Primeiro aprendemos a enxergar e avaliar as nossas atividades e emoções cotidianas — material que é totalmente consciente e que apenas aguarda que voltemos para ele a nossa atenção integral. Então aprendemos como detectar os nossos pensamentos, sentimentos e atitudes subconscientes. Coisas impressionantes serão descobertas; prepare-se para ficar surpreso.

D.T.

1. C. G. Jung, *Aion*, Como aparece em *Psyche & Symbol*, organizado por V.S. de Laszlo, Doubleday, p. 8.
2. Palestra do Pathwork, nº 204

CAPÍTULO 1

CONHEÇA-SE A SI MESMO

Bem no fundo do coração de cada ser humano existe o anseio por felicidade. Mas o que é felicidade? Se você perguntar a pessoas diferentes, receberá diferentes respostas.

Os espiritualmente imaturos, após pensar por algum tempo, dirão, talvez, que se obtivessem esta ou aquela satisfação ou tivessem uma preocupação eliminada, seriam felizes. Em outras palavras, para eles felicidade significa que certos desejos sejam satisfeitos.

Mesmo que esses desejos se tornassem realidade, porém, tais pessoas não seriam felizes. Elas ainda sentiriam lá no fundo uma certa inquietude. Por quê? Porque a felicidade não depende de circunstâncias exteriores ou de outras pessoas, não importa quão convencida esteja a pessoa espiritualmente imatura dessa falácia.

A pessoa espiritualmente madura sabe disso. Sabe que ela mesma é a única responsável por sua felicidade ou infelicidade. Ela sabe que é capaz de criar uma vida feliz, primeiro dentro de si mesma, e então, inevitavelmente, também na sua vida exterior. O indivíduo espiritualmente imaturo pensa que a felicidade tem que ser criada primeiro no nível exterior, pois as circunstâncias externas, que não são necessariamente produzidas por ele, devem atender plenamente os seus desejos e, que quando isso for alcançado, a felicidade se seguirá. Os que se encontram amadurecidos espiritualmente sabem que se dá exatamente o contrário.

Muitas pessoas não querem reconhecer essa verdade. É mais fácil culpar o destino, a injustiça do destino ou das forças superiores, ou ainda as circunstâncias causadas por outras pessoas, do que ser responsável por si mesmo. É mais fácil sentir-se vítima. Dessa forma, não é preciso examinar, por vezes muito profundamente e com o máximo de honestidade, o próprio interior.

Ainda assim a grande verdade é: a felicidade está em nossas próprias mãos. Está em seu poder encontrar a felicidade. Você pode perguntar, "o que devo fazer"? Mas vejamos primeiro o que significa felicidade no sentido espiritualmente maduro. Ela significa simplesmente: Deus.

Muitas pessoas, com toda sinceridade, esforçam-se para encontrar Deus. Contudo, caso lhes perguntassem o que exatamente querem dizer com isso, como imaginam que aconteça, seria difícil para elas dar uma resposta significativa. Porém, naturalmente, existe esse desejo de "encontrar a Deus". Na verdade é um processo bastante concreto, não existindo nada nebuloso, irreal ou ilusório a respeito dele.

Encontrar Deus quer dizer realmente encontrar o Eu Verdadeiro. Se encontra a si mesmo em algum grau, você está em relativa harmonia, percebendo e compreendendo as leis do Universo. Você é capaz de relacionar-se, de amar e de experimentar alegria. É realmente responsável por si mesmo. Você tem a integridade e a coragem para ser você mesmo, mesmo ao preço de abrir mão da aprovação dos outros. Tudo isso significa que você encontrou Deus — não importa o nome pelo qual esse processo possa ser designado. Ele também pode ser denominado de *retorno da auto-alienação.*

O único modo de achar a felicidade é encontrando Deus, e ela pode ser achada aqui e agora mesmo. "Como?", você poderia perguntar. Meus amigos, com muita freqüência as pessoas imaginam que Deus está incomensuravelmente distante no Universo, e é impossível de se alcançar. Isso está longe de ser verdade. O Universo inteiro está no interior de cada pessoa; cada criatura viva tem uma parte de Deus dentro de si. O único modo de alcançar essa parte divina lá dentro é pelo caminho íngreme e estreito do autodesenvolvimento. O objetivo é a perfeição. A base para isso é conhecer-se a si mesmo!

Conhecer-se a si mesmo é realmente difícil, pois significa encarar muitas características pouco lisonjeiras. Significa uma busca contínua, infinita: "O que eu sou? O que realmente significam as minhas reações — e não apenas os meus atos e pensamentos? Será que as minhas ações são apoiadas pelos meus sentimentos, ou será que eu tenho motivos por trás dessas ações que não correspondem ao que eu gosto de acreditar a meu próprio respeito ou ao que eu gosto que as outras pessoas acreditem? Tenho sido honesto para comigo mesmo até aqui? Quais são os meus erros?"

Embora alguns de vocês possam conhecer suas fraquezas, a maioria das pessoas ignora uma boa parte delas, e isso é um grande obstáculo, mesmo para aqueles que atingiram uma certa altura neste caminho ascendente. Você não pode superar aquilo que não conhece. Cada defeito não é nada mais e nada menos que uma corrente que o prende. Pelo abandono de cada imperfeição você rompe uma cadeia e assim torna-se mais livre e mais próximo da felicidade. A felicidade é o destino de cada indivíduo, mas ela é impossível de obter sem que sejam eliminadas as causas da sua infelicidade, que são os seus defeitos — bem como qualquer tendência que viole uma lei espiritual.

Você pode descobrir o quanto avançou nesse caminho pela revisão da sua vida e dos seus problemas. Você é feliz? O que está faltando na sua vida? Na medida em que a infelicidade ou descontentamento exista na sua vida, nessa mesma medida você não terá preenchido o seu potencial.

Para aqueles que realmente se realizam haverá um contentamento profundo e cheio de paz, segurança e uma sensação de plenitude. Caso isso esteja faltando na sua vida, você não está completamente no caminho certo, ou ainda não alcançou a liberação que necessariamente se experimenta depois que as dificuldades iniciais deste Pathwork são superadas.

Só você saberá a resposta, só você saberá em que ponto se encontra. Ninguém mais pode ou poderia responder a essa pergunta para você. Se você estiver no caminho certo, contudo, e tiver aquele profundo sentimento de satisfação e realização, e ainda assim existirem problemas exteriores na sua vida, isso não deve desencorajá-lo. A razão é que a forma externa do conflito interior no qual você está trabalhando agora não pode ser dissolvida tão rapidamente.

Quanto mais você dirige as correntes internas da alma para os canais corretos, mais as formas exteriores correspondentes mudarão, de forma gradual porém segura. Até que esse processo seja completamente efetuado, o problema externo não pode dissolver-se automaticamente. A impaciência só pode atrapalhar. Se estiver no caminho certo, você viverá e sentirá a grande realidade do Mundo de Deus na sua vida diária. Ele se tornará tão real, se não mais, quanto o seu ambiente humano; não será mais uma teoria, um mero conhecimento intelectual. Você viverá nesse mundo e sentirá o seu efeito.

Vou retirar-me agora, dizendo a cada um de vocês: nenhum de vocês deve jamais sentir-se só. O amor de Deus está com todos. Fiquem em paz, sigam este Pathwork. Ele lhes trará felicidade.

CAPÍTULO 2

EU SUPERIOR, EU INFERIOR E MÁSCARA

Abençoada é esta hora em que me é permitido falar-lhes, meus amigos. Todos aqui sabem que possuem não apenas um corpo físico, mas também vários corpos sutis, cada um representando algo diferente. Os seus pensamentos têm formas espirituais definidas e tais formas são criadas não apenas por pensamentos, mas também por sentimentos, uma vez que um sentimento é na verdade um "pensamento não pensado", não tornado ainda consciente. Embora o pensamento crie uma forma diferente daquela de um sentimento, não obstante ambos criam formas muito definidas e substanciais. Cada corpo sutil, de modo idêntico ao corpo físico, tem uma aura: a vibração e emanação daquele corpo. Tais formas realmente existem no espírito. Todas elas lutam e se modificam, uma vez que tudo no espírito está em perpétuo movimento.

A aura do corpo físico mostra saúde ou doença física e todas as demais condições do ser físico. As reações emocionais, intelectuais ou espirituais aparecem na aura dos respectivos corpos sutis.

Cada ser humano tem um Eu Superior ou centelha divina. É ele o mais refinado e mais radiante dos corpos sutis, com a mais alta freqüência de vibração, pois, quanto mais elevado o desenvolvimento espiritual, mais rápida é a vibração. O Eu Superior cercou-se lenta e gradualmente de várias camadas de matéria mais densa, não tão densa quanto o corpo físico, porém infinitamente mais densa que ele mesmo. Assim passou a existir o Eu Inferior.

O objetivo do desenvolvimento espiritual é eliminar o Eu Inferior de forma que o Eu Superior fique novamente livre de todas as camadas externas que adquiriu. Você será capaz de sentir em sua própria vida com muita facilidade, em si mesmo e nos outros, que certas partes do Eu Superior já se encontram livres, enquanto outras partes continuam ocultas. O quanto está livre ou encoberto e o quão escondido está depende do desenvolvimento geral da pessoa. O Eu Inferior consiste não apenas nas falhas comuns e nas fraquezas individuais que variam de pessoa para pessoa, mas também na ignorância e na indolência. Ele odeia mudar e dominar-se a si mesmo; ele tem uma vontade muito forte que nem sempre pode manifestar-se externamente e quer conseguir o que quer sem pagar o preço. É muito orgulhoso e egoísta e sempre tem muita vaidade pessoal. Todas essas características são geralmente parte do Eu Inferior, independentemente de outros defeitos individuais.

Nós podemos determinar muito bem quais as formas-pensamento que provêm do Eu Superior e quais têm origem no Eu Inferior. Podemos também determinar quais tendências, desejos e esforços do Eu Superior podem estar mesclados com tendências do Eu Inferior.

Quando mensagens do Eu Superior são contaminadas por motivos do Eu Inferior cria-se uma desordem na alma que torna o seu possuidor emocionalmente enfermo. Por exemplo, uma pessoa pode querer algo egoísta, mas por não querer admitir interiormente que isso é egoísmo, ela começa a racionalizar tal desejo e a enganar-se a si mesma. Podemos ver esse tipo comum de engano nos seres humanos porque as formas do Eu Superior têm um caráter totalmente diferente daquela do Eu Inferior.

Existe outra camada que, infelizmente, ainda não é suficientemente reconhecida entre os seres humanos em todo o seu significado, a qual eu poderia denominar a Máscara. Essa Máscara é criada da seguinte maneira: você reconhece que pode entrar em conflito com o seu ambiente cedendo aos desejos do Eu Inferior; não obstante, você pode não estar pronto para pagar o preço de eliminar o Eu Inferior. Isso significaria, antes de tudo, ter que encará-lo como ele realmente é, com todos os seus motivos e impulsos, uma vez que você só pode vencer aquilo de que tem total consciência. Isso significa tomar o caminho estreito, o caminho espiritual. Muitas pessoas não querem pensar nisso profundamente; em lugar disso elas reagem emocionalmente sem pensar em como os seus Eus Inferiores podem estar envolvidos em suas reações. A mente subconsciente sente que é necessário apresentar um quadro diferente de personalidade para o mundo com o fim de evitar certas dificuldades, coisas desagradáveis ou desvantagens de todos os tipos. Assim as pessoas criam uma nova camada do eu que não tem nada a ver com a realidade, nem com a do Eu Superior nem com a realidade temporária do Eu Inferior. Essa Máscara superposta é o que se poderia chamar de uma farsa; ela é irreal.

Voltarei ao exemplo acima. O Eu Inferior ordena à pessoa que seja impiedosa em relação a um desejo egoísta. Não é difícil para ninguém, mesmo da mais limitada inteligência, perceber que cedendo a esse desejo ela será rejeitada ou perderá a afeição dos outros, um resultado que ninguém deseja. Em lugar de superar o egoísmo pelo lento processo de desenvolvimento, tal pessoa freqüentemente age como se já não fosse egoísta. Mas ela o é, na verdade, e sente o seu egoísmo. A sua concessão à opinião pública e a sua generosidade são apenas uma farsa, não correspondendo absolutamente aos seus reais sentimentos. Em outras palavras, a ação correta, neste caso, carece inteiramente do suporte dos sentimentos inferiores, que não foram purificados, e portanto essa pessoa enfrenta uma guerra interior. A ação adequada torna-se um ato de compulsão necessária, e não uma livre escolha. Uma bondade imposta como essa não tem valor. Ao mesmo tempo em que a pessoa dá algo, ela pode odiar a idéia de fazê-lo. Tal pessoa é não apenas egoísta no seu íntimo, por uma convicção interior, mas é também falsa para com a sua natureza, violando a sua realidade e vivendo uma mentira.

Eu não estou de modo algum sugerindo que é aconselhável que se ceda à natureza inferior; deve-se antes lutar por esclarecimento e fazer-se um esforço de desenvolvimento para purificar os sentimentos e os desejos. Mas se isso não foi ainda obtido, pelo menos não se deve enganar a si mesmo. A pessoa deve ter, quando nada, uma visão clara e verdadeira da discrepância existente entre seus sentimentos e suas ações. Desse modo, Máscara alguma pode formar-se.

Deixando de enganar a si mesmo

Contudo, o mais freqüente é que essa pessoa tente crer no seu próprio altruísmo e, desse modo, iluda-se a si mesma em relação aos seus verdadeiros sentimentos e motivos, ocultando-os e se recusando a vê-los. Após algum tempo a raiz malsã aprofunda-se no subconsciente, onde vai fermentar e criar formas que provocarão seus efeitos e que não podem ser eliminadas, posto que a pessoa não tem consciência delas. O exemplo do egoísmo é apenas um caso; existem muitos outros traços e tendências que sofrem o mesmo processo, meus amigos.

Quando as pessoas se encontram emocionalmente enfermas isso é sempre um sinal de que, de um modo ou de outro, foi criada uma Máscara. Elas não percebem que estão vivendo uma mentira, tendo construído uma camada de irrealidade que nada tem a ver com o seu verdadeiro ser. Como conseqüência, elas não estão sendo fiéis à sua personalidade real. Como eu já disse, ser verdadeiro para consigo mesmo não quer dizer que você deva ceder ao seu Eu Inferior, mas sim que deve ter consciência dele. Não se iluda caso ainda aja segundo a necessidade de proteger-se e não em razão de uma visão esclarecida e de uma convicção íntima. Tenha consciência de que os seus sentimentos ainda não foram purificados neste ou naquele aspecto. Assim você tem uma boa base para começar. Será mais fácil para você encarar-se dessa maneira quando perceber que sob as camadas do Eu Inferior vive o seu Eu Superior, a sua realidade última e absoluta, que você, no devido tempo, vai alcançar. E para alcançá-lo é preciso, em primeiro lugar, pôr-se face a face com o Eu Inferior, a sua realidade temporária, em lugar de encobri-lo, pois isso coloca uma distância ainda maior entre você e a realidade absoluta, ou seja, o seu próprio Eu Superior. Para encarar o Eu Inferior você deve, a todo custo, demolir a Máscara. Você pode vir a fazê-lo quando visualizar os três "eus" que discuto aqui.

Mentir para si mesmo e não pensar sequer sobre as próprias emoções e verdadeiros motivos, mas apenas permitir, sem pensar, que as emoções o dominem pode às vezes parecer adequado, mas não é. A pessoa que quer ter felicidade, saúde e paz interior, para que realmente viva em plenitude esta vida presente e esteja em harmonia com Deus e, assim, com o seu Eu interior, precisa achar a resposta, de uma vez por todas, para as seguintes questões: *Qual o meu verdadeiro Eu? O que é o meu Eu Inferior? Onde pode existir uma Máscara, uma falsidade?*

É importante que todos vocês treinem o seu olho interior para ver a si mesmos e aos outros seres humanos desse ponto de vista. Quanto mais se tornarem espiritualmente despertos, mais fácil será para vocês perceberem a si mesmos e aos outros com exatidão. Quando entrarem em contato com o Eu Superior, uma vez que a sua intuição tenha despertado por meio do seu desenvolvimento espiritual pessoal, vocês sentirão uma clara diferença entre a Máscara e o Eu Superior; sentirão a desagradável manifestação da Máscara, principalmente das suas próprias, não importa o quão agradável elas possam parecer.

O que resta então para ser feito é penetrar também as camadas inconscientes da personalidade com essas verdades, de forma que toda a resistência seja superada.

Se você quer trilhar esse caminho e obter a cura das suas enfermidades emocionais, é importante que compreenda tudo isso. Você tem que encarar o Eu Inferior que existe em cada ser humano, mas também saber que esse Eu Inferior não é o "Eu" final ou verdadeiro. O Eu Superior, que é perfeição, esperando para crescer e ultrapassar essas camadas de imperfeição, é o verdadeiro EU.

Alguma pergunta sobre este tema, meus amigos?

PERGUNTA: Como é possível desfazer o que o seu Eu Inferior manifestou sob a forma de enfermidade física?

RESPOSTA: Para começar, você não deve tentar eliminar as conseqüências primeiro. Se o seu Eu Inferior criou uma doença, ela tem que ser aceita antes de tudo. Você deve descobrir as raízes ou a parte do seu Eu Inferior que criou a enfermidade. O Eu Inferior tem que ser confrontado e completamente explorado. Seu objetivo tem que ser a purificação e a perfeição por si mesmas. Você o faz pelo amor ao Deus que existe em você e não para evitar um mal-estar. É verdade que é preciso muita determinação e força interior para purificar suficientemente os motivos em primeiro lugar, mas esse é o fundamento necessário. Enquanto faz isso, você está ao mesmo tempo aprendendo muitas outras coisas. A força espiritual cresce à medida que você aprende a ser absolutamente honesto consigo mesmo. Uma vez que os seus motivos sejam puros, a doença não terá metade da importância do estado da sua alma. Na medida em que o ego e o conforto de tudo o que lhe diz respeito perdem importância, você terá seguido uma lei espiritual muito importante. A sua saúde espiritual será gradualmente restaurada. Essa lei tem a ver com o abandono do Ego que Jesus ensinou. Só ao fazê-lo você ganhará a sua vida. Portanto, comece por enfrentar o seu Eu Inferior com coragem, otimismo, humildade e com espírito de descoberta. Uma vez que descubra o seu Eu Inferior e abandone todas as máscaras e todas as camadas superpostas, você começará a trabalhar com esses seus diferentes aspectos. Isso se faz através da atividade diária de auto-observação, testando-se a si mesmo, observando uma e outra vez o quanto as suas correntes internas ainda se desviam daquilo que você quer que elas sejam. Enquanto realiza tudo isso, e obtém domínio sobre o seu Eu Inferior, você aprende a verdadeira honestidade para consigo mesmo e os motivos que o levaram ao desenvolvimento tornam-se cada vez mais puros. A sua visão vai ampliar-se, você receberá esclarecimento e os seus sintomas e problemas vão gradualmente desaparecer. Assim, você não deve sequer pensar em sua enfermidade primeiro, mas nas raízes do problema. Isso será o único sucesso permanente. Se você realmente deseja purificar-se e não simplesmente ver-se livre de conseqüências desagradáveis que lhe são mais visíveis ou notáveis, você receberá ajuda e orientação para a luta contra o Eu Inferior, uma vez que ninguém pode fazê-lo sozinho.

E com isso, meus amigos, eu os deixarei. Vão em paz; saibam que Deus está presente dentro de todos vocês.

CAPÍTULO 3

̀ ✿

REALIZE UMA VERDADEIRA MUDANÇA DE SENTIMENTOS

Trago bênçãos para todos vocês, meus amigos. A essa altura vocês já terão entendido uma coisa claramente: a necessidade de autodesenvolvimento neste plano terrestre, o qual existe para esse mesmo propósito. Não importa quão difícil a vida possa ser às vezes; apenas aquele que tem esse propósito pode encontrar paz na sua alma.

Prometi iniciar esse curso para que cada um de vocês possa encontrar o seu caminho aprendendo como segui-lo, onde começar e o que está na realização desse trabalho. Tratem as minhas palavras como uma meditação. Vocês devem reter estas palavras e não apenas lê-las uma vez, pois isso pode não ser o bastante. Vocês devem meditar sobre estes ensinamentos de forma que este conhecimento possa um dia crescer do nível superficial e intelectual para atingir as mais profundas regiões do seu ser. Só então eles serão verdadeiramente benéficos para vocês.

Todos sabem que é importante ser uma pessoa boa, não cometer os assim chamados pecados, dar amor, ter fé e ser gentil para com os outros. Isso, porém, não é o suficiente. Para começar, saber tudo isso e ser capaz de agir de acordo são duas coisas bem diferentes. Você pode ser capaz de, voluntariamente, impedir-se de cometer um crime, mas não pode de maneira alguma obrigar-se a nunca sentir vontade de ferir alguém. Você pode agir de forma gentil para com uma ou outra pessoa, mas não pode obrigar-se a ter sentimentos gentis. Tampouco você é capaz de forçar-se a ter amor no coração ou a ter verdadeira fé em Deus. O que quer que diga respeito às emoções não depende das suas ações diretas ou mesmo dos seus pensamentos. Modificar os seus sentimentos exige o lento processo de autodesenvolvimento e auto-reconhecimento.

Você pode constatar que não tem bastante fé, mas aperceber-se disso e tentar obrigar-se a tê-la, dizendo a si mesmo "Eu tenho fé", não vai levá-lo nem um passo mais perto dela; muito pelo contrário. Superficialmente, você pode ser capaz de se convencer disso. Mas isso não quer dizer que a sua fé e a sua capacidade de amar sejam reais — e é disso que trata o Pathwork: da mudança de sentimentos.

Agora, como proceder para mudar os seus sentimentos mais profundos? Eis a questão! É por aí que devemos começar, é aí que eu tenho de mostrar-lhe o caminho. Em primeiro lugar, meus amigos, vocês não poderão mudar nada enquanto não souberem o que verdadeiramente existe em vocês. A maior dificuldade neste Pathwork é que as pessoas tendem a enganar-se a si mesmas acerca de quem realmente são. Eu não falo apenas da mente subconsciente, que todos vocês sabem que existe. Entre a mente consciente e a subconsciente existe outra camada que está muito próxima da mente consciente; no entanto, vocês continuam alheios à sua existência porque querem continuar assim. Vocês fogem dela, embora os seus sintomas e sinais estejam bem debaixo do nariz de vocês.

As pessoas fogem dessa consciência porque pensam, de maneira equivocada, que aquilo que não conhecem não existe. Pode ser que vocês não pensem nisso exatamente nesses termos, mas sentimentos desse tipo se passam dentro de vocês sem que sejam percebidos. Contudo, mesmo que desviem o olhar da sua própria realidade interior, ela existe. Ela pode ser a realidade das suas vidas e um estágio do seu desenvolvimento. É a sua realidade agora.

Relembrem a palestra que proferi sobre o Eu Superior, o Eu Inferior e a Máscara. O que acabei de expor é parte da Máscara. Todos vocês sabem que é errado fazer ou pensar ou sentir certas coisas. Se essas coisas ainda existem no seu Eu Inferior vocês se voltam para o outro lado, pensando que assim eliminam o que reconhecem ser errado. Mas a fuga ou negação é o maior engano que um ser humano pode cometer, pois causa infinitamente mais problemas, mais perturbações e mais conflitos internos e externos que qualquer coisa que vocês conheçam em suas mentes conscientes.

Encare a vida

Mencionei as várias leis espirituais que estão sendo constantemente violadas por seres humanos. O processo que acabei de descrever viola uma dessas leis: a lei do enfrentamento da vida. Encarar a realidade da vida significa ser capaz de encarar a si mesmo assim como você é, com todas as suas imperfeições. Se você não encarar a vida em primeiro lugar, nunca poderá evoluir. Nenhum sistema que tente ensinar meios de saltar por sobre esse obstáculo pode jamais ser bem-sucedido, pois a busca de tais atalhos também viola uma lei espiritual.

Todos vocês estão inconscientemente envolvidos nesse processo danoso o tempo todo, embora alguns dentre vocês possam ter obtido uma certa dose de autoconhecimento. Não há nem um entre vocês que não tenha tido pelo menos uma percepção acerca de uma tendência interior, tornando-se consciente da realidade. Não obstante, em muitas outras áreas e sua mente consciente ainda foge do enfrentamento da verdade interior. Você pode até conhecer as suas deficiências, mas com certeza não conhece todos os seus verdadeiros motivos. Você não compreende por que tem certas opiniões, gostos ou idiossincrasias; mesmo as suas boas qualidades podem ser parcialmente influenciadas por um defeito inconsciente ou por uma corrente interna errada. As tendências sobre as quais você tem até aqui enganado a si mesmo têm que ser compreendidas levando-se em conta as influências e conexões que possuem.

Não há nada na alma humana que provenha apenas do Eu Superior ou do Eu Inferior, porque tudo constantemente se mistura. Purificar quer dizer separar, compreender e reorganizar em entendimento consciente todas essas várias tendências, purificando assim as boas tendências básicas de todas as máscaras destinadas a enganar a si mesmo e de influências causadas por fraquezas de caráter.

O Eu Superior em você diz, "Eu quero ser perfeito. Eu sei que essa é a vontade de Deus". Mas é a ignorância do Eu Inferior que faz com que você pense que a perfeição pode ser atingida desviando o olhar das suas imperfeições e desconsiderando-as. É também o Eu Inferior que sempre quer tudo tão confortável.

O Eu Inferior quer estar em uma alta posição também, mas por outras razões que não as mesmas que as do Eu Superior. O seu Eu Superior busca avançar por amor a Deus, por meio do reconhecimento e da iluminação, e está consciente de que somente quando for perfeito é que você poderá ser realmente capaz de amar as outras criaturas humanas. Mas o seu Eu Inferior quer ser perfeito para obter mais satisfação do Ego e para "se sentir por cima", para ser admirado. Todos vocês, sem exceção, sentem isso.

Aqui está um exemplo em que ambos, o Eu Superior e o Inferior, querem a mesma coisa, mas os seus motivos são completamente diferentes. É de extrema importância para a purificação da sua personalidade e em nome de uma alma sadia e harmoniosa que você separe esses motivos e reconheça as suas vozes. Não se sinta como se eu o culpasse, nem culpe a si mesmo quando começar a reconhecer essas tendências em si. Eu estou declarando um fato, e uma das exigências básicas para o seu Pathwork é que você aceite a realidade de muitas tendências negativas que ainda existem em você. Apenas a partir dessa premissa é que você poderá ir em frente e mudar a impureza dos seus motivos.

Você também deve reconhecer as razões pelas quais o seu Eu Inferior o desvia do enfrentamento de si mesmo. Uma das razões é que reconhecer-se imperfeito é desagradável. A outra é que o Eu Inferior é preguiçoso e nunca quer trabalhar. No entanto, enfrentar o que está em você requer trabalho, especialmente no que se refere às coisas incômodas. Assim, o primeiro passo, meus amigos, na sua decisão de trilhar o Pathwork de autodesenvolvimento e purificação é ser claro a respeito disso. Se você o perceber, não se sentirá desencorajado quando estiver entretido nesta primeira metade do trabalho, que é indispensável. Você só pode atingir a perfeição atravessando as suas imperfeições, e não contornando-as.

Uma busca completa leva tempo

Seguir este Pathwork não significa um constante e suave aperfeiçoamento de si mesmo e de suas condições de vida. Isso também seria completamente irreal. É preciso que você encare o fato de que o caminho é longo e que os tempos de provação não cessarão tão rápido quanto você gostaria. Causa-se um grande mal quando se leva as pessoas a pensar que, seguindo certas regras de ensinamentos metafísicos, seus problemas cessarão por completo, ou que, se eles parecem desaparecer por um tempo, isso será um sinal de sucesso.

Imaginar que seguir este Pathwork de purificação diminuirá os seus problemas ou perturbações é imaturo e infantil. Certamente os seus problemas exteriores e interiores diminuirão e finalmente desaparecerão, mas somente após um longo tempo, depois que você tiver compreendido completamente a sua estrutura interna e reorganizado as suas correntes interiores. Dessa maneira você dissolverá imagens interiores que são diretamente responsáveis pelos seus conflitos.

Uma vez que tenha conseguido algumas vitórias sobre si mesmo você perceberá integralmente essa verdade, mas isso exigirá muito tempo e anos de trabalho. Então, muito gradualmente, os tempos de prova diminuirão em impacto e freqüência, à medida que a harmonia cresce na sua alma e você realmente assume o controle de si mesmo e torna-se consciente de quem é. Quando eu digo "consciente de si mesmo" eu quero dizer ter conhecimento completo e absoluto do seu Eu Inferior, o que não significa que você já o tenha superado.

Medite sobre o fato de que você poderá achar aspectos de si mesmo que talvez o deixem chocado. Esteja pronto para enfrentá-los no meio do caminho, em vez de esconder-se e fugir deles. Procure aceitar o fato de que, assim como você passou por testes antes mesmo de começar neste Pathwork, eles continuarão a vir para você durante muito tempo ainda. A única diferença é que uma pessoa que está em um caminho como este irá, depois de algum trabalho bem-sucedido, compreender que cada teste e cada tempo de pesar significam algo muito particular. Uma lição particular para aprender acerca de si mesmo está contida em cada período difícil e em cada revés. Somente após um tempo considerável é que a sua mente estará treinada neste sentido de forma que você descobrirá cada vez mais rápido qual é a lição. No momento em que você tiver compreendido o significado desses períodos, essa forma particular de testes terminará. Enquanto você não o tiver entendido, os testes continuarão. Eles podem parar após algum tempo, mas voltarão da mesma forma, ou de maneira semelhante, até que você tenha aprendido a lição. Aqueles que experimentaram o que significa compreender a mensagem de uma dificuldade específica, entender verdadeiramente o seu núcleo, perceberão que bênção isso é!

O preço do crescimento espiritual é alto

Outro pensamento para meditação: enquanto você trilha este Pathwork, deve também preparar-se para perseverar em outra das leis espirituais, que diz que existe um preço a ser pago por tudo. Quem quer que tente evitar isso pagará no fim um preço muito maior. Cada pessoa está fazendo isso constantemente, de uma forma ou de outra; algumas de maneira mais óbvia; outras, de modo mais sutil e secreto. Muitas pessoas não o fazem de maneira perceptível, mas psicologicamente todos vocês estão a fazê-lo, particularmente quando se aproxima deste Pathwork com olhos apenas semi-abertos.

Saiba que existe um preço, mas que ele vale a pena! Quando você está para comprar uma casa e quer uma linda mansão, você se conforma em pagar o preço adequado. Você não vai esperar encontrar um palácio pelo preço de uma choupana. No nível material você não tem nenhum conflito com essa verdade, mas no nível emocional, psicológico e espiritual você constantemente quer um palácio pelo preço de um barraco — e, às vezes, até de graça.

O preço que você paga por seguir este Pathwork de desenvolvimento sem dúvida é alto, mas não existe absolutamente outro meio, na terra ou no céu, de obter harmonia, amor, felicidade e completa segurança interior. O preço é: nada de autopiedade, nada de ilusões a respeito de si mesmo, rompimento total em relação ao pequeno ego, tempo, esforço, paciência, perseverança e coragem. O que você receberá por esse preço é na realidade cem vezes mais valioso, mas não espere ver a recompensa assim que começar. Quando digo "começar" eu me refiro a um período de pelo menos dois anos de trabalho, desde que você não trabalhe com meias-medidas. Em outras palavras, e falando simbolicamente, primeiro você terá de quitar a fatura!

Eu sei que as minhas palavras não são aquelas que uma pessoa autoindulgente gosta de ouvir. Não existe um método fácil nem uma fórmula mágica pela qual possam obter a felicidade que todos vocês buscam. Eu não posso prometer-lhes as preciosas dádivas dos céus na terra se vocês simplesmente praticam alguns exercícios de prece. Se eu lhes dissesse tais coisas vocês teriam boas razões para terem suspeitas e dúvidas, mesmo que inquestionavelmente preferissem ouvi-las.

O que lhes ofereço é real e verdadeiro. Cada um de vocês tem a oportunidade de descobrir por si mesmo, experimentando e seguindo o meu conselho. E o conselho, para começar, é: medite sobre as palavras que lhes transmito aqui; considere qual deve ser o preço e o que você deve esperar. Então decida-se.

Você está disposto a seguir este Pathwork? Oh!, você pode dizer, "eu estou muito cansado". Eu só posso dizer que isso é produto de uma visão curta; se você está cansado ou fraco é porque suas forças internas se exaurem trabalhando nos canais errados, de tal forma que elas não conseguem renovar-se organicamente, como acontece numa alma em perfeito estado. Se você ao menos começasse sem desanimar logo com os primeiros esforços, você finalmente conseguiria pôr essa corrente interna no seu devido lugar. Ao fazê-lo, você libertaria em si mesmo uma maravilhosa força vital e uma centelha que transformaria por completo a sua vida.

Não posso prometer que todos os seus problemas desaparecerão, pois eles são uma parte necessária do seu caminho, logo de início, um desafio com o qual você pode aprender se o enfrentar como deve. Todavia, eu posso prometer que, depois que houver preenchido certas condições fundamentais, você não ficará mais deprimido com a sua vida e com as suas dificuldades. Eu posso prometer que o seu cansaço desaparecerá e que você terá força para enfrentar as dificuldades e carregar a sua cruz da maneira certa, sabendo o porquê e qual o sentido de tudo isso.

Sua maior dificuldade, e a coisa que mais o enfraquece na sua vida, é o fato de você não poder ver a razão de nada que lhe acontece. Apenas seguindo um caminho dirigido para o seu interior é que você descobrirá; e somente isso lhe dará a força de que necessita. Além disso, eu posso prometer que depois de um certo tempo no Pathwork você aproveitará a vida apesar das suas dificuldades, antes mesmo que elas tenham efetivamente começado a desaparecer. Você passará a saborear a vida de uma maneira que nunca foi capaz. Eu posso prometer que você estará vibrantemente vivo, primeiro a intervalos e depois de modo mais consistente.

À medida que você compreende a si mesmo e começa a pôr ordem na sua alma, essa força vibrante de vida começa a preenchê-lo. A vida será bela para você em toda sua realidade. Portanto eu lhes digo em verdade, não adiem esse trabalho. Não importa o quão tarde você imagine que seja, nunca é tarde demais. O que quer que você consiga nesta terra terá um valor eterno. E quando falo em realização, eu quero dizer a conquista do seu Eu Inferior.

Três tipos de trabalho

Eis aqui outro pensamento, meus amigos, para essa decisão inicial que você tem de abordar com olhos abertos: distinga os três tipos de trabalho envolvidos na sua purificação. Um é o comportamento exterior, o reconhecimento das suas faltas e qualidades aparentes, bem como qualquer ocorrência que esteja na superfície. A próxima fase — e essas fases freqüentemente se alternam — é lidar com aquela camada em você que não pertence diretamente ao seu subconsciente, mas da qual você não tem consciência porque está deliberadamente fugindo dela. Essa camada tem de ser tratada de uma maneira diferente, que eu lhes mostrarei. A terceira camada, igualmente importante, é a mente subconsciente. Não pense que aquilo que está no subconsciente é tão longínquo que não tem efeito sobre você. Sem que o saiba, você é constantemente dominado pelo seu subconsciente; é possível descobrir, de modo lento mas seguro, o que nele está contido, pelo menos até certo ponto. Distinga as tendências que estão diretamente relacionadas à sua vontade consciente e que portanto são diretamente controladas através de um ato volitivo. Você vai descobrir também outras que estão ligadas às suas emoções e que não podem ser diretamente forçadas a reagir aos seus desejos. O mundo da emoção só pode mudar através do crescimento orgânico, não por pressão e ação voluntária, exceto de forma indireta.

Suponhamos que você descubra que bem no fundo você não tem amor ou fé. Você não pode se forçar a ter fé ou amor, não importa o quanto possa tentar diretamente. Porém o que você pode fazer é trilhar este Pathwork, seguir estes passos, superar talvez uma falta de disciplina que torna tão difícil para você trabalhar com diligência no seu Pathwork.

Ao fazer isso você não trabalhará diretamente a sua falta de amor ou fé, por exemplo, mas vai simplesmente conseguir conhecer-se a si mesmo e descobrir por que lhe faltam esses atributos. Quando você gradualmente compreende isso sem se forçar a ter fé ou amor, com o tempo a força vital começa a preenchê-lo e, automaticamente, vai gerar esses sentimentos sem nenhum esforço direto da sua parte. Caso as suas emoções comecem a mudar depois de alguns poucos anos, isso pode ser considerado um sucesso maravilhoso. A mudança vai acontecer tão naturalmente que, no início, você talvez nem tenha total consciência disso.

Estude estas palavras agora; pense profundamente sobre elas. Creiam-me, amigos, isso tudo nem é tão difícil como pode parecer-lhes agora, nem este Pathwork é um milagre que vai produzir felicidade para vocês sem exigir toda a sua honestidade, toda a sua força de vontade e esforço.

Quero dizer-lhe mais uma coisa sobre essa fase de preparação e decisão; esteja preparado para uma luta consigo mesmo. Será a luta entre o Eu Inferior e o Eu Superior, e é a vontade do seu ego consciente que vai decidir que lado vai vencer. Será necessariamente uma longa batalha, que a princípio vai manifestar-se impedindo-o simplesmente de seguir este Pathwork. O Eu Inferior pode enviar mensagens tais como: "Eu não acredito nisso", ou "pode não ser necessário, afinal de contas", ou "estou muito cansado", ou ainda "eu não tenho tempo". É preciso que você reconheça essas mensagens pelo que realmente são e compreenda de onde vieram. Use-as como um ponto de partida para escavar mais fundo no interior da sua alma. Tente ver claramente o que está realmente falando lá dentro quando ouvir esses pretextos e desculpas ocultos.

Se você antecipar esse conflito, será capaz de ver e escutar e obterá uma primeira vitória. Você terá aprendido também até certo ponto o processo de descobrir as suas máscaras e motivos errados, o que o porá em boa posição mais tarde, quando o Eu Inferior tentar obstruir o seu caminho por outros meios. Ele simplesmente tentará apegar-se a correntes espirituais individuais. A essa altura você já saberá lidar com isso um pouco melhor. Não ponha apenas de lado as desculpas superficiais. Teste-as, lide com elas, examine-as.

Muitos de vocês têm medo do que possa vir do seu Eu Inferior. É importante aprender a interpretar e traduzir tais sentimentos vagos em pensamentos concisos. Esse medo é uma importante razão para que uma pessoa se afaste do encontro com o eu.

É pueril imaginar que o que quer que você não acalente em si mesmo não existe caso você evite encará-lo. O Eu Inferior é imaturo e ignorante — sua natureza é de defeitos e distorções. Então eu digo: Não fuja do que existe em você! Todos vocês sabem que *o Eu Inferior é apenas uma camada temporária*, e não constitui a sua personalidade por inteiro. Ele está agora por ser trabalhado, mas não é o seu verdadeiro eu.

O seu Eu Superior, que está parcialmente livre, já se manifesta através das suas boas qualidades, sua generosidade, sua gentileza, ou o que quer que exista em você que pertença à sua esfera. Porém mesmo onde ele não pode manifestar-se por estar profundamente escondido por trás do Eu Inferior, o seu Eu Superior ainda assim existe em sua radiante perfeição. Como você pode alcançá-lo a menos que penetre no Eu Inferior?

Assim, não tenha medo; não fique chocado quando encontrar o seu Eu Inferior onde até hoje não esperava encontrar. Ele é uma formação temporária necessária, mas nunca, nunca representa a sua verdade absoluta. De fato, atingir o estágio em que você fica chocado com algumas de suas facetas, das quais não havia suspeitado antes, constitui um sinal de avanço. Essa é uma forte indicação de progresso, pois sem passar por esse estágio, por mais doloroso que possa ser por algum tempo, você não pode conseguir mais nenhum sucesso ou vitória. Isso é parte do Pathwork, meus amigos.

Se você meditar sobre essas palavras e ao mesmo tempo tentar ficar consciente do seu medo do Eu Inferior, da sua vergonha por ele, e se você aprender a viver com essa verdade e esse conhecimento, você vai vencer. Então, vai encarar o seu medo de forma realista e não estará se escondendo dele como se esconde de algumas outras coisas em si mesmo.

E agora eu me retiro, meus amigos. Bênçãos de Deus para todos; a paz esteja com vocês. Fiquem com Deus.

CAPÍTULO 4

DESCUBRA OS SEUS DEFEITOS

Eu lhes trago bênçãos, meus queridos amigos.

Em nosso último encontro eu lhes falei sobre as dificuldades deste Pathwork e dos perigos de aproximar-se dele com a ilusão de que umas poucas meditações e alguma fórmula milagrosa farão com que todos os seus problemas terrenos desapareçam.

Um outro grande mal-entendido é a idéia equivocada de que os meios que eu estou a indicar-lhes para seguir o Pathwork negligenciam a sua vida em outros sentidos. Alguns dentre vocês talvez creiam que devotar uma certa quantidade de tempo e esforço para o seu desenvolvimento espiritual vá tomar muito tempo da sua luta diária pela sobrevivência; pensam que pode não restar força suficiente para os seus esforços profissionais e portanto temem que as suas finanças venham a ser prejudicadas. Outros talvez acreditem que não lhes sobraria muito tempo para aproveitar a vida, e outras coisas semelhantes.

Essa maneira de pensar, porém, está muito errada porque o desenvolvimento espiritual em geral, e este Pathwork em particular, não é uma atividade a mais que você acrescenta simplesmente às outras atividades, diminuindo assim a força, o tempo, o esforço, e o entusiasmo que de outro modo estariam disponíveis para todos os outros deveres e prazeres. Na realidade é exatamente o contrário, meus amigos.

A verdade é que este Pathwork de purificação representa o fundamento da sua vida. Ele é o solo sobre o qual você caminha. Quando você decide segui-lo, simplesmente redireciona rumos da sua vida para diferentes canais. Depois de algum tempo, muito embora os seus principais problemas não desapareçam de um dia para o outro, essa atitude tem o efeito de despertar em você uma nova centelha de vida que lhe propicia força, argúcia, vitalidade e capacidade para gozar a vida como nunca antes, e que até agora lhe eram desconhecidas.

Dessa forma você terá um melhor desempenho na sua profissão; você se beneficiará mais dos seus momentos de lazer; em suma, tirará da vida mais prazer, ao passo que ela é ainda mais ou menos monótona para a maioria. Esses são os resultados que eu posso prometer se você trabalhar espiritualmente do modo que eu estou lhe mostrando. Eles não vão se tornar aparentes de imediato, mas só depois de um certo tempo, após algumas vitórias interiores. Então você verá que este Pathwork vale a pena, mesmo considerado do seu ponto de vista egoísta e mesmo que os seus principais conflitos ainda não tenham desaparecido.

E isso se deve ao fato de que neste Pathwork, com o tempo, você verá onde em seus sentimentos, reações e pensamentos mais profundos, se não em seus atos, você violou muitas leis espirituais. Tal percepção vai torná-lo capaz de modificar gradualmente correntes internas e reações emocionais e isso libertará automaticamente um poder e uma força vital que antes estavam trancados ou bloqueados. Assim, eu não lhe prometo um milagre que lhe será dado como uma recompensa do céu, mas mostro a você de forma simples e lógica que este Pathwork não pode deixar de funcionar, porque ele é baseado na lei de causa e efeito, que opera de maneira bastante natural e impessoal.

Portanto, eu lhe peço que não considere a decisão de trilhar este Pathwork como alguma outra atividade da sua vida, como tomar aulas de alguma coisa, que poderiam roubar-lhe tempo e esforço que por sua vez seriam dedicados a outras atividades necessárias ou desejáveis. Antes, considerem-no como o alicerce da sua vida. Ele a transformará em um todo bem-integrado pois, caso possa resolver os seus problemas e erros interiores, você necessariamente, no devido tempo, resolverá também os seus problemas exteriores.

Nesse mesmo diapasão, você obterá tanto mais de todas as boas coisas da vida — felicidade, alegria, prazer — se a sua alma se tornar saudável novamente, se as suas reações internas puderem conformar-se à lei espiritual! Só então você será capaz de ser feliz. E quantas pessoas são capazes de encontrar a felicidade? Muito poucas, meus amigos, pois só aqueles que abraçam a vida de todo o coração, sem medo, sem autopiedade, sem ter medo de serem feridas, seguem uma lei espiritual muito importante. E só aqueles que podem fazê-lo são capazes de experimentar a verdadeira felicidade.

Assim, tudo o que você fizer na vida terá mais sabor, mais consciência e mais centelha vital caso siga o Pathwork de autoconhecimento. Isso não tomará mais tempo que o razoável, de acordo com as circunstâncias da sua vida. Todos vocês sem exceção são capazes, com um pouco de força de vontade, determinação e uma organização adequada da sua vida diária, de dedicar em média meia hora por dia ao seu desenvolvimento espiritual.

Você gasta tempo com o seu corpo físico, alimenta-o, repousa-o e o limpa; certamente você não sente que isso tira alguma coisa dos seus outros deveres ou prazeres. Você tem como certo que é uma parte necessária e óbvia da sua vida. Contudo, quando surge a questão de fazer ou não o mesmo pela sua alma, então medos, dúvidas e questionamentos barram o seu caminho.

Mas eles não podem fazê-lo se você se der ao trabalho de pensar um pouco sobre o tema do desenvolvimento espiritual, meu amigos. Contudo, você não está pensando razoavelmente sobre ele porque não avalia essas dúvidas quanto ao seu próprio mérito. Você as tem porque é inspirado pelo seu Eu Inferior. Enquanto não reconhecer como esse Eu Inferior funciona, como ele se manifesta, e de que maneiras ardilosas ele se esconde por trás de desculpas fáceis, você não será capaz de dominá-lo.

Não são apenas aquelas características comumente chamadas faltas ou defeitos que são um obstáculo para você, e que portanto indiretamente fazem mal aos outros, mas também os seus medos, que não são geralmente considerados defeitos. Você não se dá conta de que os seus medos causam um grande dano, não apenas na sua própria vida, mas também na vida de outros. Eles também ocultam a sua luz de amor, compreensão e verdade. Por conseguinte, adotar este Pathwork não é apenas uma questão de superar as suas fraquezas de caráter. A superação do seu medo é de igual importância, pois enquanto houver medo no seu coração, você causa dano a outras pessoas.

Prometi que mostraria como você deve se portar para verdadeiramente iniciar este trabalho. Existem muitas maneiras e cada pessoa reage a elas de modo diferente. Porém, eu darei algumas linhas mestras básicas para serem seguidas enquanto você traça os seus próprios planos.

Todos vocês sabem que obter o autoconhecimento é de suma importância. Mas, como isso pode ser feito? O primeiro passo será pensar tão objetivamente quanto lhe for possível acerca de si mesmo, sobre todas as suas qualidades e todos os seus defeitos. Escreva uma lista, como eu tenho freqüentemente aconselhado, pois escrever ajuda a concentrar-se e condensar o que você descobriu até o momento. Isso irá evitar que perca de vista esse conhecimento. As palavras ali, preto no branco, podem lançar uma nova luz de compreensão e promover um pouco mais de desprendimento na sua consideração de si mesmo.

Mais tarde, quando tiver alcançado mais conhecimento a respeito de si mesmo e das suas tendências subconscientes, você será capaz de juntar certas peças do conhecimento adquirido antes, contanto que estejam expressas de maneira clara e concisa.

A lei da fraternidade

Depois de fazer isso conscienciosamente, o próximo passo é pedir a uma outra pessoa, alguém que o conheça muito bem, para dizer-lhe honestamente o que pensa a seu respeito. Eu sei que isso exige um pouco de coragem. Considere-o como o primeiro passo para superar um pouquinho o seu orgulho. Ao fazê-lo, você terá obtido uma vitória que já o livrará de uma pequena cadeia interna.

É muito importante não realizar esse trabalho completamente sozinho. Abrir realmente o seu coração a outra pessoa traz-lhe uma ajuda espiritual que não pode receber enquanto estiver só. Isso se deve à lei da fraternidade. Pois pessoas que estão sempre sozinhas, não importa o quanto trabalhem, o quanto leiam ou estudem, o quanto tentem ser honestas consigo mesmas, ficam trancadas numa espécie de vácuo que impede uma compreensão e avaliação de si mesmas, compreensão esta que flui automaticamente em seu interior quando podem abrir-se para outra alma. Permanecendo só você viola, de uma forma sutil, a lei da fraternidade.

Não se isolar exige uma certa dose de humildade que não se instala facilmente no princípio, mas que, depois de algum tempo, se torna uma segunda natureza. Em breve você será capaz de falar abertamente sobre as suas dificuldades, fraquezas e problemas, e de receber críticas. Isso, naturalmente, é igualmente saudável para a sua alma. Cada um de vocês que já tentou se abrir confirmará que o simples fato de discutir um problema que guardou para si mesmo fará com que ele perca as suas proporções exageradas e alguns dos seus aspectos assustadores.

Ser você mesmo, como você é realmente, com pelo menos uma pessoa, com um mínimo de máscaras e defesas, é um excelente remédio. Ao mesmo tempo você oferece um ato de amor à outra pessoa, a quem você ajuda mais ao mostrar as suas próprias fraquezas humanas do que tentando parecer superior. O seu parceiro fará o mesmo por você.

Assim, tente organizar isso com um amigo. Você verá após algum tempo como será útil e produtivo. Vai lhe dar algo sobre o que pensar; vocês ajudarão um ao outro e aprenderão muito sobre fraternidade, humildade e compreensão desprendida.

Eu aconselho a procurar as pessoas que o conhecem realmente bem. Não importa em que acreditem, eles vão respeitá-lo pelo seu sincero esforço para melhorar, para aprender sobre os seus defeitos e para escutá-los. Você pode pedir da maneira certa, explicando-lhes que quatro olhos geralmente vêem melhor que dois e que você quer melhorar e não ficará magoado ou aborrecido com eles, mesmo que lhe digam algo que lhe pareça injusto.

E quando os seus amigos ou seus familiares realmente lhe disserem os seus defeitos, pense neles com calma. Alguém pode dizer algo que à primeira vista parecerá inteiramente injusto e doloroso para você. Você pode também, em todo caso, ficar ainda mais magoado se o que lhe disserem for verdade. Mesmo que você tenha a sincera convicção de que a crítica é uma injustiça, tente avaliá-la não obstante. Pode haver nela pelo menos uma mínima partícula de verdade; a outra pessoa pode vê-lo apenas um pouco diferente ou vê-lo apenas em um nível superficial. Ele, ou ela, pode não compreender totalmente o que jaz por sob o seu comportamento, o porquê de você reagir dessa maneira, e todos os complicados mecanismos do funcionamento da alma. Ele ou ela pode não escolher as palavras certas, mas a partícula de verdade no que é dito pode abrir uma nova porta de compreensão para você. Pode até ser algo inteiramente novo para você, porém com freqüência é necessário considerar a mesma falha ou traço a partir de novos ângulos, sob uma luz diferente, de modo a compreender os vários efeitos que o mesmo defeito, ou falha, pode ter sobre o mundo que o cerca. Se você tomar todas as falhas que começa a reconhecer cada vez mais claramente na sua meditação diária, e se o seu desejo for verdadeiramente sincero, você terá iniciado da melhor forma possível.

Treine-se para observar as suas reações interiores quando lidar com o que há de desagradável dentro de si mesmo. Isso é de extrema importância. Eu iniciei esta palestra dizendo que o Eu Inferior resiste constantemente aos seus esforços. Aqui você tem uma maravilhosa oportunidade de observar o seu Eu Inferior enquanto ele age e reage. Observe-o como faria com uma outra pessoa; mantenha-se um pouco menos envolvido com ele. Ponha um pouco mais de distância entre o seu poder de auto-observação e a reação do seu Eu Inferior, do seu Ego, da sua mágoa, da sua vaidade, que se manifestam quando você lida com o lado desagradável da sua personalidade.

Ao reconhecer assim as suas próprias reações e compreendê-las, talvez encará-las com um pouco mais de humor, não se levando tão a sério nesse aspecto, você avançará um outro degrau na escada. Mas eu o advirto a não esperar que essa percepção nasça de um dia para o outro. Ela significa trabalho constante e, depois de algum tempo de esforço diário, mesmo que seja apenas por meia hora, você fará progressos. Chegará o ponto em que sentirá com muita clareza a distância entre o seu Eu Verdadeiro e o seu pequeno Ego magoado, e você poderá levá-lo menos a sério, sem se envolver muito. Uma vez que você o tenha alcançado, abrir-se-á uma porta para ainda mais autocompreensão.

Assim, comece por fazer o seu próprio inventário de falhas. Após ter feito o seu melhor nesse aspecto, após ter perguntado também a alguém que conheça realmente bem os seus defeitos, compare as observações dessa pessoa, ou pessoas, com as suas próprias descobertas. Esses esforços são um maravilhoso começo para todos. Eles não serão em vão, eu prometo. Se você fizer algum trabalho de auto-observação todos os dias e meditar sobre as palavras relativas ao tema que estou abordando agora, você certamente será bem-sucedido muito antes que resultados concretos possam manifestar-se na sua vida. Um sentimento de contentamento e paz profundos surgirá em você com uma freqüência muito maior.

Os três principais defeitos

Agora eu vou mencionar os três principais defeitos do caráter humano. Esses três defeitos fundamentais, dos quais derivam direta ou indiretamente todas as várias limitações individuais, são a *obstinação*, o *orgulho* e o *medo*. É muito importante que você os perceba. Você pode não achar que o medo seja um defeito, mas eu estou lhe dizendo que ele o é; uma pessoa sem falhas não teria medo.

Todos vocês sabem que o oposto do medo é o amor, porém esse conhecimento em si mesmo não será suficiente para que compreenda por que o medo é um defeito. Primeiro você tem que entender que esses três defeitos são interligados. Dificilmente seria possível que você tivesse um ou dois desses defeitos sem o terceiro. O que pode ser possível, não obstante, é que, dos três, um ou dois sejam inconscientes, enquanto o terceiro é fortemente aparente, até para você mesmo.

Portanto, é muito importante que você escreva a sua revisão diária e confira as suas reações e tudo que tenha sentido durante o dia em resposta a incidentes que com freqüência parecem irrelevantes. Se você tentar formular concisamente uma das duas reações interiores desagradáveis, sempre chegará à conclusão que na maior parte das vezes existe um elemento de medo envolvido nela — medo de que talvez outras pessoas não façam o que você quer ou não reajam de acordo com o seu desejo. Em outras palavras, se existe uma forte obstinação, existe automaticamente o medo de que essa vontade não seja satisfeita ou de que o seu orgulho possa ser ferido. Se você não tivesse orgulho, você não teria que temer que ele pudesse ser ferido. Caso você não tivesse uma vontade obstinada, não teria que temer que ela não fosse satisfeita.

Se você começar a verificar as suas várias impressões ao longo do dia e as suas reações, poderá ver onde se insere o elemento medo e se ele está ligado com a obstinação e o orgulho, e em que medida. Então comece a observar essas suas reações internas e a analisá-las nestes termos sem tentar modificar-se imediatamente, porque os sentimentos não podem ser mudados por um simples ato de vontade, mas eles vão modificar-se se você aprender primeiro a observá-los.

Revisão diária

A prática da revisão diária é uma poderosa ferramenta. Você não tem que estar muito avançado no autodesenvolvimento para realizá-la. Qualquer um pode fazê-lo. Tudo o que você precisa fazer é rever o seu dia e pensar em todos os eventos que, de alguma forma, causaram desarmonia. Mesmo que você não possa compreender o porquê, registre o incidente e o que você sentiu. Quando você o tiver feito por algum tempo, um padrão evoluirá. Pode ser que este ainda não lhe dê uma pista sobre o que está errado na sua formação interna, mas você verá pelo menos uma repetição que aponta para o fato de que deve haver algo em você que está causando a desarmonia.

Se eventos ou sentimentos infelizes se repetem constantemente, isso é uma pista para a sua própria alma. Essas ocorrências repetidas, junto com as suas reações a elas, podem variar de duas ou três maneiras, mas deve haver um problema básico subjacente que você pode aprender a reconhecer.

Isso não tomará mais que dez ou quinze minutos por dia, o que certamente deve ser possível para todos. Você não tem que escrever tudo o que perturbou o seu senso de harmonia no decorrer de um dia, mas apenas anotar algumas palavras-chaves. Ao fazê-lo regularmente, você conseguirá trazer o inconsciente à tona e descobrirá as suas tendências interiores. Depois de fazer isso por algum tempo, você irá, com toda certeza, reconhecer padrões definidos na sua vida, dos quais de outro modo não poderia ter consciência. Você reconhecerá esses padrões por meio de certos acontecimentos e ocorrências constantes da sua vida e da maneira que você reage a eles.

No momento, isso é tudo que você deve fazer. Não existe nenhum truque mágico em relação a isso. Depois que você tiver mantido uma revisão diária por algum tempo, leia todas as anotações e recorde os incidentes, juntamente com as suas reações. Veja se pode pelo menos pressentir um padrão. Pergunte a si mesmo: "Onde posso achar o ponto em mim mesmo no qual eu me desvio de alguma lei divina?" Então comece a pensar nos seus vários defeitos, aqueles que você já tiver descoberto.

Compare e relacione esses padrões com a sua lista de falhas. Indague-se sobre quais são os seus sentimentos, o que querem realmente as suas correntes de desejo, e se esses sentimentos e correntes estão realmente de acordo com a lei divina. Essa é a maneira de chegar exatamente ao meio deste Pathwork. Sem esta ajuda seria extremamente difícil, senão impossível, obter o autoconhecimento que é a essência e a chave deste Pathwork e sem as quais você não pode alcançar a divindade que habita em você.

Isso toma tão pouco tempo, que eu suplico a todos vocês, em seu próprio benefício, façam-no.

Eu me retiro agora com bênçãos especiais que estão vindo para cada um de vocês, meus amigos. O amor de Deus toca a todos. Fiquem em paz, fiquem com Deus.

CAPÍTULO 5

୨ଡ଼

IMAGENS

Abençoada é esta hora; bênçãos para todos vocês, meus queridos amigos. Toda personalidade, no curso de uma vida, normalmente no início da infância, com freqüência até mesmo quando bebê, forma certas impressões devidas a influências do ambiente ou a experiências inesperadas e repentinas. Tais impressões são geralmente baseadas em conclusões formadas pela personalidade. Na maioria das vezes, elas são conclusões erradas. Uma pessoa vê e passa por um infortúnio, por uma agrura inevitável da vida, e então generaliza esses acontecimentos em convicções. As conclusões formadas não se baseiam na reflexão; elas são mais da natureza de reações emocionais, atitudes gerais em relação à vida. Elas não são completamente desprovidas de um certo tipo de lógica, mas esta é de uma espécie muito limitada e errônea. Com o passar dos anos essas conclusões descem mais e mais para o fundo do inconsciente, moldando em certa medida a vida da pessoa em questão.

Nós chamamos cada uma dessas conclusões de *imagem*. Você talvez diga que uma pessoa poderia também ter uma imagem positiva, saudável, gravada na alma. Isso é verdadeiro apenas até certo ponto, porque onde não foi produzida uma imagem errada, todos os pensamentos e sentimentos estão em movimento, flutuando; eles são dinâmicos; são flexíveis. Porque o Universo como um todo é invadido por um número de forças divinas e de correntes de energia. Os pensamentos, sentimentos e atitudes não ligados a uma imagem *fluem* em harmonia com essas forças e correntes divinas, adaptando-se espontaneamente à necessidade imediata e mudando de acordo com a necessidade de cada momento e situação. Mas as formas de pensamentos e sentimentos que emanam das imagens são *estáticas* e congestionadas. Elas não se submetem e mudam de acordo com as diferentes circunstâncias. Assim, elas criam desordem. As correntes puras que fluem através de uma alma humana são perturbadas e distorcidas. Há um curto-circuito.

Essa é a maneira como *nós* o vemos. O modo como vocês o vêem e sentem é através da infelicidade, da ansiedade e da perplexidade diante de muitos eventos aparentemente inexplicáveis. Por exemplo, você percebe que não pode mudar o que quer mudar ou que certos acontecimentos na sua vida parecem repetir-se regularmente sem uma razão óbvia. Esses são apenas dois exemplos; existem muitos outros.

As conclusões erradas que formam uma imagem são formadas pela ignorância e com um conhecimento parcial e, portanto, não podem permanecer na mente consciente. À medida que a personalidade cresce, o novo conhecimento intelectual contradiz o velho "conhecimento" emocional. Portanto, a pessoa enterra o conhecimento emocional, até que ele desaparece do campo de visão consciente. Quanto mais este é escondido, mais forte ele se torna. Com freqüência, você não compreende o que o faz reter uma tal impressão, a partir da qual formou uma conclusão errônea; seu intelecto, sua mente como um todo, cresceu, foi modificado pelo que você aprendeu, pelo seu ambiente e pela experiência de vida, contudo, enquanto sua imagem permanece viva, você, num nível emocional mais profundo, não mudou.

Num certo momento de sua infância, você sofreu um choque. Quando você pensa num choque, imagina logo uma experiência repentina com um impacto muito forte e inesperado, como um acidente. Mas um choque pode também acontecer, particularmente para uma criança, numa descoberta gradual de que as coisas são o contrário das expectativas mais queridas e acariciadas. Por exemplo, uma criança vive com a idéia de que os pais são perfeitos e onipotentes. Quando surge a percepção de que não é assim, ela vem como um choque, embora essa percepção comumente possa vir como uma série de eventos até que a nova descoberta torne a sua impressão duradoura.

Quando uma criança descobre que os seus conceitos até então aceitos a respeito dos pais, ou do mundo como tal, não são verdadeiros, ela perde a segurança. Ela fica assustada. Ela não gosta da descoberta e irá, por um lado, repelir esse conhecimento desagradável para o subconsciente porque se sente culpada e, por outro lado, construirá defesas contra essa "ameaça". Quer tenha ocorrido repentinamente ou numa conscientização lenta, essa ameaça é o choque ao qual nos referimos.

Todos vocês sabem que o choque causa entorpecimento. O seu corpo, bem como os seus nervos e a sua mente, ficam entorpecidos a ponto de perder a memória temporariamente ou apresentar outros sintomas. Assim a criança experimentará um choque porque os pais, o mundo, a vida, não são do modo que ela pensava que eram. Embora a impressão que criou o choque possa ser objetivamente correta, ainda assim a dedução que a criança é capaz de fazer fatalmente será incorreta. Porque as crianças tendem a generalizar, elas projetam as suas próprias experiências sobre todas as outras alternativas. Os pais de uma criança são o seu mundo, o seu universo, e portanto o que a criança conclui após o choque deve ser aplicado a todas as outras pessoas, à vida em geral. Essa aplicação generalizada é a conclusão errônea que cria a imagem.

A imagem foi criada quando o mundo e os conceitos ordenados da criança foram destruídos. As conclusões errôneas derivam, em primeiro lugar, da generalização. A realidade é que nem todas as pessoas têm as mesmas limitações que os pais: nem todas as condições de vida são semelhantes àquelas que a criança descobre no seu próprio ambiente. Em segundo lugar, o mecanismo de defesa que a criança escolhe com uma compreensão limitada do mundo é errado em si mesmo; e ele o é ainda mais quando aplicado a pessoas e situações outras que não aquelas do ambiente infantil. Esse, meus amigos, é o modo como as imagens são criadas. Mas você não se recordará espontaneamente das suas emoções, reações, intenções interiores e das suas conclusões. Você não pode recordar-se delas porque sentiu a necessidade de esconder todo esse procedimento pela sua falta de lógica racional e também porque sentia vergonha pelo fato de seus pais não serem o que você pensava que eles deviam ser.

Na sua mente infantil você presumiu que o seu caso era singular. Todo mundo tinha pais perfeitos, perfeitas condições familiares, e só você experimentava essa singularidade chocante que tinha que ser escondida de todos, até de você mesmo, bem como, é claro, dos seus pais e de outras pessoas próximas. A vergonha originou-se da idéia equivocada de que o seu caso era único, e todo o processo emocional tinha que ser escondido por causa da vergonha.

Quando esses processos permanecem escondidos, parte da sua personalidade não pode crescer. Se uma planta é deixada na terra com as suas raízes cortadas, ela não pode crescer. O mesmo se dá com cada corrente ou tendência emocional. Portanto, você não deve ficar surpreso ao descobrir que as suas imagens-conclusões não se conformam absolutamente à sua inteligência adulta.

Um bebê ou uma criança muito pequena conhece apenas as emoções mais primitivas; conhece o amor e o prazer, quando a sua vontade é satisfeita; conhece ódio, ressentimento e dor quando isso não acontece. É simples assim. Só mais tarde é que ela aprende a avaliar objetivamente, em vez de dar ouvidos à sua própria dor ou prazer.

Enquanto a sua imagem vive, você continua no procedimento infantil porque, neste aspecto, a sua mente permanece infantil, não importa o quanto o resto da sua personalidade tenha progredido e aprendido. A sua personalidade desenvolvida é capaz de julgar de forma madura no nível intelectual e, em alguns casos nos quais nenhuma corrente ligada a imagens obstrui a sua percepção, até mesmo emocionalmente. Porém, onde essa impressão chocante lenta ou repentina afetou a alma, não se assimila a experiência conscientemente e, portanto, a mente permanece infantil; ela permanece no estado em que estava quando as imagens-conclusões foram formadas e mandadas para o inconsciente. Conseqüentemente, uma parte de um ser maduro, em outros aspectos permanece imatura. Na verdade, essa parte continua a fazer as mesmas deduções que a criança fez, de forma emocional e inconsciente, enquanto a imagem não é elevada para a consciência.

Por exemplo, imagine uma menininha que chora quando quer atenção; a mãe, porém, imagina que atender quando a criança chora vai "estragá-la". A criança aprende que a mãe não vem quando ela chora, mas que ela vem em outros momentos, aparentemente não relacionados com o seu choro. Portanto, é tirada a seguinte conclusão: "Para ter a minha necessidade atendida, eu não devo mostrar que a tenho." Ora, com essa mãe em particular, não mostrar as necessidades pode realmente ser uma boa estratégia. Mas quando a garotinha se torna uma mulher, é mais provável que essa estratégia produza o resultado oposto. Uma vez que ninguém saberá que ela tem uma necessidade específica, ninguém dará a ela o que precisa. Todavia, uma vez que ela é completamente ignorante da sua "imagem", porque esta submergiu há muito tempo atrás no seu inconsciente, ela passará pela vida sem entender por que é tão frustrada. Ela não sabe que age de tal forma que a vida parece confirmar a sua crença errônea.

Será que eu tenho uma imagem?

Como você pode estar certo que uma imagem assim existe no seu interior? Uma indicação é que você não consegue superar certas falhas, não importa o quanto tente. Por que as pessoas amam alguns dos seus defeitos? Elas o fazem pela simples razão de que uma imagem faz com que certos defeitos pareçam uma maneira de proteger-se da dor. Por exemplo, uma pessoa sabe que é preguiçosa; mas ela pode não saber que a relutância de sair da cama e sair para o mundo é uma proteção erroneamente concebida contra a possibilidade de ser ferida. "Se eu permanecer na cama, ninguém pode me ferir", pode ser o raciocínio inconsciente. Portanto, uma imagem está no fundo dessa atitude.

Outro sinal seguro da existência de uma imagem é a repetição de certos incidentes na vida de uma pessoa. Uma imagem sempre forma um padrão de comportamento ou reação de uma maneira ou de outra; ela também atrai um padrão de ocorrências exteriores que parecem surgir sem que você faça nada para produzi-las. Conscientemente, a pessoa pode desejar ardentemente algo que é exatamente o oposto da imagem, porém o desejo consciente é o mais fraco dos dois, uma vez que o inconsciente é *sempre* mais forte.

A mente inconsciente não percebe que ela impede a realização do mesmo desejo que a pessoa tem conscientemente mas não pode realizar, e que o preço por essa pseudoproteção inconsciente é a frustração do desejo legítimo. É muito importante que isso seja compreendido, meus amigos. É de igual importância entender que os eventos externos — certas situações, certas pessoas — podem ser atraídas como um ímã para uma pessoa por conta de imagens interiores como essas. Isso pode ser difícil de perceber, mas é assim. O único remédio consiste em descobrir qual a imagem, em que base ela está formada e quais foram as conclusões erradas.

Com freqüência vocês não percebem a repetição e o padrão nas suas vidas, meus amigos. Vocês apenas passam por cima do óbvio. Estão acostumados a presumir que certos eventos são coincidências, ou que algum destino os está testando arbitrariamente, ou que outras pessoas à sua volta são responsáveis pelos seus repetidos infortúnios. Como conseqüência, você presta muito mais atenção às ligeiras variações de cada incidente do que ao seu caráter básico, e falham em notar o denominador comum de todos os acontecimentos devidos à sua imagem.

A maioria dos psicólogos descobriu esses padrões e conclusões errôneas. O que eles em geral não sabem é que essas imagens raramente foram iniciadas nesta vida, não importa o quão cedo elas foram formadas. Na maior parte do tempo uma imagem é muito antiga, sendo carregada de uma vida para outra. É por isso que incidentes que não formarão imagens em uma criança ou em uma pessoa que está livre desse conflito em particular colaborará para formar uma imagem em alguém que trouxe essa imagem para esta vida.

Quando existem imagens de vidas anteriores, a encarnação ocorre num ambiente que deve criar provocações às imagens presentes, talvez por meio de imagens correntes semelhantes nos pais ou em outras pessoas que cercam a criança em crescimento. Só assim a imagem emergirá novamente; só quando ela se torna um problema é que a pessoa vai prestar-lhe atenção, em lugar de desviar o olhar. Se a imagem é ignorada, as circunstâncias ficarão muito mais difíceis na próxima vida na terra, até que os conflitos se tornem tão avassaladores que fatores externos não mais possam ser considerados culpados. Então a pessoa começa a voltar-se para dentro.

A única solução é tornar conscientes as imagens. Eu lhe dou pistas de como começar, mas você não será capaz de colocá-las em prática completamente sozinho. Vai precisar de ajuda. Mas, se existir seriedade no seu desejo de encontrar e dissolver as imagens na sua alma, mais ajuda e orientação irão chegar e você será conduzido à pessoa adequada, com a qual poderá formar uma organização cooperativa de trabalho. Para fazê-lo, precisará, entre outras coisas, de humildade, essencial para o seu desenvolvimento espiritual. A pessoa que está continuamente relutando em trabalhar com outra tem necessariamente falta de humildade, mesmo que seja apenas nesse aspecto específico.

Como procurar imagens

Então, como é possível localizar as suas imagens pessoais? Você não o fará trabalhando *nos* sintomas, quaisquer que possam ser, antes porém trabalhando *com* os sintomas. Esses sintomas são a sua incapacidade para superar certas falhas e atitudes; a sua falta de controle sobre certos eventos da sua vida que se repetem e criam um padrão; os seus medos e resistências em ocasiões específicas, para citar apenas alguns. Quanto mais você tenta eliminar os sintomas sem que tenha compreendido suas raízes e origem, mais vai se exaurir em esforços inúteis. O sintomas são apenas uma parte do preço que você paga por suas conclusões interiores errôneas e ignorantes.

Comece a busca das imagens recapitulando a sua vida para localizar todos os problemas. Anote-os. Inclua problemas de todos os tipos. Você precisa se dar ao trabalho de descrever tudo concisamente, preto no branco, pois se apenas pensar a respeito, não terá a visão geral necessária para comparação. Esse trabalho escrito é essencial. Certamente que não é pedir demais. Você não tem que fazê-lo todo em um único dia; faça com calma, mesmo que leve alguns meses. É melhor ir devagar do que simplesmente não começar.

Então, quando você tiver pensado em todos os seus problemas, grandes e pequenos, mesmo os mais desprovidos de sentido, os mais insignificantes, *comece a procurar pelo denominador comum*. Você vai constatar, na maioria dos casos, a existência de um denominador comum, às vezes mais de um. Eu não digo que uma dificuldade não possa ocorrer apenas uma vez na sua vida, independente de qualquer imagem interior. Isso é possível. Esse fato também se baseia em causa e efeito, como tudo no Universo, mas pode não estar ligado à sua imagem. Seja, porém, cauteloso. Não ponha uma ocorrência de lado superficialmente, considerando-a sem conexão com a sua imagem pessoal simplesmente porque assim lhe parece à primeira vista. É bem possível, e até provável, que não existam esses acontecimentos na sua vida. Todas as experiências desagradáveis são provavelmente devidas à sua imagem e relacionadas com ela, mesmo que de alguma maneira remota.

O denominador comum pode não ser fácil de achar. Só depois que você tiver compreendido as suas imagens é que estará em posição de julgar quais de suas experiências, se alguma, tem algo a ver com ele. Até então você deve manter esse julgamento em reserva, por assim dizer. Medite, investigue a si mesmo com seriedade, verificando suas reações emocionais no passado e no presente, e com a ajuda da prece, depois de uma longa e árdua busca, você irá descobrir qual é o denominador comum.

Não descarte algo apressadamente por não lhe parecer relacionado com o resto. Sonde, e você talvez tenha uma surpresa. Os eventos aparentemente mais díspares terminam por ter um denominador comum. Quando você o tiver encontrado, terá dado um importante passo à frente na sua busca, porque então possuirá um indício que o conduz à sua imagem. Para chegar à imagem em si, a todos os caminhos tortuosos através dos quais ela foi formada e à compreensão da sua reação quando você a formou, será necessário explorar o seu inconsciente de forma mais completa.

Os benefícios da dissolução das imagens

Não se deixe dissuadir por sua própria resistência interna, pois esta é tão errônea, ignorante e míope quanto a própria imagem. A força que faz com que você resista é exatamente a mesma que criou a imagem, logo de início; sem que você o saiba, ela criou e continuará a criar infelicidade em sua vida e vai contrariar os seus desejos conscientes. Na verdade, ela faz com que você perca, ou nunca obtenha, aquilo que podia ser seu por direito. Portanto, tenha sabedoria o bastante para ver através disso e para avaliar a sua própria resistência pelo que ela realmente vale. Não se deixe governar por ela.

Como você pode ser uma pessoa espiritualizada, uma pessoa desenvolvida e desprendida no bom sentido, se continua sendo governada pelas suas forças inconscientes e por aquelas conclusões ilógicas, errôneas e ignorantes que formaram uma imagem tão dolorosa no seu interior? A imagem é o fator responsável por toda a sua infelicidade. Ninguém mais é responsável por ela, senão você mesmo. É verdade que você não sabia de nada antes, mas agora sabe.

Você está agora equipado para eliminar a fonte da sua infelicidade; e, por favor, não diga: "Como posso ser responsável por outras pessoas agirem de uma certa maneira, repetidamente, em relação a mim?" Como eu disse antes, é a sua imagem que atrai esses acontecimentos em sua direção, de forma tão inevitável como a noite segue o dia nesta Terra. É como um ímã, como uma lei química, como a Lei da Gravidade. Os componentes da sua reação que formam a imagem influenciam as correntes universais que penetram a sua esfera pessoal de vida de maneira tal qual certos efeitos devem ocorrer, de acordo com a causa que desse modo você pôs em ação.

Se não tem a coragem de escavar o seu inconsciente, de encarar a sua imagem, dissolvê-la e assim fazer de si mesmo uma nova pessoa, você nunca será livre nesta vida; estará sempre acorrentado e amarrado. O preço da liberdade é a sua coragem e a sua humildade em encarar o que está por dentro. Quando tiver dado todos os passos necessários, a vitória da liberdade é um prazer tão grande que, não importa o que aconteça fora de você, nada pode empanar a sua felicidade.

Ademais, você pode ter a certeza de que as imagens que não forem dissolvidas nesta vida terão de ser dissolvidas numa vida futura. Isso não deve ser tomado como uma ameaça; é apenas uma conseqüência lógica. E como pode ser uma ameaça algo que deve libertá-lo das suas cadeias? O quanto antes você descobrir as suas imagens de livre e espontânea vontade, mais fácil será a sua libertação. Você pode seguramente acreditar nisso.

Achar, compreender e dissolver uma imagem é um longo processo. Mesmo depois que você a tenha compreendido, a reeducação das correntes e reações emocionais, que foram condicionadas numa direção por um longo período, leva tempo, exige esforço e paciência. Você pode revoltar-se contra a infelicidade, porém quando perceber que a causa não é Deus nem o destino, mas você mesmo, sua revolta pode virar-se na sua própria direção e então você vai ficar impaciente consigo mesmo. Com essas correntes, você jamais será bem-sucedido em localizar e dissolver a sua imagem; você tem que estar em um estado mental descontraído, e esse estado só pode ser conseguido quando você entende e aceita a longa duração da busca.

Enquanto estiver buscando a imagem, não aborde o seu subconsciente com uma atitude moralista. Ele não gosta disso e irá resistir. Ele lutará contra você e tornará mais difícil um acordo com a sua consciência volitiva. Comece por pensar nas suas feridas, conflitos e problemas. Considere as suas atitudes interiores incorretas como ignorância e erro. Na verdade, todas as faltas o são! Comece pensando sobre as suas idiossincrasias, seus preconceitos, suas emoções tensas em certos campos da vida. Pense em como você reage emocionalmente a certas coisas e em quando e como essas reações se repetem como um padrão ao longo da sua vida. Comece com uma visão dos seus desapontamentos, que aparentemente nada têm a ver com as suas ações ou reações. Depois, quando reconhecer um certo padrão regular, você será capaz de ver a conexão com a sua atitude interior, que pode até então ter escapado à sua consciência.

Para mim, meditação, ou prece profunda, ou pensamento profundo, significa tomar tudo o que você descobriu acerca dessas reações reprimidas ou ocultas — quer digam respeito à tendência que você encontra repetidamente, quer você se depare com reações muito diferentes daquelas reações externas que já conhece — e refletir sobre o seu significado, sua importância, seu efeito sobre você e sobre os outros. Compare-se com a Lei Espiritual tal como você a conhece agora. Pense a respeito disso, tanto do ponto de vista espiritual quanto do ponto de vista prático.

Trabalhe com esse conhecimento recém-descoberto sentindo-o e experimentando-o novamente. Então pense outra vez sobre ele tão objetivamente quanto o sabe fazer agora. Simplesmente mude o seu pensamento para um nível mais profundo e o aplique ao conhecimento novo que você obteve, tanto aos reconhecimentos aparentemente repetidos quanto aos chocantemente novos e diferentes. Não deixe essa nova compreensão de lado, senão você pode resvalar de volta para o mesmo velho padrão.

Você pode facilmente enganar-se e pensar que, somente porque descobriu uma informação importante e significativa sobre a sua alma, nada mais é necessário. Você pode ter o conhecimento teórico e ainda assim continuar reagindo da mesma velha maneira. Não é suficiente compreender interiormente suas tendências e reações ocultas e parar por aí. *O trabalho só começa depois desse reconhecimento.* E essa é a meditação em profundidade, no nível emocional profundo que você descobriu. Caso negligencie essa meditação, você pode reter o que encontrou, mas gradualmente ele vai ficar mais remoto, uma mera informação teórica no seu cérebro, enquanto por debaixo você continua reagindo como antes. Nesse caso você não terá obtido sucesso em integrar e unificar as suas reações emocionais erradas e conclusões errôneas com o seu conhecimento intelectual.

As emoções dependem mais do hábito do que as tendências exteriores. Além do mais, elas são tão enganadoras que, a despeito dos seus esforços, os seus velhos padrões podem simplesmente continuar agindo sem que você tome consciência desse fato. Você está acostumado a empurrar o conhecimento desagradável para o subconsciente, e não pode perder esse hábito de um dia para o outro. É preciso uma grande quantidade de treino, de concentração e esforço. Novos padrões de hábitos têm que ser estabelecidos até que você reconheça os sinais das tendências que devem ser tornadas conscientes. Você tem que desenvolver uma sensibilidade especial para isso — e, é claro, leva tempo.

Vergonha

Tudo o que tem ligação com as imagens interiores errôneas causa à pessoa uma forte vergonha. A atitude ou conclusão em questão pode nem mesmo ser vergonhosa objetivamente falando. Talvez não houvesse nenhuma razão para vergonha, caso ela estivesse à luz do dia; você não sentiria que ela merecesse essa reação, se a encontrasse em outras pessoas.

Depois de ter a coragem de trazê-la à luz, você experimentará por si mesmo como esse sentimento de embaraço e vergonha desaparece por completo. Mas, antes dessa exposição, enquanto você ainda está lutando com ela, você sentirá a vergonha com muita força.

Você pode ter um defeito que é muito mais embaraçoso, mas, tendo-o descoberto há muito tempo atrás, você o aceitou, chegou a um acordo com ele e portanto não se sente mais envergonhado, podendo, talvez, até mesmo ser capaz de discuti-lo abertamente com outras pessoas. Contudo, algo que é um defeito muito menor causa-lhe profunda vergonha, enquanto você não entra em acordo com ele.

Digamos que você descubra que foi fortemente influenciado por um dos seus pais e é muito dependente dele. Isso por si só não é motivo para se envergonhar; isso é algo que se discute geralmente todos os dias. Mas você tinha estado inconsciente disso até agora, ignorava o quanto e de que maneira foi influenciado e o quanto permanece dependente de emoções semelhantes. Porém, quando você se depara pela primeira vez com essa idéia, ela causa um sentimento de agudo embaraço. Essa é uma típica reação ligada a uma imagem, meus amigos. E se você a antecipar, novamente tornará as coisas mais fáceis para si mesmo. Você não estará sob a impressão emocional, subjetiva, de que está sozinho no mundo ou que só você tem tais sentimentos, pois é nisso que as suas emoções acreditam e é por isso que você se sente tão envergonhado.

Essa crença é um sinal do sentimento de separação que você sofre em tais momentos. Mas se você se der conta de que todo mundo está passando por essa reação, de que ela é um sintoma a ser esperado, será capaz de contrabalançar a sua impressão emocional subjetiva e falaciosa, não lhe dando atenção em vez de continuar se deixando governar por ela. Só assim você pode libertar-se da muralha de separação que o fecha na escuridão, na solidão e no medo, na culpa e na falsa vergonha. Só você pode evoluir como uma pessoa livre, com a cabeça erguida, em vez de ser governado e suprimido pelas suas impressões erradas e pela falsa vergonha. É preciso apenas um momento de coragem para atravessar aquilo que parece tão vergonhoso e para encarar-se como realmente é. Você não descobrirá que viveu em um mundo fantasmagórico de medos e vergonhas que absolutamente não é real.

Com muita freqüência, a vergonha não surge porque de repente você descobriu algo de muito maldoso ou horroroso. Não! Você pode ficar muito mais envergonhado por algo simplesmente tolo. Se você entender que, quando formou a imagem, o raciocínio que agora o faz se envergonhar estava de acordo com a sua capacidade de pensamento e raciocínio, você só é tolo relativamente. E você, ser humano inteligente que é, não pode reconciliar-se com o fato de que uma reação tão "boba" ainda vive no seu íntimo. Você está agora no ponto em que realmente reconhece que essa foi a sua dedução, a sua conclusão durante anos até o presente, e agora fica bastante embaraçado em ver que isso era parte da sua mente, da sua "mente subterrânea", mas ainda assim da sua mente, da sua reação.

Será mais fácil para você aceitar isso se considerar que nesse aspecto você continuou sendo uma criança, porque deixou todo o processo de raciocínio na escuridão da mente subconsciente. Também é de grande ajuda perceber que não existe ninguém que você possa citar entre todos que conhece que não possua as suas próprias imagens, e, portanto, incongruências semelhantes. Se você conversasse com uma criança de, digamos, quatro ou dez anos, você não ficaria surpreso em encontrar esse raciocínio. Aperceba-se disso e você vai superar o constrangimento.

Antes que você possa mudar o que quer que seja, você precisa entender o que em você mesmo causa todo esse sofrimento. Só então, lentamente, de forma gradual, você será capaz de reeducar as suas emoções, dissolver as suas imagens e criar na sua alma formas novas e produtivas que correspondam à Lei Divina.

Vou me retirar agora, com as bênçãos especiais que estão vindo para todos vocês, meus queridos. É a bênção da coragem de que todos vocês tanto precisam. Fiquem em paz; fiquem com Deus.

CAPÍTULO 6

O CÍRCULO VICIOSO DO AMOR IMATURO

Saudações, meus queridos amigos. Que Deus abençoe esta reunião; Deus os abençoe a todos.

Eu vou discutir agora um dos círculos viciosos, muito comum entre os seres humanos. Até certo ponto, ele opera em toda alma humana. Na maior parte do tempo ele vive no subconsciente, embora certas partes do círculo possam ser conscientes. É importante neste Pathwork que você siga esse círculo até revelá-lo por inteiro pois, do contrário, não poderá dissolvê-lo. Minhas palavras são dirigidas, não tanto à sua mente consciente, ao seu intelecto, mas ao nível dos seus sentimentos, onde esse círculo vicioso tem a sua existência.

Mesmo que tenha consciência de algumas partes desse círculo vicioso, use estas palavras para procurar por todas as outras partes das quais você ainda não é consciente. Talvez existam poucos entre vocês que não tenham sequer a mínima consciência de nenhuma parte desse círculo. Nesse caso, minhas palavras vão guiá-los para tornar ao menos uma parte dele consciente. Isso não será tão difícil porque muitos dos seus sintomas vão mostrar-lhe facilmente que, embora inconsciente, um círculo desse tipo realmente vive no seu íntimo.

Entretanto, não pense que isso significa que você conscientemente pensa e reage de acordo com esse círculo vicioso; perceba que ele está oculto. Cabe a você tornar consciente essa reação em cadeia ao trabalhar neste Pathwork de autodescoberta e de autodesenvolvimento. Tornar-se consciente dessas correntes vai proporcionar-lhe liberdade e vitória.

A maioria de vocês percebe que existe um modo ilógico de pensar, de sentir e de reagir em cada personalidade, mesmo que no nível consciente vocês sejam mais lógicos. Tudo no inconsciente é primitivo, ignorante e com freqüência ilógico, embora ele siga uma certa lógica limitada que lhe é própria.

O círculo vicioso que é o meu assunto desta noite começa na infância, onde todas as imagens são formadas. A criança é indefesa: ela precisa de cuidados; ela não pode suster-se sobre as próprias pernas; ela não pode tomar decisões maduras; ela não pode ser livre de motivações fracas e egoístas. Por conseqüência, a criança é incapaz de sentir um amor altruísta. O adulto maduro desenvolve-se em direção a esse amor desde que a personalidade amadureça harmoniosamente e contanto que nenhuma das reações infantis permaneça oculta no inconsciente. Se isso acontece, apenas uma parte da personalidade vai crescer, enquanto outra parte — por sinal muito importante — continuará imatura. Existem muito poucos adultos tão maduros emocional quanto intelectualmente.

A criança quer amor exclusivo

A criança entra em contato com um ambiente mais ou menos imperfeito que traz à tona os seus problemas interiores. A criança em sua ignorância anseia por um amor exclusivo que não é humanamente possível. O amor que ela quer é egoísta; ela não quer dividir amor com outros, com irmãos ou irmãs ou mesmo com um dos pais. A criança com freqüência tem ciúmes de ambos os pais. Contudo, se os pais não se amam, a criança sofre ainda mais.

Assim, o primeiro conflito surge de dois desejos opostos. Por um lado, a criança deseja o amor de ambos os pais exclusivamente; por outro lado, ela sofre se os pais não se amam. Uma vez que a capacidade de amor de qualquer pai ou mãe é imperfeita, a criança não compreende que apesar da imperfeição a maioria dos pais é ainda assim plenamente capaz de amar mais de uma pessoa. Todavia, a criança se sente rejeitada e excluída se o pai ou a mãe também amam a outros. Em resumo, os anseios da criança jamais podem ser satisfeitos. Ademais, sempre que esta é impedida de ter as coisas à sua maneira, ela toma esse fato como uma "prova" adicional de que não é amada suficientemente.

Essa frustração faz com que a criança sinta-se rejeitada, o que, por sua vez, causa ódio, ressentimento, hostilidade e agressão. Essa é a segunda parte do círculo vicioso. A necessidade de amor que não pode ser satisfeita gera ódio e hostilidade em relação às mesmas pessoas a quem mais se ama. Falando de modo geral, esse é o segundo conflito do ser humano em crescimento. Se a criança odiasse alguém a quem ela não amasse ao mesmo tempo, se ela amasse à sua própria maneira e não desejasse amor em retorno, tal conflito não poderia surgir.

O fato de existir ódio pela própria pessoa que se ama muito cria um importante conflito na psique humana. É óbvio que a criança sente-se envergonhada dessas emoções negativas e portanto coloca esse conflito no inconsciente, onde ele se torna como que uma infecção. O ódio causa culpa porque a criança é ensinada desde cedo que é mau, errado e pecaminoso odiar, particularmente os próprios pais, a quem se deve amar e honrar. É essa culpa, vivendo sempre no inconsciente, que na personalidade adulta causa toda a sorte de conflitos internos e externos. Além do mais, as pessoas não têm consciência das raízes desses conflitos até que decidam descobrir o que está oculto no seu subconsciente.

Medo do castigo, medo da felicidade

Essa culpa tem uma outra, e também inevitável, reação. Ao se sentir culpado, o inconsciente da criança diz: "Eu mereço ser castigado." Assim, um medo do castigo surge na alma, o qual, novamente, é quase sempre totalmente inconsciente. Não obstante, as manifestações podem ser encontradas em vários sintomas, os quais, se acompanhados até o fim, conduzirão às reações em cadeia que descreverei a seguir.

Com esse medo do castigo inicia-se uma outra reação na qual, sempre que você está feliz e sente prazer, apesar de esse ser um anseio natural, você sente que não o merece. A culpa por odiar aqueles que mais ama convence a criança de que não é merecedora de nada que seja bom, alegre ou prazeroso. A criança sente que se ela tivesse que ser feliz algum dia, o castigo, que parece inevitável, seria ainda maior. Portanto a criança evita inconscientemente a felicidade, pensando dessa forma dar uma compensação e assim evitar uma punição ainda maior. Essa fuga da felicidade cria situações e padrões que sempre parecem destruir tudo que é mais ardentemente desejado na vida.

É esse medo da felicidade que leva uma pessoa a todos os tipos de reações, sintomas, esforços não saudáveis, manipulações de emoções e até mesmo a ações que indiretamente criam padrões que parecem acontecer involuntariamente, sem que a personalidade seja responsável por eles. Assim, um outro conflito passa a existir. Por um lado, a personalidade anela por felicidade e satisfação; por outro, um medo da felicidade impede a satisfação. Embora o desejo de felicidade jamais possa ser erradicado, ainda assim, devido a esse sentimento de culpa profundamente oculto, quanto mais se deseja a felicidade, mais culpado se sente.

Ora, o medo de ser punido e o medo de não merecer a felicidade cria uma outra reação, ainda mais complicada. A mente inconsciente pensa: "Eu tenho medo de ser punido pelas outras pessoas, embora saiba que o mereço. É muito pior ser punido pelos outros, porque então estarei realmente à mercê deles, sejam pessoas, seja o destino, Deus ou a própria vida. Mas, talvez, se eu mesmo me punisse, poderia ao menos evitar a humilhação, a exposição e a degradação de ser punido por forças externas a mim mesmo." Os conflitos básicos de amor e ódio, de culpa e medo do castigo existem em toda personalidade humana. O desejo compulsivo de autopunição, devido a conclusões errôneas e ignorantes, existe em algum grau em todo ser humano.

Assim, a personalidade inflige um castigo a si mesma. Isso pode ocorrer de várias maneiras: por doença física produzida pela psique ou por vários infortúnios, dificuldades, fracassos ou conflitos em qualquer área da vida. Em cada caso a área afetada depende da imagem pessoal que a criança formou e carregou durante esta vida até que ela seja descoberta e, com o tempo, dissolvida. Portanto, caso exista uma imagem relacionada com a profissão ou carreira, por exemplo, ela será fortalecida pelo desejo inerente de autopunição; dificuldades nesse aspecto surgirão constantemente na vida da pessoa. Ou, se existir uma imagem ligada ao amor e à vida conjugal, o mesmo se aplicará nesse caso.

Portanto, se e quando você não for bem-sucedido em um desejo consciente e legítimo e olhando para a sua vida você descobrir que a satisfação desse desejo consciente foi constantemente frustrada, formando um padrão, como se você nada tivesse a ver com isso (como se um destino cruel se tivesse abatido sobre você), pode estar certo de que não apenas uma imagem e uma conclusão errônea existem em seu interior, mas que, além disso, a necessidade de autopunição também está presente.

Outra reação em cadeia nesse círculo vicioso é a divisão da personalidade em suas correntes de desejo. A divisão original entre amor e ódio, que iniciou o círculo vicioso, causa mais divisões, como você pode ver claramente agora. Um desses sentimentos conflitantes é a necessidade de autopunição, porém, por outro lado, o desejo de não ser punido coexiste com ele. Por conseguinte, uma parte oculta da psique argumenta: "Talvez eu possa evitá-lo. Talvez eu possa compensar de outra maneira a minha grande culpa por odiar." Essa compensação imaginária significa uma espécie de barganha. Ela é feita pelo estabelecimento de um padrão tão alto para si mesmo que é impossível atingi-lo na realidade. A pequena voz interior argumenta: "Se eu for perfeito, se eu não tiver falhas nem fraquezas, se eu for o melhor em tudo que fizer, então eu posso compensar o meu ódio e ressentimento no passado." E, uma vez que essa voz foi, num certo ponto, reprimida para o inconsciente, ela não morreu; ela continua viva no presente.

Duas consciências

Você só pode superar alguma coisa se puder ventilá-la. É por isso que o mesmo velho ódio ainda dura em você. É também por essa razão que você se sente constantemente culpado. Caso fosse realmente uma questão do passado, você não sentiria essa culpa aguda todo o tempo, mesmo que não seja consciente. Você pensa que, sendo tão perfeito, pode fugir do castigo. Dessa forma, uma segunda consciência está sendo criada.

Na realidade, existe apenas uma consciência: é o Eu Superior, que é eterno e indestrutível; ele é a centelha divina de cada ser humano. Não confunda essa consciência com a segunda consciência, que foi artificialmente criada pela compulsão de compensar um suposto pecado, ou mesmo uma falha verdadeira. Nem pecados imaginários nem falhas reais podem ser compensados por essa consciência artificial e superexigente. Na realidade, ninguém precisa ser punido. Como todos vocês já sabem, o modo de eliminar falhas verdadeiras é muito diferente e muito mais construtivo. Se e quando você finalmente diferenciar esses dois tipos de consciência, terá dado um grande passo à frente.

A segunda consciência, compulsiva, faz exigências impossíveis de serem atendidas. O que acontece quando você não pode atingir essas metas? Inevitavelmente, o resultado será um sentimento de inadequação e inferioridade. Uma vez que você não sabe que os padrões da sua consciência compulsiva são irracionais, irreais e impossíveis de realizar, e uma vez que você acredita, atrás da sua muralha de separação, que os outros podem ter sucesso enquanto apenas você não pode, você se sente completamente isolado e envergonhado, com o seu segredo carregado de culpa de não apenas odiar, mas de também ser incapaz de ser bom e puro.

A segunda consciência é motivada por fraqueza e medo. Ela é muito orgulhosa para perceber que você simplesmente não pode ser tão perfeito, ainda. Ela é também por demais orgulhosa para permitir que você se aceite como é agora. Portanto, você necessariamente vai se sentir inferior, porque não é capaz de adequar-se a esses elevados padrões. Todos os sentimentos de inferioridade na natureza humana podem ser reduzidos a esse denominador comum. Enquanto esse fato não for sentido e experimentado, você não pode abandonar os sentimentos de inferioridade. Você tem que passar pelas emoções que o criaram. Somente então dissolverá a reação em cadeia ponto por ponto e criará novos conceitos no interior do seu Eu emocional.

As racionalizações que você usa para explicar os seus sentimentos de inferioridade, quaisquer que sejam elas, nunca são a verdadeira causa. Na verdade, outras pessoas podem ser mais bem-sucedidas de um modo ou de outro, mas isso por si mesmo nunca poderia fazê-lo sentir-se inferior. Sem os seus padrões artificialmente elevados, você não sentiria a necessidade de ser melhor que, ou pelo menos tão bom quanto, os outros em todos os campos da sua vida. Você poderia aceitar com equanimidade que outros são melhores ou têm melhor desempenho em algumas áreas, enquanto você tem vantagens que outros podem não ter. Você não teria que ser tão inteligente, tão bem-sucedido, tão bonito quanto as outras pessoas. Esse jamais é o verdadeiro motivo para os seus sentimentos de inadequação e inferioridade! Essa verdade é sustentada pelo fato de que as pessoas mais brilhantes, mais bem-sucedidas, mais bonitas comumente têm sentimentos de inferioridade mais sérios que outras que são menos brilhantes, menos belas ou menos bem-sucedidas.

Perpetuação da inadequação e da inferioridade

Essa inadequação e inferioridade servem para fechar ainda mais esse círculo vicioso. Novamente, a sua vozinha interior argumenta: "Eu fracassei. Sei que sou inferior, mas, talvez, se eu pudesse pelo menos receber uma grande quantidade de amor, de respeito e de admiração dos outros, isso traria a mesma satisfação pela qual eu originalmente ansiava e que me foi negada no passado, colocando-me assim forçosamente na posição de odiar e de criar todo esse círculo vicioso. A admiração e o respeito dos outros seriam também a prova de que eu estava justificado, pois é possível agora receber o que meus pais me negaram. Isso vai mostrar também que eu não sou tão inútil quanto suspeito quando falho em corresponder aos padrões da minha consciência compulsiva."

Naturalmente, esses pensamentos nunca são elaborados conscientemente; contudo, esse é o modo como as emoções argumentam sob a superfície.

Portanto o círculo fecha onde começa, e a necessidade de ser amado torna-se muito mais compulsiva do que era inicialmente. Todos os diversos pontos das reações em cadeia tornam a necessidade muito mais forte. Além disso, sempre existe uma suspeita de que o ódio era injustificado — o que é verdade, mas em um sentido diferente.

A personalidade sente no inconsciente que, se esse amor realmente existe, então a criança estava certa e os seus pais, ou quem quer que tenha negado amor a você, estavam errados. Assim, o anseio por amor torna-se cada vez mais tenso. Uma vez que essa necessidade jamais pode ser satisfeita — e quanto mais isso se torna aparente, maior se torna a culpa — todos os pontos seguintes no círculo vicioso tornam-se cada vez piores à medida que a vida avança, sempre criando mais problemas e conflitos. Só quando você deseja amor de uma maneira saudável e madura e, *apenas quando você está disposto a amar na mesma medida em que deseja ser amado, é que o amor virá.*

Lembre-se de que a personalidade em que esse círculo vicioso é forte jamais pode assumir esse risco enquanto continuar a desejar o imaturo amor infantil. Já que ela não pode arriscar nada pelo amor, ela não sabe como amar de forma madura. A criança não tem a obrigação de assumir esse risco, mas o adulto tem. A criança interior tem apenas o desejo e o anseio imaturo por amor e quer ser amada e acarinhada, cuidada e admirada mesmo por pessoas a quem ela não tem a intenção de retribuir o amor. E com as pessoas a quem ela tem a intenção de retribuir, em certa medida, a proporção entre a sua disposição de dar e sua necessidade compulsiva de receber é muito desigual.

Em razão desse desequilíbrio básico, esse esquema jamais poderá funcionar, pois a Lei Divina é sempre justa e equilibrada. Você nunca recebe mais do que investe. Quando você investe livremente pode ser que não receba o amor de volta imediatamente da mesma fonte em que você o investiu, porém em algum momento ele deverá fluir de volta para você, desta vez em um círculo benigno. O que você dá fluirá de volta, contanto que você não dê em fraqueza, com o intuito de provar alguma coisa. Se os motivos para o amor limitado que você dá forem inconscientemente baseados nesse círculo vicioso, você jamais poderá receber amor de volta. O amor que você deseja na idéia equivocada de que vai deixá-lo quite não é a resposta. Em outras palavras, você procura um remédio que não serve para a sua doença, portanto a sua fome de amor permanecerá, sem ser aplacada. É como um poço sem fundo. Assim se fecha o círculo.

A dissolução do círculo

O seu trabalho neste Pathwork é descobrir esse círculo dentro de você mesmo, vivenciá-lo, particularmente quanto a onde, a como e em relação a quem ele vive no seu interior. Tudo isso tem que se tornar uma experiência pessoal antes que você possa realmente dissolvê-lo. Se você deixar que esse círculo seja apenas um conceito intelectual, sem revivê-lo emocionalmente, o seu conhecimento não irá ajudá-lo.

Repetindo: se você não puder identificar os vários pontos desse círculo vicioso nas suas emoções, a existência dessa reação em cadeia será apenas mais um dado de conhecimento teórico que você absorveu, inteiramente à parte de suas emoções. Uma vez que você descubra esse círculo no seu trabalho pessoal, será possível rompê-lo, mas só depois de perceber onde se encontram as premissas erradas.

Você terá de ver que quando criança você tinha justificativa para o fato de ter certos sentimentos, atitudes e incapacidades que agora são obsoletos. Terá também que aprender a ser tolerante com as suas emoções negativas. Você tem que compreendê-las. Tem de descobrir onde você se desvia do seu conhecimento consciente nas suas tendências, exigências e desejos emocionais. Pode ser que você saiba, e até pregue, que tem que dar amor sem estar tão preocupado em receber, mas todos vocês, nas suas emoções, ainda se desviam desse conceito intelectual.

A discrepância tem que se tornar completamente consciente antes que você possa ter esperanças de romper o círculo. Somente depois de ter-se dado conta de tudo isso e de tê-lo absorvido, depois de ter pensado sobre a irracionalidade de certas emoções até aqui ocultas, é que elas começarão a mudar de forma lenta e gradual. Não espere que elas mudem no exato momento em que você compreenda a sua falta de razão.

Quando você enfrenta essas emoções — sua ignorância, seu egoísmo e sua imaturidade — sem ficar envergonhado, e aplica o seu conhecimento consciente a elas, controlando-se sempre que resvalar para velhos e maus hábitos emocionais, o seu subconsciente começará a revelar gradualmente mais e mais conclusões errôneas. Cada ato de reconhecimento o ajudará a romper o seu círculo vicioso. Assim, você se tornará livre e independente.

A alma humana contém toda a sabedoria, toda a verdade de que precisa, mas todas essas conclusões errôneas a encobrem. Tornando-as conscientes e, então, trabalhando-as ponto a ponto, você finalmente conseguirá liberar a sua voz interior de sabedoria que o orienta de acordo com a consciência divina, segundo o seu plano pessoal.

Quando a Lei Divina é violada nas suas reações internas e externas, inexoravelmente a sua consciência divina o conduz de um modo tal que restaure a ordem e o equilíbrio na sua vida. Vão ocorrer situações que parecem castigos, quando na verdade são o remédio para colocá-lo na trilha certa. Não importa onde ou quando você se desvie, o equilíbrio tem que ser restabelecido, de forma que, através das suas dificuldades, você finalmente chegue ao ponto em que muda a sua direção interna. Você vai se modificar não necessariamente em suas ações exteriores e conscientes, mas nas suas exigências e metas infantis e inconscientes.

Portanto, queridos amigos, trabalhem todo esse círculo vicioso e percebam como ele é atuante nas suas vidas pessoais.

Alguma pergunta?

PERGUNTA: O que acontece com uma criança cujo ódio e hostilidade se expressam abertamente? Essa criança ainda assim teria um sentimento de culpa?

RESPOSTA: Essas manifestações externas ocorrem com freqüência em crianças. Sempre que uma criança tem um dos chamados acessos de raiva, essas emoções vêm para o campo aberto. Invariavelmente, porém, a criança é repreendida e aprende como isso é "mau". Isso fortalece a necessidade de manter oculto o verdadeiro significado desses acessos. E mesmo que o ódio seja, às vezes, inteiramente consciente, mais tarde ele é geralmente suprimido. Então, os mesmos acessos de raiva podem continuar internamente no adulto, sem limite de idade, e cessar apenas quando esse círculo vicioso é trazido para a consciência. Algumas pessoas podem desenvolver doenças que são uma forma de ataque de raiva infantil, ou podem simplesmente tornar a vida difícil para aqueles que as cercam. Por meio de sua infelicidade, essas pessoas infligem constantemente dificuldades aos outros, com o objetivo de impor sua vontade e sua necessidade compulsiva de receber a utopia pueril de amor e cuidado perfeitos. Isso pode acontecer em vários graus. Às vezes é bastante óbvio; outras vezes é muito mais sutil e camuflado. O que as pessoas dizem quando indulgem em tal comportamento é: "Eu estou infeliz, veja. Você tem que tomar conta de mim. Você tem que me amar." Isso é uma "birra" infantil sem a manifestação exterior da criança. O simples fato de que essa hostilidade possa por vezes ser expressa abertamente na infância não quer dizer necessariamente que não possa ser suprimido mais tarde.

Abençoados sejam todos vocês, todos os meus amigos que lêem estas palavras. Levem consigo essas bênçãos, deixem que elas fortaleçam a sua coragem, a sua força de vontade no Pathwork de autodescoberta. Essa é a única libertação possível, libertação dos seus altos padrões compulsivos que os fazem sentir culpados e não merecedores daquilo que Deus quer que tenham: felicidade, luz, amor. Fiquem em paz, meus queridos amigos. Fiquem com Deus.

CAPÍTULO 7

A COMPULSÃO DE RECRIAR E SUPERAR FERIDAS INFANTIS

Saudações, meus queridos amigos. Que Deus abençoe a todos vocês. Que as bênçãos divinas possam estender a cada um de vocês o auxílio para assimilar as palavras que falo.

Nós discutimos anteriormente o medo de amar. Você lembrará que eu mencionei como a criança deseja ser amada exclusivamente e sem limites. Em outras palavras, o desejo que a criança tem de ser amada é irreal.

A falta de amor maduro

Uma vez que as crianças raramente recebem suficiente amor e carinho maduros, elas continuam a ansiar por eles durante toda a vida, a menos que essa falta e essa ferida sejam reconhecidas e adequadamente resolvidas. Caso contrário, quando adultas, elas passarão pela vida inconscientemente lamentando por aquilo que lhes faltou na infância. Isso as fará incapazes de amar de forma madura. Você pode ver como essa condição continua de geração a geração.

O remédio não pode ser encontrado desejando-se que as coisas fossem diferentes e que as pessoas aprendessem a praticar o amor maduro. O remédio reside tão-somente em você. É verdade que se você tivesse recebido tal amor dos seus pais, não teria esse problema do qual não está verdadeira e totalmente consciente.

Porém essa falta de recepção de amor maduro não precisa perturbar nem a você nem a sua vida se você se tornar consciente dela e vir a reorganizar os seus antigos desejos, arrependimentos, pensamentos e conceitos inconscientes, sintonizando-os com a realidade de cada situação. Em conseqüência, você não apenas vai se tornar uma pessoa mais feliz, mas também será capaz de estender aos outros o amor maduro — aos seus filhos, caso os tenha, ou às outras pessoas que o cercam — de forma que uma benigna reação em cadeia possa começar. Uma autocorreção realista como essa é bastante contrária ao seu atual comportamento interior, que agora vamos analisar.

Todas as pessoas, incluindo até mesmo aquelas poucas que começaram a explorar a sua mente e suas emoções inconscientes, habitualmente passam ao largo da forte ligação entre o anseio e a frustração da criança e as dificuldades e problemas atuais da idade adulta, porque muito poucas pessoas sentem pessoalmente — e não apenas reconhecem em teoria — como é forte esse vínculo. A plena consciência disso é essencial.

Pode haver casos isolados e excepcionais em que um pai, ou mãe, ofereça um grau suficiente de amor maduro. Mesmo que um dos pais o possua em um certo grau, muito provavelmente o outro não o terá. Uma vez que o amor maduro nesta Terra está presente apenas em certa medida, a criança sofrerá com as limitações até mesmo do pai amoroso.

Com mais freqüência, no entanto, ambos os pais são emocionalmente imaturos e não podem dar o amor maduro pelo qual a criança anela, ou o dão apenas numa medida insuficiente. Durante a infância, essa necessidade raramente é consciente. As crianças não têm como pôr suas necessidades em pensamento. Elas não podem comparar aquilo que têm com o que os outros possuem. Não sabem que algo mais pode existir. Acreditam que é assim que devemos ser. Ou, em casos extremos, elas se sentem especialmente isoladas, acreditando que o seu quinhão é diferente do de todos os demais.

Ambas as atitudes estão longe da verdade. Em ambos os casos, a verdadeira emoção não é consciente e, portanto, não pode ser avaliada propriamente, nem é possível chegar a um acordo com ela. Assim, as crianças crescem sem nunca entender realmente por que são infelizes, e nem mesmo sabendo que são infelizes. Muitos de vocês olham para a infância convencidos de que tiveram todo o amor que quiseram apenas porque receberam algum amor, mas na verdade, raramente receberam todo o amor de que gostariam.

Há um certo número de pais que dão grandes demonstrações de amor. Eles podem estragar ou mimar seus filhos. Esse mesmo ato de estragar e mimar pode ser uma compensação exagerada e um tipo de pedido de desculpas por uma profunda suspeita de que não são capazes de amar com maturidade. As crianças sentem a verdade de forma muito aguda. Elas podem não observá-la conscientemente ou pensar sobre ela, mas por dentro as crianças sentem com precisão a diferença entre o amor maduro, genuíno, e a variedade imatura e excessivamente demonstrativa que é oferecida em seu lugar.

Orientação adequada e segurança são responsabilidade dos pais e exigem autoridade da sua parte. Existem pais que nunca ousam castigar ou exercer uma autoridade saudável. Essa falha é devida à culpa pelo fato de o verdadeiro amor, o amor generoso, caloroso, confortante, estar ausente nas suas próprias personalidades imaturas. Outros pais podem ser muito severos, muito estritos. Eles, portanto, exercem uma autoridade dominadora maltratando a criança e não permitindo que sua personalidade se desenvolva. Ambos os tipos deixam a desejar como pais, e as suas atitudes errôneas, absorvidas pela criança, causarão feridas e insatisfações.

Na criança cujos pais são rigorosos, o ressentimento e a rebelião são abertos e, portanto, mais facilmente localizáveis. No outro caso, a rebelião é igualmente forte, mas oculta, e por conseguinte infinitamente mais difícil de rastrear. Se você teve um pai, ou mãe, que o sufocava com afeição ou pseudo-afeição, mas que deixava a desejar no tocante ao verdadeiro calor, ou se um dos seus pais conscientemente fazia tudo certo mas também não tinha esse calor, inconscientemente você sabia disso quando criança e se ressentia. Conscientemente, talvez você não pudesse apontar o que estava faltando. Exteriormente você recebeu tudo o que queria e precisava, como poderia então traçar a sutil e delicada fronteira entre a afeição real e a pseudo-afeição com o seu intelecto infantil? O fato de que alguma coisa o incomodava sem que você fosse capaz de explicá-lo racionalmente fez com que você se sentisse culpado e desconfortável. Portanto, você a tirava do seu campo de visão, empurrando-a para o mais longe possível.

Tentativas de remediar a ferida infantil na idade adulta

Enquanto a ferida, a decepção e a necessidade não satisfeita dos seus anos infantis permanecem inconscientes, você não pode entrar em um acordo com elas. Não importa o quanto você ama os seus pais, existe em você um ressentimento inconsciente, que o impede de perdoá-los pela ferida. Você só pode perdoar e esquecer se reconhecer a sua ferida e o seu ressentimento profundamente escondidos. Como um ser humano adulto você verá que os seus pais são, também, apenas seres humanos. Eles não são tão imaculados e perfeitos quanto a criança pensava e esperava, contudo eles não devem ser rejeitados agora porque tinham seus conflitos e imaturidades. A luz do raciocínio consciente tem que ser aplicada a essas emoções que você nunca se permitiu perceber completamente.

Enquanto não tem consciência desse conflito entre o anseio por um amor perfeito, vindo dos seus pais, e o ressentimento contra eles, você está fadado a tentar remediar a situação depois de adulto. Esse esforço pode manifestar-se em vários aspectos da sua vida. Você constantemente se depara com problemas e padrões repetidos que têm origem na sua tentativa de reproduzir a situação da infância de forma a corrigi-la. Essa compulsão inconsciente é um fator muito forte, mas está muito oculto do seu entendimento consciente!

A maneira mais freqüente de se tentar remediar a situação ocorre na escolha dos parceiros. Inconscientemente você saberá como escolher no parceiro aspectos semelhantes ao daquele dentre os pais que mais deixou a desejar em afeição e amor reais e genuínos. Mas você também busca no seu parceiro aspectos do outro, o que chegou mais perto de corresponder às suas exigências. Conquanto seja importante encontrar ambos os pais representados nos seus parceiros, é ainda mais importante e mais difícil descobrir aqueles aspectos que representam aquele que o feriu e desapontou particularmente.

Assim, você busca os pais novamente — de uma maneira sutil que não é sempre fácil de detectar — no seu cônjuge, nas suas amizades ou nas demais relações humanas. No seu subconsciente ocorrem as seguintes reações: uma vez que a criança em você não pode libertar-se do passado, não pode chegar a um acordo com ele, não pode perdoar, compreender e aceitar, essa mesma criança que existe no seu interior cria condições semelhantes, tentando vencer no final para, finalmente, dominar a situação em lugar de sucumbir a ela.

A falácia dessa estratégia

Todo esse procedimento é profundamente pernicioso. Em primeiro lugar, é uma ilusão pensar que você foi derrotado; portanto, é também uma ilusão pensar que agora você pode ser vitorioso. Além do mais, é ilusório achar que a falta de amor, por mais triste que possa ter sido quando você era criança, seja a tragédia que o seu subconsciente ainda sente que é. A única tragédia está no fato de você obstruir a sua felicidade futura ao continuar a reproduzir a velha situação, na tentativa de dominá-la.

Meus amigos, esse processo é profundamente inconsciente. Naturalmente, nada está mais distante da sua mente enquanto você se concentra nos seus objetivos e desejos conscientes. Será preciso escavar muito para descobrir as emoções que o conduzem repetidas vezes para situações nas quais o seu objetivo secreto é remediar aflições infantis.

Ao tentar reproduzir a situação da infância, você escolhe inconscientemente um parceiro com aspectos semelhantes àqueles do seu pai ou da sua mãe. Porém, são esses mesmos aspectos que tornarão impossível que você receba agora o amor maduro que legitimamente anseia, da mesma forma que o foi no passado. Você acredita, cegamente, que o fato de querer com mais força e urgência fará com que o seu pai-parceiro agora ceda, mas na realidade o amor não pode vir por esse caminho. Somente quando você ficar livre dessa contínua repetição é que você não chorará mais pelo amor de um pai ou de uma mãe.

Em lugar disso, você vai procurar um parceiro ou outras relações humanas que o levem a encontrar a maturidade que realmente precisa e quer. Não exigindo ser amado como uma criança, você estará igualmente desejoso de amar. Todavia, a criança em você acha isso impossível, não importa o quanto você se torne capaz de amar de outro modo através do desenvolvimento e do progresso pessoal. Esse conflito oculto eclipsa a sua alma que, em outros aspectos, está em crescimento.

Se você já tem um parceiro, a exposição desse conflito pode mostrar-lhe como ele ou ela se assemelham aos seus pais em certos aspectos imaturos. Porém, uma vez ciente de que dificilmente existe uma pessoa realmente madura, essas imaturidades do seu parceiro não serão mais a tragédia que eram enquanto você buscava constantemente reencontrar um dos seus pais, ou ambos, o que, é claro, nunca poderia ocorrer. Com a sua imaturidade e incapacidade atual, você pode não obstante construir uma relação mais madura, livre da compulsão infantil de recriar e corrigir o passado.

Você não tem idéia do quanto o seu subconsciente está preocupado com o processo de reencenar a peça, por assim dizer, na esperança de que "desta vez vai ser diferente". E nunca o é! À medida que o tempo passa, cada decepção pesa mais e a sua alma fica cada vez mais desencorajada.

Para aqueles de vocês, meus amigos, que ainda não atingiram certas profundidades do seu subconsciente inexplorado, isso pode parecer muito absurdo e forçado. Contudo, aqueles que chegaram a ver o poder das suas tendências, compulsões e imagens ocultas irão, não apenas acreditar prontamente nisso, mas em breve experimentarão a verdade dessas palavras em suas próprias vidas.

Você já sabe, por meio de outras descobertas, como são poderosas as operações da sua mente subconsciente, com que astúcia ela percorre os seus caminhos destrutivos e ilógicos. Se você aprender a olhar para os seus problemas e insatisfações desse ponto de vista, e seguir o processo usual de permitir que as suas emoções venham à tona, você obterá muito mais visão interior. Porém, meus amigos, será preciso revivenciar o anseio e a ferida da criança chorosa que você foi um dia, embora fosse também uma criança feliz. Sua felicidade pode ter sido válida e verdadeira, pois é possível ser a um tempo feliz e infeliz.

É possível que você agora tenha plena consciência dos aspectos felizes da sua infância, mas daquilo que o feriu profundamente e daquele algo pelo qual você ansiava muito — você nem sequer sabia o quê —, você não tinha consciência. Você não sabia o que estava faltando ou mesmo que faltava algo. Essa infelicidade básica tem que vir à consciência agora, se você realmente quiser prosseguir no desenvolvimento interior.

Você tem de reexperimentar a dor aguda que sofreu um dia, mas que foi empurrada para fora do campo de visão. Agora você tem de olhar para essa dor, consciente da compreensão que obteve. Só fazendo isso você entenderá o verdadeiro valor dos seus problemas atuais e os verá na sua verdadeira luz.

Como reexperimentar a ferida infantil

Bem, como é possível conseguir revivenciar as feridas de tanto tempo atrás? Existe apenas um modo, meus amigos. Tome um problema presente. Retire-lhe todas as camadas superpostas das suas reações. A primeira camada, a mais acessível, é a racionalização, aquela que "prova" que outros seres humanos, ou as situações, são culpados: não são os seus conflitos mais internos que fazem com que você adote a atitude errada face ao verdadeiro problema que o confronta.

A próxima camada pode ser a raiva, o ressentimento, a ansiedade, a frustração. Por trás de todas essas reações você vai encontrar a ferida de não ser amado. Quando você experimentar a ferida de não ser amado no seu presente dilema, isso servirá para abrir novamente a ferida da infância. Enquanto estiver enfrentando a ferida atual, volte atrás em pensamento e tente reconsiderar a situação com os seus pais: o que eles lhe deram? Como você realmente se sentiu em relação a eles? Você vai perceber que, de muitas maneiras, sentiu falta de um certo quê, o qual você nunca viu com clareza antes — que você não queria ver. Descobrirá que isso deve tê-lo ferido quando criança; você pode ter esquecido essa ferida num nível consciente, porém ela não foi completamente esquecida. A ferida do seu problema atual é exatamente a mesma.

Agora, reavalie a sua ferida presente, comparando-a com aquela da infância. Por fim, você verá que ambas são exatamente a mesma ferida. Não importa quão verdadeira e compreensível seja a sua dor atual, ela é, não obstante, a mesma dor da infância. Um pouco mais tarde você vai ver como contribuiu para produzir a dor do presente com desejo de corrigir a ferida infantil. Mas a princípio você tem apenas que sentir a semelhança da dor. Contudo, isso exige um considerável esforço, pois há muitas emoções superpostas que cobrem a dor atual, bem como aquela do passado. Antes que você tenha conseguido cristalizar a dor que está experimentando, você não pode entender nada mais a esse respeito.

Uma vez que você possa sincronizar essas duas dores e perceber que elas são uma e a mesma dor, o próximo passo é muito mais fácil. Então, olhando novamente o padrão repetitivo nas suas várias dificuldades, você vai aprender a reconhecer as semelhanças entre os seus pais e as pessoas que o feriram ou que agora lhe causam dor. Experimentar emocionalmente essas semelhanças vai fazê-lo avançar mais no caminho particular de dissolução desse conflito básico. A simples avaliação intelectual não apresentará nenhum benefício. Quando você sentir as semelhanças, enquanto ao mesmo tempo sente a dor de agora e a dor de então, você lentamente chegará à compreensão de como você pensou que tinha de escolher a atual situação porque bem no fundo não podia admitir a possibilidade da "derrota".

Não é preciso dizer que muitas pessoas não têm sequer a consciência de qualquer dor, passada ou presente. Elas sempre desviam o olhar. Os seus problemas não aparecem como "dor". Nesse caso, o primeiro passo é ficar consciente de que essa dor está presente e que ela fere infinitamente mais enquanto ainda é inconsciente.

Muitas pessoas têm medo dessa dor e preferem acreditar que, ao ignorá-la, podem fazê-la desaparecer. Elas escolhem esse tipo de alívio só porque os seus conflitos se tornaram grandes demais. Como é maravilhoso para uma pessoa escolher seguir este Pathwork com a sabedoria e a convicção de que um conflito oculto, a longo prazo, causa tanto dano quanto um conflito aparente. Ela não terá medo de descobrir a verdadeira emoção e sentirá, mesmo na experiência temporária da dor profunda, que nesse momento ela se torna uma dor saudável, que traz crescimento, livre de amargura, tensão, ansiedade e frustração.

Há também os que toleram a dor, mas de modo negativo, sempre esperando que ela seja resolvida por uma causa externa. Essas pessoas estão de certa forma mais próximas da solução porque para elas será muito fácil ver como o processo infantil ainda está em ação. O elemento externo é o pai ou a mãe, ou ambos, pelos quais elas foram feridas, projetados em outros seres humanos. Elas têm apenas que redirecionar a abordagem das suas dores. Não precisam descobri-las.

Como deixar de recriar

Só depois de experimentar todas essas emoções e sincronizar o "passado" e o "agora" é que você se dará conta do quanto tentou corrigir a situação. Além disso, verá também a loucura do desejo inconsciente de recriar a ferida da infância, a inutilidade frustrante de tudo isso. Você observará todas as suas ações e reações com essa nova compreensão e visão e, portanto, libertará os seus pais.

Sua infância será realmente deixada para trás e você começará a ter um novo padrão interno de comportamento, o qual será infinitamente mais construtivo e compensador para você e para os outros. Você não buscará mais dominar a situação que não podia dominar quando criança; prosseguirá de onde está, esquecendo e perdoando verdadeiramente no seu interior, sem ao menos pensar que o fez. Não lhe será mais preciso ser amado da forma que precisava quando criança. Primeiro você se dará conta de que isso é o que ainda quer, e então não buscará mais esse tipo de amor.

Uma vez que você não é mais uma criança, vai procurar o amor de uma forma diferente, oferecendo-o em vez de ficar esperando recebê-lo. Deve-se sempre enfatizar, contudo, que muitas pessoas não têm consciência de que esperam recebê-lo. Uma vez que a expectativa infantil, inconsciente, foi tantas vezes frustrada, elas se obrigaram a desistir de todas as expectativas, de todo desejo de serem amadas. Não é preciso dizer que isso não é nem genuíno nem saudável; pelo contrário, é extremamente errado.

Para ser produtivo e obter verdadeiros resultados, esse conhecimento tem de ir além da mera compreensão intelectual. Você tem que concordar em sentir a dor de certas insatisfações atuais, e também a dor da frustração na sua infância. Então compare as duas até que, como dois *slides* diferentes, elas se mesclem uma à outra, entrem em foco e tornem-se uma só. O conhecimento que você obtém, uma vez que sinta essa experiência exatamente como eu a descrevo aqui, vai capacitá-lo a dar os próximos passos de que necessita.

É de grande importância para todos vocês trabalhar nesse conflito interno de forma a obter uma nova perspectiva e esclarecimento adicional na sua busca interior. A princípio, essas palavras podem talvez dar-lhe apenas um lampejo ocasional, uma emoção que pisca temporariamente para você, mas eles devem ser uma ajuda e abrir as portas para um conhecimento melhor de si mesmo, para uma avaliação da sua vida com uma perspectiva mais realista e madura.

Agora, há alguma pergunta ligada a esta palestra?

PERGUNTA: É muito difícil para mim compreender que uma pessoa escolha sempre um objeto de amor que tem exatamente as mesmas tendências negativas que um dos seus pais, ou de ambos. É verdade que essa pessoa em particular tenha essa tendência, ou isso é uma projeção, uma reação?

RESPOSTA: Pode ser ambas ou uma das duas. De fato, na maioria das vezes, é uma combinação. Certos aspectos são procurados inconscientemente, e encontrados, e são realmente semelhantes. Mas as semelhanças que existem são ampliadas pela pessoa que está fazendo a recriação. Elas não são apenas qualidades projetadas, "vistas", quando na realidade não estão presentes, mas estão latentes em certo grau sem que sejam manifestadas. Estas são encorajadas e fortemente trazidas à tona pela atitude da pessoa que tem o problema interior não reconhecido. Ele ou ela fomenta algo na outra pessoa provocando a reação que é semelhante à dos seus pais. A provocação, que, naturalmente, é inteiramente inconsciente, é um fato muito poderoso, aqui.

A soma de uma personalidade humana consiste em muitos traços. Destes, uns poucos podem ser realmente semelhantes a alguns traços dos pais da pessoa que os recria. O mais destacado seria uma espécie semelhante de imaturidade e incapacidade para amar. Isso por si só é suficiente e forte o bastante, em essência, para reproduzir a mesma situação.

A mesma pessoa não reagiria a outros como reage a você, porque é você que constantemente provoca, reproduzindo assim condições semelhantes às da sua infância para que possa corrigi-las. O seu medo, a sua autopunição, a sua frustração, a sua raiva, a sua hostilidade, a sua retirada do ato de dar amor e afeição, todas essas tendências da criança em você constantemente provocam a outra pessoa e aumentam uma reação vinda da parte que é fraca e imatura. Contudo, uma pessoa mais amadurecida afetará as outras de modo diferente e trará à tona aquilo que nelas é maduro e integral, pois não existe ninguém que não possua alguns aspectos maduros.

PERGUNTA: Como posso distinguir se a outra pessoa me provocou ou se eu a provoquei?

RESPOSTA: Não é preciso descobrir quem começou, pois se trata de uma reação em cadeia, um círculo vicioso. É útil começar por localizar a sua própria provocação, talvez em resposta a uma provocação aberta ou dissimulada de outra pessoa. Assim você percebe que, porque foi provocado, você provocou a outra pessoa. E porque você o faz, o outro responde na mesma moeda. Mas se, de acordo com a palestra desta noite, você examinar a razão verdadeira, não a superficial, a razão pela qual você ficou ferido em primeiro lugar e, portanto, provocou, você não considerará mais essa ferida como desastrosa.

Você terá uma reação diferente à ferida e, como conseqüência, ela diminuirá automaticamente. Por conseguinte, não sentirá mais a necessidade de provocar a outra pessoa. Também, à medida que diminui a necessidade de reproduzir a situação da infância, você se torna menos retraído e ferirá os outros cada vez menos, de forma que eles não terão que provocá-lo. Se o fizerem, você agora também entenderá que eles reagiram em razão das mesmas necessidades cegas e infantis que você possuía.

Agora você pode ver como atribui diferentes motivações à provocação das outras pessoas e à sua própria, mesmo se e quando na realidade reconhece que você iniciou a provocação. À medida que obtém uma nova visão sobre a sua própria ferida, compreendendo a sua origem, você conquista o mesmo desprendimento da reação da outra pessoa. Você vai achar exatamente as mesmas reações em si mesmo e no outro. Enquanto o conflito infantil permanece não resolvido em você, a diferença parece enorme, mas, quando percebe a realidade, você começa a romper o círculo vicioso.

Ao perceber uma interação mútua desse tipo, você alivia o sentimento de isolamento e culpa com o qual ambos estão sobrecarregados. Você está sempre flutuando entre se culpar e acusar aqueles que o cercam de serem injustos com você. A criança em você se sente inteiramente diferente dos outros, em um mundo que lhe é próprio. Ela vive nessa ilusão prejudicial.

À medida que você resolve esse conflito, sua consciência em relação às outras pessoas começa a crescer, pois, por enquanto, você não tem consciência da realidade delas. Por um lado, você as acusa e é excessivamente ferido por elas, porque não entende a si mesmo e, portanto, não entende a outra pessoa. Por outro lado, e ao mesmo tempo, você se recusa a dar-se conta de quanto é ferido. Isso parece paradoxal, mas não é. Quando você sentir por si mesmo as interações expostas esta noite, você descobrirá o quanto isso é verdadeiro.

Enquanto algumas vezes você pode exagerar uma ferida, outras vezes você não se permite sequer perceber que foi ferido, porque talvez o fato não se encaixe na visão que você tem da situação; a percepção do fato de se sentir ferido pode estragar a idéia que você construiu de si mesmo, ou pode não corresponder ao seu desejo naquele momento. Se a situação, ao contrário, parece favorável e se enquadra na sua idéia preconcebida, você exclui tudo o que o machuca, deixando que ela fermente por baixo e crie uma hostilidade inconsciente. Essa reação como um todo inibe as suas faculdades intuitivas, pelo menos nesse aspecto em particular.

A constante provocação que se dá entre os seres humanos, embora oculta da sua consciência, por enquanto, é uma realidade que você virá a perceber de forma bastante clara. Isso terá um efeito muito libertador em você e no mundo que o cerca. Mas não é possível que você o perceba a menos que entenda os padrões existentes em você mesmo e que foram por mim discutidos esta noite.

Por hoje, essas são as questões que eu queria abordar. Sigam o seu caminho, meus queridos, e que as bênçãos que trazemos a todos vocês possam envolvê-los e penetrar seus corpos, suas almas e espíritos, de modo tal que possam abrir a alma e tornar-se o Eu Verdadeiro, o seu próprio Eu Verdadeiro. Abençoados sejam, meus amigos; fiquem em paz, fiquem com Deus.

CAPÍTULO 8

A AUTO-IMAGEM IDEALIZADA

Saudações. Deus abençoe a todos, meus queridos amigos.
Quero falar-lhes esta noite sobre a Máscara, ou auto-imagem idealizada.
A dor é parte da experiência humana, a começar pelo nascimento, que é uma experiência dolorosa para o bebê. Embora experiências agradáveis devam também ocorrer, o conhecimento e o medo da dor estão sempre presentes. E o medo da dor cria um problema básico. A principal contramedida a que as pessoas recorrem na falsa convicção de poder contornar a infelicidade, a dor, e até mesmo a morte, é a criação da auto-imagem idealizada.
A auto-imagem idealizada é destinada a ser um meio de evitar a infelicidade. Essa infelicidade automaticamente priva a criança de segurança, sua autoconfiança é diminuída na proporção da infelicidade, embora esta não possa ser medida objetivamente. Aquilo com o que uma pessoa pode ser capaz de lidar muito bem, e não experimenta como uma infelicidade drástica, com outro temperamento, com outro caráter, sente como um infortúnio terrível.
De qualquer modo, a infelicidade e a falta de fé em si mesmo estão interligadas. Ao pretender ser o que não é, isto é, ao criar uma auto-imagem idealizada, a pessoa espera restabelecer a felicidade, a segurança e a autoconfiança.
Na realidade, a autoconfiança saudável e genuína é paz de espírito, é segurança e independência sadia e permite que uma pessoa alcance o máximo de felicidade através do desenvolvimento dos seus talentos inerentes, levando uma vida construtiva e cultivando relações humanas produtivas. Porém, uma vez que a autoconfiança estabelecida através do Eu Idealizado é artificial, não existe a menor possibilidade de obter o resultado esperado.

Na verdade, a conseqüência é exatamente contrária e é frustrante porque causa e efeito não são óbvios para você.

Você precisa compreender o significado, os efeitos, os danos que surgem no rastro da auto-imagem idealizada, reconhecer plenamente a sua existência, o modo específico em que ela se manifesta no seu caso individual. Isso requer muito trabalho adicional para o qual todo o trabalho anterior foi necessário. A dissolução do Eu Idealizado é a única maneira possível de encontrar o seu Eu Verdadeiro, de encontrar serenidade e respeito próprio e de viver sua vida por inteiro.

Já usei ocasionalmente o termo "Máscara" no passado. A Máscara e o Eu Idealizado são, na verdade, a mesma coisa: são um. O Eu Idealizado mascara o Eu Verdadeiro. Ele finge ser algo que você não é.

O medo da dor e da punição

Na infância, não importa quais tenham sido as circunstâncias particulares, você foi doutrinado com admoestações sobre a importância de ser bom, de ser santo e perfeito. Quando isso não ocorria, você era freqüentemente castigado, de uma forma ou de outra.

Talvez o pior castigo tenha sido o fato de seus pais afastarem de você o seu afeto; eles ficavam zangados e você tinha a impressão de que não era mais amado. Não é de admirar que a "maldade" fosse associada ao castigo e à infelicidade e a "bondade" com a recompensa e a felicidade. Portanto, ser "bom" e "perfeito" tornou-se um imperativo; tornou-se uma questão de vida ou de morte para você.

Mesmo assim, você sabia perfeitamente bem que não era tão bom e tão perfeito quanto o mundo parecia esperar que você fosse. Isso tinha que ser escondido; transformou-se num segredo carregado de culpa. Foi assim que você começou a construir um falso Eu. Este era, pensava você, a sua proteção e o seu meio de conseguir tudo aquilo que você queria desesperadamente — vida, felicidade, segurança, autoconfiança.

A consciência dessa frente falsa começou a desaparecer, mas você foi e é permanentemente permeado pela culpa de fingir que é alguém que não é. Você luta cada vez mais para tornar-se esse falso eu, esse Eu Idealizado. Você estava, e inconscientemente ainda está convencido de que, caso se esforce o suficiente, um dia será esse eu. Mas esse processo artificial de forçar-se a ser algo que não é jamais será capaz de atingir um auto-aperfeiçoamento, uma autopurificação e crescimento genuínos, porque você começou a construir um eu irreal sobre um alicerce falso, deixando de fora o seu Eu Verdadeiro. De fato, você o está escondendo desesperadamente.

A máscara moral do eu idealizado

A auto-imagem idealizada pode assumir muitas formas. Ela nem sempre dita padrões de perfeição reconhecida. Oh!, sim, uma boa parte da auto-imagem idealizada dita elevados padrões morais, tornando assim muito mais difícil questionar-se a sua validade. "Mas não está certo querer ser sempre decente, amável, compreensivo, nunca ter raiva e não ter defeitos, mas tentar atingir a perfeição? Não é isso o que devemos fazer?" Essas considerações tornarão difícil para você descobrir a atitude que nega a sua atual imperfeição, o orgulho e falta de humildade que o impedem de se aceitar tal como você é agora, e acima de tudo, o fingimento com os seus resultados: vergonha, medo de se expor, segredo, tensão, esforço, culpa e ansiedade.

Será necessário algum progresso nesse Pathwork antes que você comece a experimentar a diferença de sentimento entre o genuíno desejo de trabalhar gradualmente em direção ao crescimento e a insincera pretensão que lhe é imposta pelos ditames do seu Eu Idealizado. Você descobrirá o medo profundamente oculto que diz que o seu mundo irá acabar, caso você não corresponda aos seus padrões. Você sentirá e conhecerá muitos outros aspectos e diferenças entre o Eu genuíno e o falso; e também descobrirá o que lhe exige o seu Eu Idealizado particular.

Existem também certas facetas do Eu Idealizado, dependendo da personalidade, das condições de vida e das influências da infância, que não são e que não podem ser consideradas boas, éticas ou morais. Tendências agressivas, hostis, orgulhosas, exageradamente ambiciosas, são glorificadas ou idealizadas. É verdade que esses traços negativos existem por trás de todas as auto-imagens idealizadas, mas eles estão escondidos e, visto que contrariam frontalmente os padrões moralmente elevados do seu Eu Idealizado, causam ainda mais ansiedade de que o Eu Idealizado seja exposto como a fraude que é. A pessoa que engrandece essas tendências negativas, acreditando que elas sejam de força, de independência, de superioridade e distanciamento, ficaria profundamente envergonhada do tipo de bondade que o Eu Idealizado de uma outra pessoa usa como fachada, e a consideraria fraqueza, vulnerabilidade e independência num sentido não saudável. Uma pessoa assim passa totalmente por cima do fato de que nada torna uma pessoa tão vulnerável quanto o orgulho; nada causa tanto medo. Na maioria dos casos, existe uma combinação dessas duas tendências: padrões morais excessivamente exigentes, impossíveis de atender; e o orgulho em ser invulnerável, distante e superior. A coexistência desses caminhos mutuamente excludentes, apresenta uma dificuldade particular para a psique. Não é preciso dizer que a percepção consciente dessa contradição está ausente até que esse trabalho específico esteja bem avançado.

Consideremos agora alguns dos efeitos gerais da existência do Eu Idealizado e algumas das suas implicações. Uma vez que os padrões e ditames do Eu Idealizado são impossíveis de realizar, e contudo você nunca desista da tentativa de sustentá-los, você cultiva uma tirania interna da pior espécie. Você não percebe a impossibilidade de ser tão perfeito quanto o seu Eu Idealizado exige, e nunca deixa de flagelar-se, castigar-se e sentir-se um completo fracasso sempre que é provado que você não pode corresponder às exigências daquele.

Um sentimento de indignidade abjeta se abate sobre você sempre que falha em atender a essas fantásticas exigências e o mergulha em infelicidade. Esta às vezes pode ser consciente, mas a maior parte do tempo não é. Mesmo que seja, você não se dá conta de todo o seu significado: a impossibilidade de ser aquilo que você espera de si mesmo. Quando tenta esconder suas reações diante do seu próprio "fracasso", você usa meios especiais para evitar vê-lo. Um dos estratagemas mais comuns é projetar a culpa pelo "fracasso" no mundo exterior, nos outros, na vida.

Quanto mais você tenta se identificar com a sua auto-imagem idealizada, maior é a sua desilusão sempre que a vida o coloca numa posição na qual essa farsa não pode mais ser mantida. Muitas crises pessoais são baseadas nesse dilema, antes que em dificuldades externas. Essas dificuldades então se tornam uma ameaça maior, além do seu revés objetivo. A existência das dificuldades é uma prova de que você não é o seu Eu Idealizado e isso o priva da falsa autoconfiança que tentou estabelecer com a criação do Eu Idealizado.

Existem outros tipos de personalidade que sabem perfeitamente bem que não podem identificar-se com o Eu Idealizado. Porém, elas não sabem fazê-lo de uma forma sadia. Elas se desesperam, acreditam que deveriam ser capazes de corresponder. Sua vida como um todo é permeada por um senso de fracasso, enquanto o tipo citado anteriormente apenas o experimenta em níveis mais conscientes quando condições externas e internas terminam por exibir o fantasma do Eu Idealizado, mostrando-o como realmente é — uma ilusão, uma farsa, uma desonestidade.

No fim das contas, é como dizer: "Eu sei que sou imperfeito, mas eu finjo que não sou." Não reconhecer essa desonestidade é comparativamente fácil quando racionalizada pela consciência, por padrões e objetivos honrosos e por um desejo de ser bom.

Auto-aceitação

O genuíno desejo de auto-aperfeiçoamento leva uma pessoa a aceitar a personalidade tal como ela é agora. Se essa premissa básica for a principal força condutora que o motiva a buscar a perfeição, qualquer descoberta de um ponto onde você deixa a desejar em relação a seus ideais não o lançará em depressão, ansiedade e culpa; antes, o fortalecerá. Você não precisará exagerar a "maldade" do comportamento em questão e tampouco se defenderá contra ela com a escusa de que a culpa é dos outros, da vida, do destino. Você vai obter uma visão objetiva de si mesmo nesse aspecto, e essa visão o libertará. Você assumirá a responsabilidade integral pela atitude falha, dispondo-se a assumir as conseqüências do seu ato. Quando você expressa o seu Eu Idealizado, não teme nada mais do que isso, pois assumir a responsabilidade por suas limitações equivale a dizer "eu não sou o meu Eu Idealizado".

O tirano interior

Um sentimento de fracasso, de frustração ou compulsão, bem como de culpa e vergonha, são os mais claros indícios de que o seu Eu Idealizado está no comando. De todas as emoções que jazem enterradas, essas são as que são conscientemente sentidas.

O Eu Idealizado foi criado para trazer autoconfiança e, portanto, finalmente, felicidade e prazer absolutos. Quanto mais forte a sua presença, tanto mais a verdadeira autoconfiança se desvanece. Uma vez que você não pode corresponder aos seus padrões, você desce mais ainda no seu próprio conceito. É óbvio, portanto, que a legítima autoconfiança só pode ser estabelecida quando você remove a superestrutura que é esse tirano, o seu Eu Idealizado.

Sim, você poderia ter autoconfiança se o Eu Idealizado fosse realmente você; e se lhe fosse possível atender a esses padrões. Uma vez que isso é impossível e visto que, bem lá no fundo, você sabe perfeitamente bem que não é nada parecido com o que pensa que deve ser — com esse "super-eu" você acumula mais insegurança e mais círculos viciosos passam a existir.

A insegurança original, supostamente varrida pelo estabelecimento do Eu Idealizado, cresce constantemente; ela se torna uma bola de neve e fica cada vez maior. Quanto mais inseguro você se sente, quanto mais estritas ficam as exigências das superestruturas do Eu Idealizado, menos capaz é você de adequar-se a elas, e mais inseguro se sente.

É muito importante que você veja como opera esse círculo vicioso. Mas isso não pode ser feito até, e a menos que você se torne completamente consciente das formas tortuosas, sutis e inconscientes pelas quais essa auto-imagem idealizada existe no seu caso particular. Pergunte a si mesmo em quais áreas específicas ela se manifesta, quais as causas e os efeitos que estão ligados a ela.

Afastamento do eu verdadeiro

Um outro drástico resultado desse problema é o afastamento cada vez maior do Eu Verdadeiro. O Eu Idealizado é uma falsidade; ele é uma imitação rígida e artificialmente construída de um ser humano vivo. Você pode investi-lo de muitos aspectos do seu ser real, mas ele continua sendo uma construção artificial. Quanto mais você investe nele as suas energias, a sua personalidade, os seus processos de pensamento, seus conceitos, idéias e ideais, mais força ele retira do centro de seu ser, o único que é passível de crescimento.

Esse centro do seu ser é a única parte de você que pode viver, crescer e ser; ele é o verdadeiro "você". É a única porção em você que pode guiá-lo adequadamente. Só ele funciona com todas as suas capacidades; ele é flexível e intuitivo. Apenas os seus sentimentos são verdadeiros e válidos mesmo que, no momento, eles ainda não ostentem toda a sua verdade e realidade, toda a sua perfeição e pureza.

Os sentimentos do Eu Verdadeiro, porém, funcionam em perfeição relativa ao que você é agora, não sendo capaz de ser mais, em qualquer situação da sua vida. Quanto mais você retira desse centro vivo para investir no robô que você criou, tanto mais afastado você fica do Eu Verdadeiro e mais o enfraquece e empobrece.

No decorrer deste Pathwork, você tem por vezes esbarrado com essa questão, intrigante e comumente assustadora: "Quem sou eu realmente?" Esse é o resultado da discrepância e do confronto entre o Eu Verdadeiro e o falso eu. Somente com a solução dessa questão vital e profunda é que o seu centro vivo responderá e funcionará com toda a sua capacidade. Você se tornará espontâneo, livre de todas as compulsões; confiará nos seus sentimentos porque eles terão uma oportunidade de amadurecer e crescer. Os sentimentos tornar-se-ão para você tão confiáveis quanto o seu poder de raciocínio e o seu intelecto.

Tudo isso é a descoberta final do Eu. Antes que ela possa ser feita, um grande número de obstáculos tem de ser superados. Parece-lhe que esse é um conflito de vida ou morte. Você ainda crê que precisa do Eu Idealizado para crescer e para ser feliz. Uma vez que tenha compreendido que não é assim, você será capaz de abandonar a falsa defesa que faz a manutenção e o cultivo do Eu Idealizado parecerem necessários.

Quando você entender que o Eu Idealizado se destinava a resolver os problemas particulares em sua vida, acima e além da sua necessidade de felicidade, prazer e segurança, você verá a conclusão errônea dessa teoria. Uma vez que avance um passo e reconheça o dano que o Eu Idealizado causou à sua vida, você o abandonará como o fardo que ele é. Nenhuma convicção, teoria ou palavras que você escute farão com que você o deixe, mas o reconhecimento daquilo que ele estava especificamente destinado a resolver e do dano que ele causou e continua causando fará você capaz de dissolver essa que é a imagem de todas as imagens.

Não é preciso dizer que você também tem de reconhecer, mais particularmente e em detalhes, quais são as suas exigências e padrões específicos e, além disso, você tem de ver a irracionalidade e a impossibilidade destes. Quando você tem um sentimento de aguda ansiedade e depressão, considere a possibilidade de o Eu Idealizado estar se sentindo questionado e ameaçado, seja por suas próprias limitações, seja pelos outros ou pela vida. Reconheça o desprezo por si mesmo que subjaz a ansiedade ou a depressão.

Quando você estiver compulsivamente aborrecido com os outros, considere a possibilidade de que isso seja apenas uma esternalização da raiva que você tem de si mesmo por não corresponder aos padrões do seu falso eu. Não deixe que esse fato passe com a desculpa de que problemas exteriores são responsáveis pela sua depressão, pelo seu medo. Examine a questão desse novo ângulo. O seu Pathwork particular e específico vai ajudá-lo nessa direção, mas é quase impossível fazê-lo sozinho. Somente depois que tenha feito um progresso substancial é que você reconhecerá que muitos desses problemas exteriores são o resultado direto ou indireto da discrepância entre as suas capacidades e os padrões do seu Eu Idealizado e de como você lida com o conflito.

Então, na medida em que prosseguir nessa fase particular do Pathwork, você entenderá a exata natureza do seu Eu Idealizado: suas exigências, necessidades em relação a você mesmo e aos outros para manter a ilusão. Uma vez que perceba que aquilo que você considerava recomendável é na realidade orgulho e pretensão, você terá atingido uma percepção muito mais profunda que lhe permitirá reduzir o impacto do Eu Idealizado. Só então você se dará conta do tremendo castigo que inflige a você mesmo, pois sempre que você deixa a desejar, e não há como evitar isso, você fica tão impaciente, tão irritado que os seus sentimentos podem rolar como uma bola de neve para a fúria e a ira contra si mesmo. Essa fúria e essa ira são freqüentemente projetadas nos outros porque é insuportável estar consciente do ódio por si mesmo, a menos que a pessoa desvele todo esse processo e o veja por inteiro, sob a luz. Todavia, mesmo que esse ódio seja descarregado sobre outros, o efeito sobre a personalidade continua lá e pode causar doença, acidente, perda e fracasso exterior de muitas formas.

O abandono do eu idealizado

Logo que você der os primeiros passos em direção ao abandono do Eu Idealizado, você terá um senso de libertação como nunca teve antes. Então você verdadeiramente nascerá de novo. O seu Eu Verdadeiro vai emergir e você vai repousar nele, centrado no seu interior. Aí você vai realmente crescer, não apenas nas áreas externas que podem ter ficado livres da ditadura do Eu Idealizado, mas em cada parte do seu ser.

Isso vai mudar muitas coisas. Primeiro, virão mudanças nas suas reações à vida, aos incidentes, a si mesmo e aos outros. Essa reação modificada vai ser bastante surpreendente, mas, aos poucos os fatores externos também devem mudar. A mudança da sua atitude trará novos efeitos. A superação do seu Eu Idealizado significa ultrapassar um importante aspecto da dualidade entre a vida e a morte.

Atualmente, você nem ao menos tem consciência da pressão do seu Eu Idealizado, da compulsão. Se percebe um lampejo ocasional dessas emoções, você ainda não as relaciona com as demandas fantásticas do seu Eu Idealizado. Só depois de descortinar por completo essas fantásticas expectativas e os seus imperativos freqüentemente contraditórios é que irá deixá-los para trás.

A liberdade interior inicial conseguida dessa maneira permitirá que você lide com a vida e assuma nela o seu devido lugar; não lhe será mais necessário agarrar-se freneticamente ao Eu Idealizado. A simples atividade interior de aferrar-se ao Eu Idealizado de forma tão frenética gera um clima generalizado de apego, o qual é vivido por vezes em atitudes externas, mas com mais freqüência é uma qualidade ou atitude interior.

Com o prosseguimento dessa nova fase do seu trabalho neste Pathwork, você sentirá e perceberá essa tensão interior e gradualmente reconhecerá o prejuízo básico por ela causado. Para muitos, ela torna impossível o ato de abrir mão, dificulta desnecessariamente qualquer processo de mudança que permita que a vida traga alegria e um espírito de vigor. Você se mantém preso dentro de si mesmo e portanto vai contra a vida em um dos seus aspectos mais fundamentais.

As palavras não são suficientes; você tem antes que sentir o que eu quero dizer. Você saberá exatamente quando tiver enfraquecido o seu Eu Idealizado através da plena compreensão da sua função, das suas causas e efeitos. Então você obterá a grande liberdade de se entregar à vida por não ter mais que esconder algo de si mesmo e dos outros. Você será capaz de se entregar à vida, não de forma mórbida e irracional, mas de modo saudável, como a natureza se entrega. Só então você conhecerá a beleza de viver.

Você não pode abordar essa parte importantíssima do seu trabalho interior como um conceito geral. Como freqüentemente se dá, suas reações diárias mais insignificantes, consideradas desse ponto de vista, apresentarão os resultados necessários. Portanto, leve avante o exame de si mesmo a partir dessas novas considerações e não se impaciente por isso exigir tempo e um esforço descontraído.

A volta para casa

Mais uma palavra: a diferença entre o Eu Verdadeiro e o Eu Idealizado com freqüência não é uma questão de quantidade, mas de qualidade. Isto é, a motivação original é diferente nesses dois "eus". Isso não será fácil de ver, mas à medida que você reconhecer as exigências e contradições, as seqüências de causa e efeito, a diferença de motivação gradualmente vai ficando clara.

Outra consideração importante é o elemento tempo. O Eu Idealizado quer ser perfeito, de acordo com suas demandas específicas, exatamente agora. O Eu Verdadeiro sabe que não é possível e não sofre com isso.

É claro que você não é perfeito. O seu eu atual é um complexo de tudo que você é no momento. Naturalmente você possui o seu egocentrismo básico, mas caso o assuma, poderá lidar com ele. Você pode aprender a compreendê-lo e, portanto, diminuí-lo com cada nova percepção. Então você realmente experimentará a verdade de que quanto mais egocêntrico se é menos confiante se pode ser. O Eu Idealizado crê exatamente o oposto. Suas exigências de perfeição são motivadas por razões puramente egoístas, e esse mesmo egocentrismo torna impossível a autoconfiança.

A grande liberdade de "voltar para casa", meus amigos, é descobrir o caminho de volta para o seu verdadeiro ser. A expressão "voltar para casa" tem sido repetidamente empregada em literatura e nos ensinamentos espirituais, mas tem sido muito malcompreendida. Ela é comumente interpretada como o retorno para o Mundo Espiritual, depois da morte física, mas significa muito mais. Você pode passar por muitas mortes, uma vida terrena após a outra; mas, se não tiver encontrado o seu Eu Verdadeiro, você não poderá voltar para casa. Você pode estar perdido e permanecer perdido até que encontre o centro do seu ser. Por outro lado, você pode encontrar o seu caminho para casa exatamente aqui e agora, enquanto ainda permanece no corpo. Quando você reunir a coragem de ser o seu Eu Verdadeiro, mesmo que pareça ser muito menos que o Eu Idealizado, vai descobrir que ele é muito mais. Então você terá a paz de estar em casa dentro de si mesmo; você vai encontrar a segurança. Então você atuará como um ser humano completo; você terá quebrado o látego de ferro de um capataz a quem é impossível obedecer. Então você saberá o que realmente significa paz e segurança. Você deixará, de uma vez por todas, de buscá-las por meios falsos.

Agora, meus queridos, recebam, cada um de vocês, o nosso amor, a nossa força e as nossas bênçãos. Fiquem em paz, fiquem com Deus.

CAPÍTULO 9

≈

AMOR, PODER E SERENIDADE

Saudações, queridos amigos. Deus abençoe cada um de vocês. Esta hora é bendita.

Eu gostaria de discutir três importantes atributos divinos: amor, poder e serenidade, e como eles se manifestam em suas formas distorcidas. Na pessoa saudável, esses três princípios operam lado a lado, em perfeita harmonia, alternando-se de acordo com cada situação específica. Eles se complementam e se fortalecem uns aos outros. É mantida a flexibilidade entre eles, de forma que nenhum desses três atributos jamais pode contradizer a um outro ou interferir com ele.

Contudo, na personalidade distorcida eles se excluem mutuamente. Um contradiz o outro, de forma a criar conflito. Isso acontece porque um desses atributos é inconscientemente escolhido pela pessoa para ser usado como solução para os problemas da vida.

As atitudes de submissão, de agressividade e de retraimento são as distorções do amor, do poder e da serenidade. Agora eu gostaria de falar com detalhes sobre o modo como elas operam na psique, como formam uma suposta solução e como a atitude dominante cria padrões dogmáticos, rígidos, que são então incorporados à auto-imagem idealizada.

Quando criança, o ser humano encontra decepção, desamparo e rejeição — reais e imaginários. Esses sentimentos criam insegurança e falta de autoconfiança, que a pessoa tenta superar, infelizmente sempre de maneira errada. Para dominar as dificuldades criadas, não apenas na infância como também mais tarde na vida como conseqüência de se recorrer a soluções erradas, as pessoas se envolvem cada vez mais em um círculo vicioso. Sem se dar conta de que a mesma "solução" que elas assumem traz problemas e decepções, tentam de forma ainda mais árdua levar até o fim aquilo que consideram como sendo a solução. Quanto menos são capazes de fazê-lo, mais duvidam de si mesmas; e quanto mais duvidam de si mesmas, mais se perdem na solução equivocada.

Amor/submissão

Uma dessas soluções falsas é o amor. O sentimento é: "Se eu fosse amado, tudo estaria bem." Em outras palavras, espera-se que o amor resolva todos os problemas. Desnecessário dizer que isso não é verdade, especialmente quando se considera a maneira como se espera que esse amor seja dado. Na realidade, uma pessoa perturbada que adota essa solução dificilmente é capaz de experimentar amor. Para receber amor, uma pessoa assim desenvolve várias tendências e padrões de comportamento interior e exterior e de reação, típicos da personalidade, que tende a tornar o indivíduo mais fraco e indefeso do que realmente é.

Assumindo mais e mais características de auto-obliteração para obter amor e proteção, o que por si mesmo parece prometer segurança contra o aniquilamento, a pessoa atende às demandas reais ou imaginárias dos outros, encolhendo-se e rastejando ao ponto de vender a alma para receber aprovação, simpatia, auxílio e amor. Inconscientemente, essas pessoas crêem que a auto-afirmação e o ato de defender os seus desejos e necessidades equivalem a privar-se do único valor da vida: aquele de ser cuidado como uma criança — não necessariamente em questões financeiras, mas emocionalmente. Essas pessoas alegam uma imperfeição, um desamparo, uma submissão que não são genuínos. Elas usam essas falsas fraquezas como uma arma e um meio de finalmente vencer e dominar a vida.

Para não expor essa falsidade, essas tendências ficam incorporadas na auto-imagem idealizada. Assim as pessoas são bem-sucedidas em acreditar que todas essas tendências são sinais da sua bondade, santidade, do seu altruísmo. Quando elas se "sacrificam" para finalmente possuir um forte e amoroso protetor, ficam orgulhosas da sua capacidade de sacrifício altruísta; orgulhosas da sua "modéstia", elas nunca alegam conhecimento, realização, força. Dessa forma esperam forçar os outros a sentir-se amorosos e protetores em relação a elas.

Existem muitíssimos aspectos dessa pretensa solução. Eles têm de ser persistentemente descobertos no trabalho que você está fazendo. Não é fácil detectá-las de vez que essas atitudes estão profundamente arraigadas e parecem ter se tornado uma parte da personalidade "amorosa" da pessoa. Além do mais, elas podem ser freqüentemente afastadas, através de racionalização, por necessidades aparentemente reais. Por último, elas são sempre contrariadas pelas tendências opostas ou por outras soluções falsas, que também sempre estão presentes na alma, embora não sejam tão predominantes. Da mesma forma, os outros tipos que usam soluções falsas encontrarão aspectos de submissão em sua psique. A extensão em que essa pretensa solução é predominante varia de pessoa para pessoa, assim como a intensidade com que ela é contrariada por outras soluções.

A pessoa com a atitude predominantemente submissa vai ter um pouco mais de dificuldade para descobrir o orgulho que prevalece em todas essas atitudes. O orgulho nos outros tipos está bem na superfície; estes podem ficar orgulhosos do seu orgulho, podem ter orgulho da sua agressividade e cinismo; mas, uma vez que o tenham visto, ele não pode mais ser disfarçado de "amor", de "modéstia", ou de qualquer outra atitude "virtuosa".

O tipo submisso terá que olhar com olhos muito perspicazes para essas tendências para descobrir como ele as idealiza. Pode existir uma reação de crítica e desprezo distantes por todas as pessoas que se auto-afirmam, mesmo que seja apenas uma auto-afirmação saudável e não uma agressividade que surja de uma distorção do poder. Esse tipo de personalidade pode simultaneamente também admitir e invejar a agressão dos outros, ainda que a desprezoe, apesar de se sentir superior em "desenvolvimento espiritual" ou "padrões éticos", e pode dizer ou pensar: "Se eu pudesse ser assim, conseguiria mais da vida." Ao fazê-lo, contudo, uma pessoa desse tipo enfatiza a "bondade" que a impede de ter o que as pessoas "menos boas" obtêm.

O orgulho do martírio e do auto-sacrifício torna difícil a descoberta do que está por baixo da superfície. Só uma visão verdadeira da real natureza desses motivos revelará o egoísmo e o egocentrismo fundamentais que prevalecem nessa como nas outras atitudes ligadas a soluções falsas. Orgulho, hipocrisia e farsa estão presentes em todas elas, quando incorporados à auto-imagem idealizada. O tipo submisso terá mais dificuldade em descobrir o orgulho, enquanto o tipo agressivo achará mais difícil descobrir o fingimento, pois o segundo pretende uma "honestidade" em busca da sua própria vantagem.

A necessidade de amor protetor tem uma certa validade para a criança, mas se for mantida na idade adulta ela não mais vale. Nessa busca de ser amado existe um elemento de "eu tenho que ser amado para que possa acreditar no meu próprio valor. Então eu posso estar disposto a corresponder a esse amor". É, no fim das contas, um desejo autocentrado e unilateral. Os efeitos de toda essa atitude são graves.

Essa necessidade de amor e dependência realmente o torna indefeso. Você não cultiva em si mesmo a faculdade de se manter sobre as próprias pernas. Em lugar disso você usa toda a força da sua psique para corresponder a esse ideal, de forma a obrigar os outros a atender às suas necessidades. Em outras palavras, você cede para que outros cedam a você; você se submete para dominar, embora tal dominação deva sempre manifestar-se em desamparo brando e fraco.

Não é de se estranhar que uma pessoa engolfada nessa atitude torna-se separada do seu Eu Verdadeiro. Este tem que ser negado, pois a sua afirmação parece grosseira e agressiva. Isso tem que ser evitado a todo custo. Mas a indignidade infligida ao indivíduo por tal autonegação tem o seu efeito no desespero e desagrado por si mesmo.

Como isso é doloroso, além de ser contraditório em relação à auto-imagem idealizada, que recomenda o esquecimento de si mesmo como virtude suprema, esses sentimentos têm de ser projetados nos outros. Esses sentimentos de desprezo e o ressentimento pelos outros, por sua vez, contradizem os padrões do Eu Idealizado. Conseqüentemente, eles também têm de ser escondidos. Essa dupla ocultação causa inversão e tem sérias repercussões na personalidade, manifestando-se também em todo o tipo de sintomas físicos.

Raiva, fúria, vergonha, frustração, desprezo e ódio por si mesmo existem por duas razões. Primeiro, eles existem como resultado da negação do Eu Verdadeiro e pela indignidade de ser impedido de ser o que realmente se é. Acredita-se então que o mundo impede a auto-realização e abusa e tira vantagem da sua "bondade". Isso é pura e simples projeção.

Em segundo lugar, esses sentimentos existem porque a pessoa é incapaz de se adequar aos ditames do seu próprio Eu Idealizado "amoroso", segundo os quais nunca se deve sentir ressentimento, desprezo, desagrado, vergonha; jamais se deve acusar ou achar defeitos nos outros, e assim por diante. Como resultado, não se é tão "bom" quando se deveria ser.

Num esboço bastante breve, esse é o quadro de uma pessoa que escolheu o "amor", com todas as suas subdivisões de compaixão, compreensão, perdão, união, comunicação, fraternidade, sacrifício, como uma solução rígida, unilateral. Essa é uma distorção do atributo divino do amor. Uma auto-imagem idealizada desse tipo terá os ditames e padrões correspondentes. A pessoa tem sempre que ficar na sombra, nunca se afirmar, sempre ceder, nunca achar defeitos nos outros, amar a todos, jamais reconhecer seus verdadeiros valores e realizações, e assim por diante.

Na superfície essa parece, na verdade, uma figura muito santa, mas, meus amigos, isso é apenas uma caricatura do amor, compreensão, perdão ou compaixão verdadeiros. O veneno dos motivos subjacentes distorce e destrói aquilo que realmente poderia ser genuíno.

Poder/agressividade

Na segunda categoria está aquele que busca o poder. Essa pessoa pensa que poder e independência em relação aos outros resolverão todos os problemas. Esse tipo, assim como o outro, pode apresentar muitas variações e subdivisões. Tal atitude pode ser predominante ou subordinada a uma ou ambas das outras.

Aqui, a criança em crescimento acredita que a única maneira de ficar segura é tornando-se tão forte e invulnerável, tão independente e sem emoção que nada nem ninguém pode tocá-la. O próximo passo é cortar todas as emoções humanas. Quando, porém, ela vêm à luz, a criança se sente profundamente envergonhada de qualquer emoção e a considera uma fraqueza, seja ela real ou imaginária.

O amor e a bondade também seriam considerados fraqueza e hipocrisia, não apenas nas suas formas distorcidas, como acontece no tipo submisso, mas também na sua forma verdadeira e saudável. Calor, afeição, comunicação, altruísmo: tudo isso é desprezível e sempre que suspeita da existência de um impulso dessa natureza, o tipo agressivo sente-se tão profundamente envergonhado quanto o tipo submisso diante do ressentimento e das qualidades auto-afirmativas que ficam por baixo.

O impulso de poder e agressividade pode manifestar-se sob muitas formas e em muitas áreas da vida e da personalidade. Ele pode ser dirigido principalmente à realização, quando a pessoa com o impulso de poder vai competir e tentar ser melhor que todos os outros. Qualquer competição será encarada como uma injúria à elevada posição especial necessária para essa solução particular.

Ou então pode ser uma atitude mais geral e menos definida em todas as relações humanas da pessoa. Cultivando artificialmente uma dureza que não é mais real que a doçura desamparada da pessoa submissa, o tipo do poder é igualmente desonesto e hipócrita, porque essa pessoa também precisa de calor e afeição humanas, e sem isso sofre com o isolamento. Ao não admitir o sofrimento, esse tipo é tão desonesto quanto os outros. Essa auto-imagem idealizada em particular dita padrões de perfeição divina em relação à independência e ao poder.

Acreditando em completa auto-suficiência, essa pessoa não sente necessidade de ninguém, ao contrário dos outros meros seres humanos, que precisam um dos outros. Tampouco são o amor, a amizade ou a ajuda reconhecidos como importantes. Nessa imagem, o orgulho é muito óbvio, mas a desonestidade será mais difícil de detectar, porque um tipo assim a esconde sob a racionalização de que hipócrita é o tipo "bonzinho".

Uma vez que essa auto-imagem idealizada exige poder e independência em relação aos sentimentos e emoções humanas, tais como nenhum ser humano pode ter, é constantemente provado que a pessoa não pode corresponder a esse Eu ideal. Esse "fracasso" atira a pessoa em crises de depressão e desprezo por si próprio que, novamente, têm de ser projetados nos outros para que ele possa permanecer inconsciente da dor e da autopunição.

A incapacidade de ser a sua auto-estima idealizada sempre causa esse efeito. Quando se analisa de perto as exigências de qualquer auto-imagem idealizada, sempre se descobre que a onipotência está contida nela. Contudo, essas reações emocionais são tão sutis e esquivas e tão encobertas pelo conhecimento racional que é preciso um exame muito persistente de certos sentimentos, em certas ocasiões, para obter consciência de tudo isso. Só o trabalho que você está fazendo neste Pathwork pode revelar como qualquer dessas atitudes existe em você. Elas são, naturalmente, mais fáceis de descobrir quando um tipo é bastante dominante. Na maioria dos casos, contudo, as atitudes estão mais ocultas e estão em conflito com atitudes dos outros tipos.

Outro sintoma do tipo agressivo, que pensa que o poder é a solução, é a visão artificialmente cultivada de "Como o mundo e as pessoas são más!" Uma pessoa que procura provas dessa visão negativa recebe muitas confirmações, e se orgulha de ser "objetiva" e o oposto de crédula — o que serve como razão para não gostar de ninguém. A imagem idealizada, nesse caso, determina que o amor é proibido. Amar ou, em outras ocasiões, mostrar a sua verdadeira natureza, é uma grande violação da auto-imagem idealizada e produz profunda vergonha.

Ao contrário, o tipo submisso orgulha-se de amar a todos e de considerar bons todos os outros seres humanos. Essa perspectiva é necessária para manter e seguir a atitude submissa. Na realidade, a pessoa desse tipo não se importa realmente se os outros são bons ou maus, contanto que eles a amem, apreciem, aprovem, e protejam. Toda a avaliação das outras pessoas baseia-se nisso, não importa quão bem possa ser "explicado". Uma vez que todos têm virtudes e defeitos, cada um desses pode ser identificado conforme a atitude predominante da outra pessoa para com o tipo submisso.

Aquele que busca o poder jamais deve falhar em nada. Ao contrário do tipo submisso, que glorifica o fracasso porque ele prova o desamparo da pessoa e força os outros a dar-lhe amor e proteção, o tipo que procura o poder sente orgulho de nunca falhar em nada. Em certas combinações das falsas soluções o fracasso pode ser permitido porque em alguma área específica a atitude prevalente pode ser a submissão. De forma semelhante, o tipo submisso pode em certos casos recorrer à solução do poder. Ambas são igualmente rígidas, irreais e irrealizáveis. Qualquer dessas "soluções" é uma constante fonte de dor e desilusão em relação ao Eu, e portanto produz uma falta ainda maior de respeito próprio.

Eu disse anteriormente que sempre existe uma mistura de todas as três "soluções" em uma pessoa, embora uma possa ser predominante. Por conseguinte, a pessoa não pode fazer justiça mesmo às determinações da solução escolhida. Ainda que fosse nunca falhar, ou amar a todos, ou ser inteiramente independente dos outros, isso se torna mais e mais impossível quando os ditames da auto-imagem idealizada de uma pessoa simultaneamente exige que ela ame a todos e seja por todos amada e que os vença. Para atingir esse objetivo a pessoa tem que ser agressiva e comumente impiedosa.

Uma auto-imagem idealizada pode, portanto, simultaneamente exigir de uma pessoa que de um lado ela seja sempre altruísta, de forma a obter amor; e de outro, que seja sempre egoísta, para obter poder. Além disso, a pessoa tem também que ser completamente indiferente e distante de todas as emoções humanas de forma a não ser perturbada. Você pode imaginar que conflito isso representa na alma? Quão dilacerada será uma alma! O que quer que ela faça é errado e causa culpa, vergonha, inadequação e portanto, frustração e desprezo por si mesma.

Serenidade/retraimento

Consideremos agora o terceiro atributo divino, a serenidade, escolhido como solução e, por isso, sendo distorcido. Originalmente, uma pessoa pode ter estado tão dividida entre os dois primeiros aspectos que uma saída teve que ser encontrada, recorrendo a uma fuga dos problemas internos e, portanto, da vida como tal. Sob essa retirada ou falsa serenidade, essa alma ainda está partida ao meio, mas não tem mais consciência disso. Foi construída uma fachada tão forte de falsa serenidade que enquanto as circunstâncias da vida o permitirem, essa pessoa está convencida de ter atingido a verdadeira serenidade. Mas basta que as tempestades da vida a toquem para que os efeitos do conflito que ferve, oculto, finalmente venham à superfície, e deixem claro quão falsa era a serenidade. Então será mostrado que na verdade ela foi construída sobre a areia.

O tipo retraído e o tipo que busca o poder parecem ter algo em comum: distanciamento das suas emoções, ausência de apego aos outros e uma forte necessidade de independência. Muito embora as motivações emocionais subjacentes possam ser similares — medo de ser ferido ou decepcionado, medo de ser dependente dos outros e por isso sentir-se inseguro —, as determinações da auto-imagem idealizada desses dois tipos são muito diferentes. Enquanto o tipo que busca o poder se vangloria da hostilidade e do espírito de luta agressivo, o tipo retraído é completamente inconsciente desses sentimentos, e sempre que eles emergem fica chocado com eles por violarem os ditames da solução de retirada.

Esses ditames são: "Você deve olhar de forma benigna e desapegada para todos os seres humanos, sem porém ser incomodado ou afetado por nenhum deles." Isso, caso fosse verdadeiro, seria mesmo serenidade, mas nenhum ser humano jamais é tão sereno assim. Portanto tais determinações são irreais e irrealizáveis. Os ditames também incluem orgulho e hipocrisia; orgulho, porque esse distanciamento parece muito divino em sua justiça e objetividade. Na realidade, a visão da pessoa pode ser tão afetada pelo que pensam os outros quanto a do tipo submisso. Mas sendo orgulhoso demais para admitir que alguém tão excelso possa ser tocado por tais fraquezas humanas, uma pessoa desse tipo tenta elevar-se sobre todos. Isso não é possível.

Uma vez que também esse tipo é tão dependente dos outros quanto os outros dois, a desonestidade é exatamente a mesma. E uma vez que a independência serena desse tipo não é verdadeira, e jamais poderá ser, já que falamos de seres humanos, uma pessoa assim necessariamente deve falhar quanto aos padrões e a imposição da auto-imagem idealizada particular que a faz sentir tanto desprezo por si mesma, tanta culpa e frustração quanto os dois outros tipos quando são incapazes de sustentar seus respectivos padrões.

Esses três tipos básicos foram esboçados aqui de forma muito breve, muito geral. Não é preciso dizer que existem muitas variações. De acordo com a força, a intensidade e distribuição dessas "soluções", a tirania da auto-imagem idealizada se manifesta.

Tudo isso tem que ser descoberto no trabalho individual. Não se deve jamais esquecer que tais atitudes nascidas do Eu Idealizado dificilmente poderiam ser a pessoa total. A atitude pode estar presente em grande medida em certas áreas de personalidade, e em menor grau em outras; ainda em outras facetas da vida ela simplesmente não aparece. A parte mais importante desse trabalho é sentir as emoções, experimentá-las de verdade. É impossível ver-se livre da auto-imagem idealizada, que bloqueia a vida, se você simplesmente observar de modo distanciado, com o seu intelecto, o que existe em você. É necessário tornar-se agudamente consciente de todas essas tendências, freqüentemente contraditórias, e isso vai ser doloroso.

A necessidade do desenvolvimento emocional

A dor que sempre existiu em você, mas estava escondida, contra a qual você se "protegeu" depositando-a sobre os outros, sobre a vida e sobre o destino, tornar-se-á uma experiência consciente da qual você absolutamente precisa. À primeira vista isso passará por uma recaída. Você vai acreditar que está em situação ainda pior do que antes de começar o trabalho neste Pathwork. Mas não é assim. Foi o seu próprio progresso que tornou possível que todas essas emoções, até aqui ocultas, viessem à tona de forma que você pudesse realmente usá-las para análise. De outro modo não lhe seria possível dissolver a superestrutura do seu tirano, a sua auto-imagem idealizada e todo o mal desnecessário que ela lhe causa.

Você está tão condicionado pela reações emocionais com as quais se acostumou, está tão envolvido por elas, que não pode enxergar o que está bem na sua frente. Enquanto procura por reconhecimento novos e ocultos, você dá livre acesso às reações emocionais relacionadas com certas situações aparentemente sem importância, simplesmente porque elas já se tornaram parte de você. Mas são justamente essas reações que fornecerão a pista, uma vez que a sua atenção tenha o seu foco dirigido para elas. Isso seria impossível se você não fosse incomodado. Portanto, o incômodo é obrigado a vir para campo aberto e é nesse momento que você pode chegar a um acordo com ele.

Portanto, meu amigo, comece a ver as suas emoções sob essa luz. Você descobrirá então como são impossíveis as exigências que lhe faz a sua auto-imagem idealizada; você verá que é a sua auto-imagem idealizada, e não Deus, a vida ou as outras pessoas, que exige tudo isso. Começará também a ver que, por causa dessas demandas da personalidade, você precisa que os outros o ajudem a atendê-las. Isso faz com que você inconscientemente exija dos outros o que eles são incapazes de dar. Então você fica muito mais dependente do que precisa ser, malgrado todo o seu esforço em direção a uma independência distorcida do tipo agressivo ou retirado.

Você também tem que descobrir as causas e os efeitos dessas condições. Você verá a sua vida e as suas dificuldades passadas e presentes com uma nova perspectiva. Você vai compreender que criou muitas dessas dificuldades, senão todas, só por causa da sua "solução".

Não é o bastante compreender intelectualmente que quanto mais estiver envolvido nas suas falsas soluções, menos o seu Eu Verdadeiro pode se manifestar. É preciso experimentar isso também. Essa experiência deve ocorrer se você permitir que as suas emoções venham para a luz e se você trabalhar com elas. Então, você começará a sentir o valor intrínseco do seu Eu Verdadeiro. Só aí será possível abrir mão dos falsos valores do seu Eu Idealizado. Esse é um processo recíproco: permitindo-se ver os falsos valores, por mais doloroso que isso possa ser, os seus verdadeiros valores emergem gradualmente, de forma tal que você não mais precisa dos falsos.

Uma vez que o Eu Idealizado o aliena do seu Eu Verdadeiro, você está completamente inconsciente dos seus reais valores. Ao longo de toda a sua vida você se concentra inconscientemente nos valores falsos: seja naqueles que você não tem, mas pensa que deveria ter enquanto finge para si mesmo e para os outros que os possui; ou você se concentra em valores que existem potencialmente, mas que não foram ainda desenvolvidos a ponto de poderem ser reclamados como seus por direito.

Visto que o seu Eu Idealizado não admite que esses valores ainda precisam de desenvolvimento, você não os desenvolve e ainda assim os reclama para si como se estivessem plenamente maduros. Porque usa todos os seus esforços para concentrar-se nesses valores falsos ou imaturos, você não vê os valores reais. E porque você não pode vê-los, fica temeroso de abrir mão deles, com medo de então não ter mais nada. Assim os seus valores reais não contam, você não sente que eles existem, seja porque eles contradizem as exigências do seu Eu Idealizado, seja porque tudo o que vem naturalmente e sem esforço não parece real.

Você está tão condicionado a esforçar-se pelo impossível que não lhe ocorre que não há pelo que se esforçar, porque o que é realmente valioso já está lá. Mas quando você não utiliza esses valores, eles freqüentemente quedam inertes. Isso é uma grande pena, pois afinal de contas você estabeleceu a auto-imagem idealizada porque não acreditava no seu verdadeiro valor. Porque constrói o Eu Idealizado e tenta ser esse Eu, você não pode ver em si mesmo aquilo que merece aceitação e apreciação.

A princípio, é doloroso desenrolar esse processo, pois a ansiedade, a frustração, a culpa, a vergonha, e assim por diante, têm que ser agudamente experimentadas. Mas à medida que prossegue com coragem, você vai obter uma perspectiva muito diferente de tudo. Finalmente, você começará a ver o seu Eu Verdadeiro pela primeira vez. Você verá as suas limitações. No início, será um choque ter que aceitar essas limitações que estão muito distantes do Eu Idealizado, mas à medida que aprende a fazê-lo, você começa a enxergar valores que nunca havia realmente visto, dos quais nunca esteve consciente. Então um sentimento de força e autoconfiança fará com que você visualize tanto a vida como a si mesmo de um modo muito diferente.

Gradualmente o processo de crescimento em direção ao seu Eu Verdadeiro se dará em você. Ele vai fortalecer a sua verdadeira independência, não a falsa, de forma que o fato de ser apreciado pelos outros não será mais o padrão para o seu senso de valor. A avaliação alheia só assume tamanha importância porque você não se avalia honestamente e, assim, a avaliação alheia torna-se um substituto. Quando você começa a confiar no seu próprio Eu e a gostar dele, o que as outras pessoas pensam a seu respeito não tem metade dessa importância. Você terá segurança interior e não mais precisará construir falsos valores com orgulho e pretensão. Você não se apoiará mais em um Eu Idealizado que não é realmente digno de confiança e que, por conseqüência, o enfraquece. A liberdade de abandonar esse fardo não pode ser descrita em palavras.

Mas esse é um processo lento: ele não vem da noite para o dia. Resulta do exame constante de si mesmo e da análise dos seus problemas, atitudes e emoções. Ao avançar nesse caminho, o seu Eu Verdadeiro e os seus reais valores e capacidades vão evoluir através de um processo de crescimento interno e natural. Sua individualidade então ficará cada vez mais forte. Sua natureza intuitiva se manifestará sem inibições, com uma espontaneidade natural e confiável.

É assim que você vai extrair o melhor da vida. Não com perfeição, não estando livre de todo fracasso, não excluindo a possibilidade de cometer erros. Contudo os fracassos e os erros ocorrerão de uma forma bem diferente do que era antes. Você combinará cada vez mais as atitudes divinas de amor, poder e serenidade de forma saudável, em oposição à forma distorcida.

O amor não será um meio para alcançar um fim. Ele não será uma necessidade que o salva da aniquilação e, portanto, deixará de girar ao redor de si mesmo. Sua própria capacidade de amar vai combinar poder e serenidade. Ou, para colocar de maneira diferente, você vai se comunicar em amor e compreensão, ao mesmo tempo que será verdadeiramente independente. O amor, o poder e a serenidade não serão usados para fornecer-lhe o respeito próprio que está ausente.

O amor genuíno, não centralizado em si mesmo, então não vai mais interferir com o poder sadio, que não é o poder do orgulho e do desafio, nem o poder do triunfo sobre os outros, mas o poder de dominar a si mesmo e às suas dificuldades sem provar nada a ninguém. Quando busca o domínio distorcendo o atributo poder, você o faz para provar a sua superioridade. Quando obtém o domínio através do poder saudável, você o faz em nome do crescimento. Não ter o domínio ocasionalmente não representará uma ameaça como quando você estava em distorção. Isso não diminuirá o seu valor aos seus próprios olhos. Assim você vai realmente crescer com cada experiência de vida. Você vai aprender, realizar e obter o poder verdadeiro. Não existirá qualquer ambição, compulsão ou pressa distorcida.

A serenidade sadia não fará com que você se esconda das emoções, da experiência, da vida e dos seus próprios conflitos; o amor e o poder, nas suas formas divinas originais, vão dar-lhe um distanciamento saudável quando olhar para si mesmo, de forma que você se torne realmente mais objetivo. A verdadeira serenidade não equivale a evitar experiências e emoções que talvez sejam dolorosas no momento, mas que podem representar uma importante chave quando existe a coragem para atravessá-las e ver o que há por detrás.

Amor, poder e serenidade podem caminhar juntos. De fato, quando são saudáveis, eles se complementam uns aos outros. Mas eles podem causar a maior guerra em seu interior, caso distorcidos.

Possam estas palavras dar-lhe alimento, não apenas para pensamento, mas para percepção e compreensão; que vocês possam assim avançar mais um passo para a luz e a liberdade. Prossigam no seu caminho de felicidade. Conquistem mais e mais força e permitam que nossas bênçãos e nosso amor os auxiliem e revigorem. Abençoados sejam, meus queridos. Fiquem em paz. Fiquem com Deus.

CAPÍTULO 10

COMO ENFRENTAR A DOR DOS PADRÕES DESTRUTIVOS

Queridos amigos, saudações. Deus abençoe cada um de vocês. Esta é um hora abençoada. A maioria dos que trabalham neste Pathwork terminam por abordar uma certa área dos problemas de sua alma na qual encontram dor. Para compreender o significado dessa dor eu gostaria de dar-lhes uma visão geral do processo da sua dissolução.

Em primeiro lugar, façamos uma recapitulação. A criança sofre com certas imperfeições do amor e da afeição dos pais. Sofre também por não ser integralmente aceita em sua própria individualidade. Com isso eu quero me referir à prática comum de tratar uma criança como uma criança antes que como um indivíduo em particular. Você sofre com isso, embora talvez nunca tenha tido consciência desse fato nestes termos ou em pensamentos exatos. Isso pode deixar uma cicatriz tão profunda quanto a falta de amor e atenção. A prática a que me refiro provoca tanta frustração quanto a falta de amor ou até mesmo a crueldade.

O clima geral no qual você cresce o afeta como um choque pequeno mas constante, que freqüentemente deixa uma marca mais forte que uma única experiência chocante e traumática. É por isso que esta última é geralmente mais fácil de curar que a primeira. O clima constante de não-aceitação da sua individualidade, bem como a falta de amor e compreensão, causa aquilo a que se chama neurose. Você aceita esse clima como algo inevitável. Ele simplesmente está lá e você acredita que tem que ser assim. Todavia, você sofre com ele. A combinação do sofrimento causado por esse clima e da crença de que ele é inalterável condiciona-o a desenvolver defesas destrutivas.

A dor e a frustração originais com as quais a criança não podia lidar são reprimidas. São retiradas da esfera da consciência, mas ardem na mente inconsciente. É então que as imagens e os mecanismos de defesa destrutivos começam a se formar. As imagens que você cria são mecanismos de defesa. Através das suas conclusões errôneas você busca uma maneira de lutar contra as influências indesejáveis que criaram a dor original. As falsas soluções são um meio de lutar contra o mundo, contra a dor e tudo o mais que você quer evitar.

A dor das falsas soluções

Quando a sua solução falsa é uma negação do sentimento, do amor e da vida, ela é uma defesa contra a possibilidade de ser ferido. Somente depois de uma visão considerável de si mesmo é que você se dará conta de quão irreal e limitado é esse "remédio". Você vai querer mudar e vai preferir aceitar a dor à alienação de não sentir nada, ou muito pouco. Prosseguindo com o trabalho e atravessando corajosamente os períodos temporários de desânimo e resistência, você vai chegar ao ponto no qual essa concha endurecida se quebra e você não está mais morto por dentro.

A primeira reação, porém, não será agradável, nem pode ser. Todas as emoções negativas reprimidas, bem como a dor reprimida, a princípio virão para a consciência e então parecerá que você estava certa ao reprimi-las. Só depois de prosseguir com o trabalho é que você obterá a recompensa, sob a forma de sentimentos bons e construtivos.

Se a sua solução falsa é a submissão, a fraqueza, o desamparo e a dependência como meios de conseguir os cuidados de alguém — não necessariamente no âmbito material, mas emocionalmente — essa é igualmente uma solução limitada e insatisfatória. A dependência constante de outras pessoas cria medo e desamparo. Ela aumenta ainda mais a sua falta de confiança em si mesmo. Enquanto a solução do retraimento fez de você um morto quanto aos sentimentos, privando-o do significado maior da vida, a solução da submissão rouba de você a independência e a força, e cria não menos isolamento que o retraimento, embora o faça através de um caminho interno diferente. Originalmente, você queria evitar a dor munindo-se de uma pessoa forte para cuidar de você. Na realidade você inflige mais dor sobre si mesmo porque não é possível encontrar essa pessoa. Essa pessoa tem que ser você mesmo.

Ao fazer-se deliberadamente de fraco, você exerce a mais forte das tiranias sobre os outros. Não existe tirania mais forte que aquela que uma pessoa fraca exerce sobre os mais fortes, ou sobre todo o seu ambiente. É como se essa pessoa estivesse sempre dizendo: "Sou tão fraca! Você tem de me ajudar. Sou tão indefesa! Você é responsável por mim. Os erros que eu cometo não contam porque eu não sei fazer de outro modo. Eu não posso evitar. Você deve ser indulgente comigo todo o tempo e permitir que eu escape das conseqüências. Não se pode esperar que eu assuma total responsabilidade pelas minhas ações ou ausência delas, por meus pensamentos e sentimentos ou pela falta deles. Eu posso falhar porque sou fraco. Você é forte e portanto tem que compreender tudo. Você não pode falhar porque o seu fracasso iria me afetar." A autoridade preguiçosa e auto-indulgente dos fracos impõe exigências estritas às outras criaturas. Isso se torna evidente se a expectativa não verbalizada e o significado das reações emocionais forem investigados e então interpretados sob a forma de pensamentos concisos.

É uma falácia pensar que a pessoa fraca é inofensiva e fere menos as outras pessoas que aquela que é agressiva e dominadora. Todas as falsas soluções trazem dor implícita à personalidade, assim como aos outros. Pelo retraimento, você rejeita os outros e retém o amor que quer dar a eles e que eles, por sua vez, querem receber de você. Pela submissão, você não ama, apenas espera ser amado. Você não vê que os outros também têm as suas vulnerabilidades, suas fraquezas e necessidades. Você rejeita por inteiro essa parte da natureza humana das outras pessoas e, assim, você as fere. Através da solução agressiva, você afasta as pessoas e as machuca abertamente com falsa superioridade. Em todos os casos, você fere os outros e, assim, inflige uma ferida ainda maior em si mesmo. E essa ferida não pode deixar de trazer conseqüências. Portanto, as falsas soluções, destinadas a eliminar a dor original, apenas trazem consigo mais dor.

Todas as falsas soluções são incorporadas à sua auto-imagem idealizada. Uma vez que a natureza da auto-imagem idealizada é o auto-engrandecimento, ela o separa dos outros. Uma vez que a natureza dela é a separação, ela isola você e o faz solitário, bem como a todos os que se relacionam com você. Visto que a sua natureza é falsidade e fingimento, ela o aliena de si mesmo, da vida e dos outros. Tudo isso deve inevitavelmente causar-lhe dor, mágoa, frustração, insatisfação. Você escolhe uma saída para a dor e para a frustração, mas esse caminho provou ser não apenas inadequado, mas traz ainda mais daquilo que você queria evitar. Contudo, reconhecer claramente esse fato e juntar os elos dessa cadeia requer o trabalho ativo da pesquisa sincera de si mesmo.

O perfeccionismo que está tão profundamente arraigado em você e na sua auto-imagem idealizada torna impossível aceitar a si mesmo e aos outros, aceitar a vida na sua realidade, e você, portanto, é incapaz de lidar com ela e resolver tanto os seus próprios problemas quanto os problemas da vida. Isso faz com que você se abstenha da experiência de viver no seu verdadeiro sentido.

Se você se tornou, pelo menos até um certo ponto, consciente de algumas das suas imagens, falsas soluções e da natureza da sua auto-imagem idealizada particular, talvez você tenha a esta altura um vislumbre da maneira pela qual você é alienado de si mesmo e perfeccionista. Deu-se conta, portanto, da extensão do dano causado a você mesmo e aos outros. Você pode estar próximo do limiar que abre caminho para uma nova vida interior, uma vida que contém a disposição emocional de abandonar todas as defesas. Caso ainda não tenha chegado até lá, você vai aproximar-se dessa fase muito em breve, desde que continue o seu trabalho com disposição interior.

O mero exercício de observar constantemente as próprias emoções e reações irreais e imaturas enfraquece o seu impacto e inicia um processo de dissolvê-las, por assim dizer, automaticamente. Quando uma certa dissolução tiver acontecido, a psique estará pronta para cruzar o limiar; mas o ato de cruzá-lo é doloroso no início.

A dor da mudança

Você poderia esperar, ao atravessar esse importante limiar, que os padrões novos e construtivos pudessem substituir imediatamente os antigos padrões destrutivos. Tal expectativa não é realista e não corresponde à verdade. Os padrões construtivos não podem ter uma base sólida antes que você experimente e atravesse a dor e a frustração originais e tudo aquilo do que você fugia. Essa coisa à qual você virou a face tem que ser encarada, sentida, experimentada, compreendida. Você tem de lidar com ela, tem de chegar a um acordo e assimilá-la antes que o que é doentio e não realista seja dissolvido, antes que o que é imaturo amadureça e que as forças sadias, mas reprimidas, sejam trazidas para os seus canais próprios de forma que operem de maneira construtiva para você. Quanto mais você adia esse doloroso processo, mais difícil e demorado ele será quando você finalmente estiver pronto para passar da infância para a idade adulta. A dor desse processo é uma dor saudável de crescimento e a luz estará à vista se e quando você superar a sua resistência a ele. A força, a autoconfiança e a capacidade de viver integralmente, com todos os seus padrões construtivos começando a funcionar, constituem ampla compensação por todos os anos de vida destrutiva e improdutiva, bem como pela dor de atravessar o portal para a maturidade emocional.

Você pode imaginar-se sendo poupado da experiência da dor contra a qual você instituiu os padrões destrutivos? Você os utilizou para fugir de algo que ocorreu na sua vida, e o fato de isso ser real ou imaginário faz pouca diferença. Foi o processo fantasioso de fugir e voltar as costas a algo que existe ou existiu, não encarando, portanto, a sua realidade nem lidando com ela, que causou a doença da sua alma. Por conseguinte é essa área que tem que ser tratada agora. É por isso que aqueles dentre vocês que deram os seus primeiros passos hesitantes do limiar estão confusos pela dor da experiência. Com freqüência você não compreende inteiramente porque isso ocorre; você pode ter uma vaga idéia e algumas respostas parciais, mas esta palestra vai ajudá-lo a conseguir um entendimento mais profundo da razão pela qual isso acontece.

Intelectualmente todos vocês sabem que este Pathwork não é um conto de fadas no qual a pessoa descobre os seus desvios, suas concepções errôneas e evasões e, depois de ter feito isso, aguarda-o, naturalmente, nada além de uma grande felicidade. É verdade, naturalmente, que, em última análise, a libertação dos grilhões de erro e de desvio necessariamente lhe trará a felicidade, mas até que você alcance esse estágio, muitas áreas de sua alma têm que ser experimentadas até que a sua psique esteja realmente preparada para obter o melhor da vida. Mesmo depois de a dor aguda ter recebido o tratamento adequado, não estando, portanto, mais presente, existirá a expectativa irreal, embora com freqüência inconsciente, de que a vida a partir de então sempre irá garantir aquilo que você deseja. Não, meus amigos. Todavia, a realidade é muito melhor. Na verdade, você vai aprender a enfrentar os reveses e as dificuldades, em vez de ser arrasado por eles. Você não irá fortalecer as suas defesas destrutivas. Isso, por sua vez, vai equipá-lo com os instrumentos para tirar o melhor de cada oportunidade e para obter o máximo benefício e a maior felicidade de cada experiência da vida.

É desnecessário dizer que isso jamais é conseguido com os seus mecanismos de defesa destrutivos e com suas várias imagens. Deixe-me repetir aqui o que tenho dito com freqüência: a princípio, os eventos negativos externos vão continuar a cruzar o seu caminho, como resultado dos seus arraigados padrões do passado, mas você vai encará-los de maneira diferente. À medida que aprende a fazê-lo, você se torna consciente de muitas oportunidades de felicidade que você ignorou no passado. Dessa maneira, você começa a modificar os seus padrões até que muito, muito gradualmente os eventos externos infelizes cessam. Mas enquanto você se encontrar no início desse estágio, não espere satisfação e felicidade imediatas em cada aspecto. Primeiro você precisa ver as suas possibilidades e oportunidades e a sua capacidade independente de escolha, em vez de ficar totalmente indefeso à espera que o destino lhe traga felicidade.

A essa altura, você deve compreender como, em muitos aspectos, causou a sua própria infelicidade por meio das suas próprias evasões e defesas, destrutivas e divorciadas da realidade. Você perceberá agora, com um novo senso de força, como pode criar a sua própria satisfação e felicidade. Da mesma forma que antes, isso não pode ser feito por meio de compreensão intelectual. É um processo interior que cresce organicamente. Assim como você, agora, compreende em profundidade que nenhum destino ou Deus cruel o puniu ou negligenciou, da mesma maneira irá entender e saber que, na verdade, é você que pode criar toda a satisfação que a sua alma deseja com um anseio do qual você nem ao menos tinha consciência quando iniciou este Pathwork.

Essa consciência só pode emergir depois de uma compreensão mais completa de todas as suas falsas soluções e concepções errôneas, cujas profundezas o farão consciente das suas necessidades. O resultado primordial deste Pathwork é o entendimento do seu próprio sistema de causas e efeitos e o senso de força, independência, autoconfiança e justiça que essa compreensão dá a um indivíduo. Quanto tempo leva para atingir os primórdios hesitantes dessa força e para, mais tarde, aumentá-la, depende dos seus esforços, da sua vontade interior e da sua superação da sempre presente resistência, a qual se desgasta apenas depois que você obtém considerável reconhecimento dos seus caminhos tortuosos.

A dor da insatisfação

Agora, meu amigo, quando você se depara com essa dor, é ela realmente apenas a dor que você experimentou um dia quando criança? Será essa realmente a frustração que a criança sofreu por causa dos pais e nada mais? Não, isso não é inteiramente correto. É verdade que essa dor e essa frustração originais afetaram a flexibilidade da sua psique, sua capacidade de adaptação, e assim o tornaram incapaz de lidar com elas. Esses eventos fizeram com que você lhes virasse as costas e procurasse por "soluções" insatisfatórias. Mas a dor que você experimenta agora é muito mais a dor presente da insatisfação, causada pelos seus padrões improdutivos. Você não pode distinguir isso conscientemente e não pode sequer ter consciência da dor infantil original. Pode ser preciso muito tempo e muita auto-observação para chegar mesmo a distinguir a dor. Depois que o fizer, você verá que a dor mais aguda é o seu desespero com a sua vida e com você mesmo agora, e não no passado. Este é importante somente porque ele fez com que você instituísse os modos improdutivos responsáveis pela sua dor atual.

Se você não fugir da dor, mas a enfrentar, passar por ela, tomando consciência do seu significado, você vai se dar conta de que as suas necessidades atuais não satisfeitas provocam a dor. Sua frustração será com a sua inabilidade atual para produzir satisfação. Você ainda não é capaz de ver o que pode fazer a esse respeito, sentindo-se preso na sua própria armadilha, incapaz de enxergar a saída e, assim, ficando dependente de intervenção exterior, sobre a qual não tem nenhum controle. Só depois de ter corajosamente se tornado consciente de todas essas impressões e reações é que você gradualmente verá uma saída e, portanto, diminuirá o seu desamparo e aumentará a sua força independente e o seu tirocínio.

Numa palestra anterior nós discutimos as necessidades humanas. Antes que você descubra as suas várias "camadas protetoras", você não pode nem ao menos ter plena consciência das suas necessidades reais. Você pode conhecer algumas das suas necessidades irreais, superpostas, mas só após uma compreensão mais completa de si mesmo é que você se torna gradualmente consciente das necessidades básicas, nuas, que você mantinha reprimidas. Quando você experimenta a dor antes de cruzar o limiar para a maturidade emocional e padrões produtivos, você tem a possibilidade, se assim escolher, de ficar precisamente consciente dessas necessidades. Isso é inevitável se você deseja sair do seu presente estado de viver improdutivo.

À medida que passa pelo processo de tomada de consciência das suas necessidades e da frustração causada pela sua insatisfação, você descobrirá primeiro a imperiosa necessidade de ser amado exatamente como a criança precisa receber amor e afeição. Contudo, não se pode dizer que a necessidade de ser amado é infantil e imatura. Só é assim quando a pessoa adulta trancou a sua alma e se recusou a crescer em sua própria capacidade de dar amor, de forma que a necessidade de receber permanece isolada e também encoberta. Através dos seus padrões destrutivos você empurrou a sua dolorosa necessidade de receber amor para o inconsciente. Devido a essa falta de consciência e aos seus mecanismos de defesa de várias espécies, a sua capacidade de dar jamais pôde crescer no interior da sua psique. Todavia, durante todo o trabalho que temos feito, você não apenas se tornou consciente de tudo isso que estava oculto, mas, como eu disse antes, você começou a dissolver certos níveis nefastos. Isso, como que inadvertidamente, fez com que a sua capacidade de dar amor emergisse, mesmo que você não possa ainda se dar conta disso, de forma completa. Ao encontrar a dor, você realmente experimenta a tremenda pressão das suas necessidades. Por um lado, você encara a necessidade de receber, que continua insatisfeita enquanto os padrões destrutivos prevalecem. É preciso algum tempo para conseguir a força necessária e o tirocínio requerido para produzir a satisfação da *necessidade de receber*. Por outro lado, *a necessidade de dar* não pode encontrar um escoadouro até que esse estágio seja atingido. Assim, uma dupla frustração é causada — e isso gera uma tremenda pressão. É essa pressão que é tão dolorosa. Ela parece parti-lo em pedaços.

A mudança da evasão para a realidade

Porém, não acredite que essa pressão, essa frustração completa, não existia antes que você tomasse consciência dela. Ela existia, mas criou outras saídas, talvez na doença física ou em outros sintomas. À medida que você se dá conta do núcleo central, a pressão e a dor podem se tornar mais agudas, mas é assim que tem que ser o processo de cura. Você então dirige a sua consciência para a causa central, onde o problema realmente reside. Você focaliza a sua atenção sobre a raiz. Você troca a sua ênfase da evasão para a realidade. A verdadeira dor tem que ser experimentada em todos os seus tons e variedades. Você tem que se dar conta de que as suas necessidades são exatamente ambos, dar e receber. Você precisa sentir e observar a frustração de não encontrar uma válvula de escape, a pressão acumulada, o sentimento momentâneo de desesperança quanto a encontrar alívio; a tentação de fugir uma vez mais. À medida que você batalha através dessa fase e fica mais forte, você não foge mais de si mesmo e do risco aparente de viver. Oportunidades surgirão no seu caminho. Você as verá e fará uso delas. Elas lhe ensinarão a progredir no seu crescimento e na sua força até que as suas necessidades possam encontrar satisfação parcial, e então aumentá-la pouco a pouco enquanto você cresce e muda os seus padrões.

Você precisa entender que nesse período você se encontra num estado transitório. Você se conscientizou da sua necessidade de receber, que é saudável em si mesma, mas essa necessidade tornou-se exageradamente forte e, portanto, imatura, por causa da sua repressão sobre ela e da conseqüente frustração da satisfação sadia de receber. Se você não recebe o bastante, sua demanda fica desproporcionada, especialmente quando você está inconsciente dessa exigência estrita.

Devido ao seu progresso e ao crescimento que ocorreu dentro de você, a necessidade madura de dar também cresceu. Você pode não ter encontrado um escape para ela por causa dos padrões destrutivos que ainda estavam atuando; talvez apenas em parte, talvez de forma modificada. Você pode até ter iniciado tentativas de um acordo entre o velho e o novo caminho, este último sendo o desejado. Porém, não esqueça que resultados efetivos só podem ocorrer quando os novos padrões se tornam uma reação integrante e quase automática em você. Seus velhos padrões têm existido por anos, por décadas, e com freqüência por mais tempo. Agora, enquanto você aprende e começa a mudar interiormente, a mudança externa não chega imediatamente. Nesse período, a pressão interna pode se tornar mais forte ainda. Contudo, se você se apercebe de tudo isso e tem a coragem de enfrentá-lo, necessariamente virá a ser uma pessoa mais forte, mais feliz, mais bem equipada para viver no verdadeiro sentido da palavra. Tenha cuidado para não voltar à evasão. Não acredite que esse período temporário no qual você encontra toda a pressão interna acumulada, com o desamparo, a inadequação e a confusão que a acompanham, seja o resultado final. Ele é o túnel através do qual você tem de passar.

Depois que o fizer, o seu senso de força, de adequação e o seu tirocínio vão crescer constantemente — com ocasionais recaídas, é claro. Mas se você fizer com que cada recaída se transforme em outro ponto de apoio, em mais uma lição, os novos padrões, com o tempo, irão firmar-se no seu Ser Interior, fazendo com que você veja as possibilidades que deixou de perceber por tanto tempo. Você então vai ter a coragem de se aproveitar dessas possibilidades, em vez de rejeitá-las por medo. Assim, e só assim, a satisfação virá.

É tão importante para você entender isso, conscientizar-se disso. Se isso acontecer, as vantagens serão suas.

Meus queridos amigos, sejam abençoados, cada um de vocês. Que essas palavras possam ser mais uma chave e uma ajuda para o seu crescimento e libertação constantes. Que elas possam ajudá-lo a tornar-se você mesmo, a tomar plena posse do indivíduo que você é, com todos os recursos, com toda a energia, engenhosidade, criatividade e a força do amor que são inerentes a você, aguardando permissão para funcionar livremente. Fiquem em paz, fiquem com Deus.

PARTE 2

APEGO À NEGATIVIDADE

"O indivíduo que quer ter uma resposta para o problema do mal, tal como ele se apresenta hoje em dia, precisa, acima de tudo, de autoconhecimento; quer dizer, do conhecimento mais absoluto possível da sua própria totalidade. Ele deve conhecer profundamente quanto bem ele pode fazer e que crimes é capaz, e deve ficar alerta para não considerar uma coisa como real e a outra como ilusão. Ambas são elementos dentro da sua natureza e ambas devem vir à luz nele, caso queira — como deveria — viver sem se enganar ou se iludir."

C. G. Jung[1]

"Não há dúvida de que essa idéia de mentalidade sadia é inadequada como doutrina filosófica, porque os fatos maléficos que ela categoricamente se recusa a explicar são uma porção genuína da realidade; e eles podem ser, no fim das contas, a melhor chave para a compreensão do significado da vida e, possivelmente, os únicos que podem abrir os nossos olhos para os níveis mais profundos da verdade."

William James[2]

A Parte 1 deste livro preparou o campo, ensinando-nos como observar a nós mesmos mais cuidadosamente, a reconhecer a criança irracional e infeliz que vive dentro de cada um de nós e a perceber as Máscaras, enganos e falsas soluções que adotamos em nossas tentativas de ficar numa posição de vantagem sobre a vida.

A Parte 2 concentra-se mais de perto no nosso mal pessoal enquanto fonte de toda a nossa infelicidade.

Não é fácil encarar o nosso próprio mal. Fazê-lo requer grande coragem e também grande compaixão em relação a nós mesmos. Você pode ser tentado, em algum ponto no decorrer deste livro, a abandonar a sua leitura e não voltar mais a ele. Quanto a mim, precisei de muito tempo para realmente ingressar neste Pathwork e eu me lembro das muitas vezes em que abandonei uma palestra, desanimado, inventando para mim mesmo uma razão para não acreditar naquilo. Descobri que olhar para as minhas próprias falhas e insuficiências, em profundidade e extensão, não era um dos maiores prazeres da vida.

Foi difícil para mim passar da teoria para o campo pessoal e prático. Eu acreditava na importância de amar toda a humanidade; chegava mesmo a pregar essa atitude; e, contudo, descobri, na prática, que eu costumava ser indiferente aos sofrimentos dos outros, rancoroso com os meus amigos, e por vezes era cruel até com a minha mulher e com os meus filhos. E além disso, eu freqüentemente fazia vista grossa à dissonância e falhava em enxergar a contradição entre as minhas crenças declaradas e o meu verdadeiro comportamento.

Uma das razões pelas quais eu era tentado a permanecer na cegueira era que eu procurava evitar a dor, tanto emocional quanto física, como todos fazemos. Como foi aflitivo descobrir que tinha de estar disposto, caso realmente buscasse a verdade, a sentir dores que havia reprimido com sucesso durante anos!

E a recompensa por esse trabalho? Em primeiro lugar, descobrir a alegria que vem de se viver na verdade, sem Máscaras, sem fingimentos. Segundo, descobrir que, através do portal que é sentir a minha dor, vem uma vida de real prazer, e de não mais evitar a vida por medo de sentir a dor. E existem muitas outras recompensas além dessas; eis aqui uma das descrições do Guia:

"Existe um estado no qual você viver sem confusões dolorosas e torturantes, no qual você pode atuar num nível de flexibilidade interior, de contentamento e segurança; no qual você é capaz de sentimentos profundos e de enorme prazer; no qual você tem a capacidade de encarar a vida como ela é, sem medo, e portanto é capaz de descobrir que a vida, mesmo com os seus problemas, é um desafio prazeroso."[3]

Muitos caminhos espirituais ensinam que a maneira de lidar com as grandes e pequenas negatividades que todos nós temos é elevar-se acima delas, transcendê-las. Segundo essa idéia, parece que, se voltarmos sempre a nossa atenção para o verdadeiro, para o bom, para o belo, o Eu Inferior vai se desfazer. O Pathwork afirma que o método da "elevação" não funciona; que ele representa um desejo ineficaz e uma negação, e conduz a repressão e a uma subseqüente ação negativa não reconhecida. O Pathwork ensina que o Eu Inferior deve ser transformado e não transcendido.

As palestras da Parte 2 abordam esse tema de vários pontos de vista diferentes. O Guia enfatiza a importância de se descobrir a "corrente de negação" inconsciente que sabota os nossos desejos conscientes; descreve os desequilíbrios entre o Ego e o Eu Superior e o modo como eles precisam ser corrigidos; mostra como a postura de se entorpecer em relação à dor é uma das principais causas de negatividade pessoal; e como o fato de termos aprendido a ligar o princípio de prazer a ocorrências negativas perpetua o Eu Inferior. Nenhuma dessas palestras, tomada isoladamente, descreve de modo adequado o funcionamento do Eu Inferior; mas todas elas juntas devem proporcionar a você uma profunda compreensão da natureza do Eu Inferior, com um incentivo para transformá-lo.

1. C. G. Jung. *Memories, Dreams, Reflections*. Pantheon Books, 1973, p. 330.
2. William James. *The Varieties of Religious Experience*. Mentor, 1958. pp. 137-138. [*As Variedades da Experiência Religiosa*, Editora Cultrix, São Paulo, 1991.]
3. Palestra do Pathwork, nº 204.

CAPÍTULO 11

COMO DESCOBRIR O "NÃO" INCONSCIENTE

Saudações, meus queridos amigos. Bênçãos para cada um de vocês. Esta hora é abençoada. Que esta palestra possa novamente ajudá-los a descobrir mais de si mesmos, ampliar e elevar a sua consciência e fortalecer a sua compreensão da realidade.

O universo, até um certo grau de desenvolvimento ou consciência, consiste em duas correntes fundamentais: uma corrente afirmativa e uma de negação. A corrente afirmativa inclui toda a energia construtiva, porque concorda com a visão verdadeira, que não pode senão gerar amor e unidade. A de negação é destrutiva, porque se desvia inadvertidamente da verdade, causando assim ódio e desunião. Essa explicação geral aplica-se tanto à sua vida diária individual quanto a grandes conceitos da História da Criação. É fácil e absolutamente possível detectar as correntes afirmativas e de negação dentro de você mesmo, em sua vida diária, caso aprenda a entender e a interpretar a linguagem do seu inconsciente pessoal. É necessária uma certa técnica para fazê-lo, a mesma requerida para aprender qualquer outra linguagem.

A corrente afirmativa é com freqüência a mais notável das duas, porque é majoritariamente consciente. Sempre que você se vê perturbado por causa de uma insatisfação persistente, você pode estar certo de que ambas as correntes devem estar atuando fortemente, pondo assim os freios em ação. Conscientemente, a corrente afirmativa é mais forte e bloqueia a corrente de negação inconsciente. Quanto mais esta última é esmagada com a idéia errada de que isso a elimina, mais ela é forçada para o subterrâneo, onde continua a atuar. E quanto mais isso acontece, mais urgente e frenética se torna a corrente afirmativa. Essas correntes empurram a personalidade em duas direções diferentes, criando tensão e pressão cada vez mais fortes. A maneira de eliminar esse curto-circuito é descobrir a corrente de negação e compreender as suas falsas premissas e assim gradualmente abandonar a crença na necessidade de sua existência.

Nessas áreas da sua vida, onde as coisas seguem com facilidade, nas quais você parece ter sorte, onde na maior parte do tempo você está satisfeito e sem crises problemáticas e confusas, você pode ter a certeza de que existe muito pouca corrente de negação e de que a corrente de afirmação predomina sem uma subcorrente contraditória oculta. Em outras palavras, corrente afirmativa não é apenas a atitude superficial, mas é também a atitude de todo o seu ser, indiviso e de acordo com a realidade. Você não está dividido em motivação e desejo.

Mudança através da detecção da corrente de negação

Mas nessas áreas em que você é repetidamente "azarado", a corrente de negação está certamente em ação, de uma forma ou de outra. Naturalmente que as razões podem variar de um indivíduo para outro, mas as causas subjacentes têm que ser claramente definidas para que sejam desativadas. A maioria de vocês já começou a detectá-las, pelo menos em parte.

Qualquer meta que você não consiga atingir é prova de que uma corrente de negação não detectada está atuando. Não é suficiente ter conseguido a compreensão das suas imagens e concepções errôneas, nem de como por que elas vieram a existir nas circunstâncias particulares da sua infância. Por mais importante que seja esse trabalho, ele é apenas um passo. A única maneira de produzir mudança é através da identificação da maneira como a corrente de negação continua a funcionar, impedindo mesmo a mudança tão ardentemente buscada pela corrente afirmativa.

Presumamos que você deseje uma certa realização na sua vida, da qual você tem sentido falta até agora. Você pode ter percebido um forte desejo por essa realização e, no seu Pathwork, descobriu certas concepções errôneas, falsas culpas e atitudes destrutivas que impedem essa satisfação. Você pode até ter descoberto um medo da realização em si e, conseqüentemente, uma sutil atitude de rejeição em relação a ela. O medo pode estar baseado numa premissa inteiramente ilusória sendo, portanto, desnecessário. Ele pode dever-se ao desejo infantil de não querer pagar o preço exigido por essa realização. Pode ser uma sentimento de não merecer essa felicidade, ou várias outras razões, ou uma combinação de todas elas. Quaisquer que elas sejam, você descobriu em essência o que se encontra no seu caminho.

Você pode experimentar essa descoberta como um núcleo instantâneo, por assim dizer, como um pacote de perturbação. Mas, embora raramente, ocorre que esse pacote continua a enviar à superfície as suas expressões apesar de ter sido detectado. E é essa a parte importante do trabalho, sem a qual a verdadeira libertação não pode ser alcançada.

Em vista de tudo isso, é preciso renovar os seus esforços na detecção diária do funcionamento da corrente de negação. Suas manifestações podem ser muito sutis, difusas e quase que esquivas demais para que sejam percebidas. Mas se você se dispuser a fazê-lo, o que antes era tão nebuloso a ponto de ser quase impossível de formular, tornar-se-á óbvio, destacando-se num claro contorno. Você vai descobrir como você recua levemente diante do pensamento da sua realização sempre que ela se aproxima da realidade. Você pode perceber um vago sentimento de desconforto familiar que costuma pôr de lado, quando pensa sobre esse objetivo. Será um sentimento de medo ou falsa culpa, de que você não o merece? O que quer que seja, tente tomar essas impressões vagas, nebulosas, e questioná-las à luz da consciência. Examine a fantasia distante quando, aparentemente, apenas a corrente afirmativa está em ação. Você quer o impossível nessa fantasia, no sentido de que não leva em consideração as imperfeições humanas de todos os envolvidos? Ou pode ser que você sinta sutilmente que a vida deveria provê-lo com a realização ideal sem necessidade de mudança, de ajuste e renúncia da sua parte? Essa atitude predominante pode ser extremamente sutil e exigir todo o seu discernimento para descobri-la. Quando isso acontecer, você terá achado uma razão para a existência da corrente de negação.

Quando se der conta da corrente de negação constantemente atuante, mesmo antes de compreender totalmente a sua presença, você encontrará alívio para a desesperança e a saída estará à vista. Você vai entender por que a sua vida não mudou apesar de muitos reconhecimentos de imagens e lições da infância. Você localizará agora os sentimentos destrutivos a serviço da corrente de negação: medo, culpa, raiva, frustração, hostilidade, etc. Esses sentimentos continuam a arder, encobertos, mas eles podem ser camuflados habilidosamente, explicados e afastados por provocações aparentemente reais e projetados sobre os outros de forma "bem-sucedida". Descobrir todos esses mecanismos é aprender a linguagem do inconsciente.

Vamos agora ser mais específicos sobre a detecção de uma corrente de negação. Você pode ter a certeza de que ela existe se a frustração continua presente na sua vida, apesar da descoberta de imagens relevantes.

Você também pode estar certo da sua existência se está desesperado na sua corrente afirmativa; se você teme que a realização nunca chegue; se crê que a sua vida é sombria sem ela. Depois de ter determinado dessa forma a existência da corrente de negação, agora é uma questão de experimentá-la — não apenas uma vez, mas sempre que ela estiver em ação.

Para ficar mais agudamente consciente da sua existência, a prática da revisão diária, como vocês aprenderam, é imensamente útil e tem que ser aplicada nessa direção. A observação e o questionamento das suas reações emocionais têm de estender-se em amplitude e profundidade no caminho, em lugar de diminuir. Caso você progrida na direção certa, você agora observará mais, e não menos — ao contrário da idéia equivocada de que haverá menos para ver por causa do seu avanço. O escrutínio cuidadoso é um pré-requisito prioritário.

Para observar produtivamente o que o inconsciente expressa, é importante separar a parte saudável que existe em você daquela que não é sadia, que está confusa, comprometida. Essa observação desapegada de algo obscuro e estranho é o procedimento com maior poder de cura no Pathwork de libertação. Quando a sua corrente afirmativa observa a corrente de negação sem autoacusações frenéticas, torna-se possível traduzir a última em linguagem humana concisa. A formulação concisa de sentimentos vagos é de valor inestimável, e eu o enfatizei com freqüência nos estágios iniciais deste Pathwork.

Observe os pensamentos semiconscientes

Você está erroneamente convencido de que conhecer o que ocorre no seu inconsciente significa simplesmente encontrar elementos até então desconhecidos. Você não tem que esperar por algo distante e completamente oculto. Primeiro observe aquelas camadas que são facilmente acessíveis quando a sua atenção é focalizada sobre elas. Esses são os pensamentos semiconscientes, as atitudes e expressões vagas e difusas que são quase uma segunda natureza e portanto são quase desconsideradas porque se tornaram uma parte de você. Mas nenhum dos sentimentos, reações e conceitos semiconscientes são claramente formulados em pensamentos concisos. Se observar essas reações semiconscientes em áreas problemáticas da sua vida, você aprenderá tudo o que precisa sobre si mesmo. Essa é uma parte vital do aprendizado da linguagem do seu inconsciente.

O material semiconsciente inclui as reações emocionais, bem como a sua vida de fantasia. A comparação dessas duas com freqüência demonstra as suas discrepâncias e contradições, assim como as suas expectativas imaturas.

Quanto mais claramente você percebe a maneira como se afasta ou se retira da própria realização pela qual anseia — vendo tal fato em ação repetidas vezes —, mais você se aproxima da eliminação da corrente de negação. Você a enfraquece somente pelo fato de a colocar sob observação. É essencial que você preste mais atenção à corrente de negação na sua forma exata. Um certo tipo de meditação pode ajudar. Fique muito quieto e relaxado e comece por observar o processo do seu pensamento, e mesmo a sua incapacidade inicial para fazê-lo. Isso com o tempo conduz à habilidade de afastar os pensamentos por um curto período e tornar-se absolutamente vazio. No vazio é possível a emergência do material até aqui sufocado e reprimido, caso você expresse esse propósito e o deseje com força suficiente, sem fugir do esforço para atingir seu objetivo. Embora difícil no princípio, esse esforço, após algum tempo, vai estabelecer um canal para uma parte de você com a qual o contato não era possível. No começo, você vê os elementos destrutivos flutuando para a superfície e, então, torna-se capaz de contatar os elementos construtivos, profundamente escondidos no seu interior.

Seu inconsciente fala continuamente, meu amigo. Ele fala sem que você o ouça; portanto, você não se comunica com ele e, assim, perde uma parte muito importante do seu trabalho. Você muitas vezes busca uma compreensão intelectual das concepções errôneas, desconsiderando assim o fluxo constante da corrente de negação e de como ela funciona. Isso deve se tornar uma tarefa para você, com ênfase nas suas auto-observações. Se você devotar um pouco de tempo todos os dias para essa questão importantíssima, os resultados serão maravilhosos.

1. Pergunte-se, a si mesmo: "Qual o meu objetivo agora? Por que estou insatisfeito? O que eu gostaria que fosse diferente?

2. O quanto eu o quero?

3. Até que ponto existe algo em mim que não quero, ou que eu temo; ou ao que, por uma razão ou por outra, digo não?

4. Como posso detectar as várias formas e manifestações da corrente de negação na minha vida diária?

Se você formular essas quatro perguntas e começar a respondê-las verdadeiramente, seu trabalho no Pathwork será o mais dinâmico possível e o seu progresso irá espantá-lo e dar-lhe prazer.

Sejam abençoados, todos vocês, em corpo, alma e espírito. Fiquem em paz, meus queridos amigos. Fiquem com Deus.

CAPÍTULO 12

୨ଈ

TRANSIÇÃO DA CORRENTE DE NEGAÇÃO PARA A CORRENTE AFIRMATIVA

Saudações, meus queridos amigos. Deus abençoe todos vocês. Abençoada seja esta hora.

Muitas pessoas acreditam que uma atitude positiva em relação à vida significa ignorar o negativo em si mesmo, mas nada poderia estar mais distante da verdade. Essa é uma compreensão errada dos processos de crescimento e desenvolvimento. É impossível adotar um conceito verdadeiro e substituir o velho conceito falso, a menos que se compreenda claramente porque o velho conceito não é verdadeiro. O ímpeto real de se transformar jamais pode vir, a menos que se veja a natureza destrutiva de uma falsa imagem e se avalie os seus efeitos em si mesmo e nos outros. Só isso fará com que você reúna todos os seus recursos para produzir uma mudança. Um vago conhecimento dos princípios gerais desse processo não pode ser suficiente quando você lida com uma corrente de negação profundamente arraigada.

É você quem diz não

Quando você descobre especificamente como dizer não a um sonho em especial ou a uma realização há longo tempo sonhado, você atinge uma transição fundamental em todo o seu desenvolvimento, na sua perspectiva em relação à vida. Depois dessa descoberta, você jamais será o mesmo. Pela primeira vez, você compreende o fato de que não tem que depender de circunstâncias fora do seu controle, que não é uma vítima perseguida de um destino injusto e cruel, que você não vive num mundo caótico, onde a lei da selva parece ser a mais apropriada. Descobertas assim devem afastá-lo do falso conceito de uma divindade punitiva ou recompensadora que está lá no céu, e de uma idéia igualmente falsa de que não existe ordem, de que não existe uma inteligência superior no Universo.

Quando descobre que está dizendo NÃO à própria coisa que você mais deseja, você não pode mais ficar inseguro, assustado e preso à concepção errônea de que é desafortunado e inferior. De repente, a verdade da ordem divina chegará tão perto que você poderá compreendê-la — e isso, na verdade, é uma experiência maravilhosa, mesmo que a princípio você talvez não seja capaz de vivenciá-la devidamente. Isso significa a extensão da sua compreensão, o aprofundamento do seu entendimento. Você está se tornando agudamente consciente do fato de que toda a sua infelicidade e insatisfação não são o efeito remoto de uma causa remota, remota mesmo em você mesmo, mas um efeito muito direto de uma causa que está bem diante dos seus olhos, caso você resolva olhar para ela. É claro que isso exige o treinamento de tornar-se consciente de reações emocionais ocultas, de movimentos emocionais sutis, esquivos, vagamente sentidos. Porém, uma vez que a sua mente esteja acostumada a observar essas reações, essa consciência não estará distante. O NÃO que você, e só você, pode reconhecer é tão distinto quanto qualquer objeto do seu ambiente exterior que você queira entender, tocar e ver.

A descoberta desse NÃO não deve ser um reconhecimento superficial, leviano. Sinta todo o seu impacto e significado, reconhecendo, primeiro, que ele existe de fato e, então, verificando por que ele existe e em quais concepções errôneas está baseado. Quando isso é percebido pela primeira vez, a desesperança, o derrotismo dará lugar a uma esperança genuína — não imposta — e a uma atitude positiva em relação à vida.

Antes que você consiga uma visão clara da área específica dessa operação, a corrente de negação vai agir contra o próprio esforço de descoberta e mudança. Alguns dos meus amigos já descobriram que, no momento em que lutaram com sucesso e superaram a sua resistência contra o trabalho em uma fase particular, descobriram um NÃO correspondente em relação a uma situação de vida genérica.

Enquanto no nível consciente um SIM urgente, frenético e desesperançado clama e grita, o NÃO subjacente derrota todos os esforços e faz com que todo o processo pareça verdadeiramente sem esperança.

A tentação de cegar-se para a verdadeira questão, de projetar e deslocar, aumenta. Isso freqüentemente nubla a memória da vitória passada; do procedimento adequado da prece, da meditação e da revisão diária; da formulação das confusões, das perguntas não respondidas, de vagos sentimentos desconfortáveis numa forma concisa, enfrentando-os à medida que eles bloqueiam o caminho. Essa atitude também o impede de pedir ajuda; de cultivar a vontade interior de superar todas as barreiras que o impedem de ver a verdade sobre si mesmo e de ter disposição para mudar; de registrar o NÃO interior durante esses esforços; de enfrentar esses NÃOS da única maneira produtiva, a saber, com a intenção de querer ver e compreender a verdade a respeito da questão.

Abrir-se para a verdade é um passo decisivo para trazer a personalidade para a corrente afirmativa. A mudança, tal como a transformação da estrutura do caráter e das impressões ou imagens, dificilmente é possível enquanto não se compreende por que uma mudança assim é verdadeiramente desejável.

Portanto, em linhas gerais, o Pathwork pode ser dividido em duas fases principais: primeiro, envolver a ajuda divina para o reconhecimento da verdade; segundo, engajar o mesmo agente para obter a força, o impulso e a capacidade de mudar. Esses dois desejos fundamentais, sendo parte de uma grande corrente afirmativa, devem ser cultivados nos detalhes da vida diária, nas reações, nos pensamentos e sentimentos do dia-a-dia.

Há algum tempo atrás, quando discutimos as imagens, eu também mencionei a substância da alma, que é o material que registra a perspectiva do indivíduo e suas atitudes em relação à vida. Quando essas atitudes derivam de uma impressão verdadeira e prevalece uma atitude construtiva, a substância da alma é moldada de tal maneira que a vida da pessoa é significativamente satisfatória e feliz. Quando as impressões são baseadas em conclusões errôneas, os moldes na substância da alma criam situações desfavoráveis e destrutivas.

Em resumo, o destino de um ser humano não é nada mais nada menos que a soma da sua personalidade, daquilo que expressa e emana, o que, por sua vez, determina como a substância da alma é moldada em termos de realidade ou de irrealidade. A consciência humana é o escultor; a substância da alma é o material moldado. A personalidade como um todo, incluindo todos os níveis, é que determina o destino. Se uma pessoa tem um conceito sadio, construtivo, realista em alguns níveis da personalidade, enquanto outros níveis expressam o oposto, essa contradição afeta negativamente a substância da alma, mesmo que a atitude positiva seja mais forte e consciente, enquanto a negativa permanece oculta. É, portanto, essencial que as áreas escondidas da substância da alma sejam reveladas para que se compreenda, a partir da visão das impressões que nela existem, por que a realização desejada ainda se faz ausente na vida.

Só recentemente, e pela primeira vez, alguns de vocês que trilham o Pathwork descobriram que nessas áreas ocultas existia um NÃO que nunca poderiam ter descoberto antes. Pelo contrário, estavam convencidos de que queriam com todo o ser aquilo que continuava irrealizado, ou que certamente não queriam uma experiência indesejável. A mera sugestão de que poderia haver um esforço inconsciente na direção contrária teria parecido ridícula.

Esses NÃOS estão diretamente ligados à imagem original, com o falso conceito que moldou a imagem na substância da alma. É essa concepção errônea básica que faz uma pessoa rejeitar aquilo que mais quer, atuando sutilmente de tal maneira que a imagem parece inevitavelmente ser confirmada. Por exemplo, se você está sob o efeito da concepção errônea básica de que é inadequado e não pode ter sucesso, essa convicção vai fazê-lo comportar-se de tal maneira que você agirá realmente de forma inadequada. E mais: você terá medo do sucesso porque a sua convicção de que não é capaz de corresponder a ele transforma o sucesso num monstro assustador.

Uma vez descoberto esse NÃO em particular, bem como o comportamento dele resultante, suas expressões óbvias e sutis nessa área, você compreenderá que não consegue o sucesso, não por ser inadequado, mas que você é inadequado porque pensa que é e teme qualquer evento que possa pôr isso à prova.

A mudança de uma corrente de negação profundamente gravada para uma corrente afirmativa só pode ocorrer quando todo esse processo é profundamente compreendido; quando a fuga sutil de um objetivo desejado é constatado e, finalmente, modificado para "Eu quero atingir essa meta com todo o meu coração. Eu não tenho nada a temer". A meditação sobre o porquê de não haver nada a temer, da razão pela qual o velho medo era falso e por que motivo a nova atitude de aceitação em relação à vida é inteiramente segura é o passo final para passar de uma corrente de negação para uma corrente de afirmação. Isso deve ser feito como um trabalho diário de meditação, criando um novo molde na substância da alma — desta vez um molde novo, flexível, leve e verdadeiro que finalmente apague o antigo, rígido, pesado e falso.

Compare o positivo com o negativo

Neste Pathwork você aprendeu a revisar a sua vida à luz do progresso já feito, e a determinar não apenas em que aspecto superou velhas obstruções, mas também o que permanece por realizar. Quando você examina áreas ainda insatisfeitas da sua vida, procurando a corrente de negação subjacente, é também útil comparar essas áreas com os aspectos da sua vida nos quais está insatisfeito. Então, considere a corrente afirmativa subjacente; a expressão, sutil, porém distinta, da certeza de que essa coisa boa é sua, que sempre será sua facilmente, de que ela não apresenta dificuldade e que não provoca o medo de que possa ser perdida.

Seria também sábio investigar as áreas nas quais você se sente merecedor, em que você está disposto a pagar o preço, a dar, e então perceba que, na verdade, suas atitudes nessas áreas sadias diferem grandemente dos seus sentimentos e expectativas nas áreas não-satisfeitas. Essa comparação é um esforço útil que resultará em muita compreensão. Sinta claramente a diferença entre a sua abordagem, as suas emoções e expressões sutis nas situações de vida saudável, satisfeita, feliz, e aquelas nas quais você encontra consistentemente um padrão frustrante e infeliz.

Não há possibilidade de sair da corrente de negação enquanto você se prender à convicção de que não tem nada a ver com o problema, de que você está impotente para superar a sua dificuldade. Porém quando você se dá conta de que o fato decisivo final é você mesmo — a sua vontade e a sua determinação —, então o fim do seu sofrimento está próximo. Diga: "Eu quero sair disto. Para fazê-lo, quero saber especificamente o que obstrui o meu caminho neste momento. Eu sei que as forças universais construtivas me ajudam e me guiam no momento em que decido fazer algo a respeito. Estarei pronto a ver seja lá o que for." Continue suas atividades nessa direção, e o que parecia impossível subitamente tornar-se-á factível. Não se pode dispensar a meditação descontraída, a concentração e um mínimo de auto-observação diária. Elas são as ferramentas; aprender a usá-las de maneira apropriada é parte do seu processo de crescimento.

Já mencionei várias vezes que nada em si mesmo é certo ou errado, saudável ou doentio, construtivo ou destrutivo. O mesmo se dá com o sentir, experimentar e expressar a atitude de "eu quero" com relação a uma realização em particular. O simples fato da sua existência não é garantia de que o seu querer é uma corrente afirmativa. À parte o desejo contrário num nível inconsciente, esse "sim" pode resultar de cobiça e medo, de querer demais, e a cobiça e o medo são produtos da corrente de negação. Se não existisse nenhuma corrente de negação oculta, não haveria dúvida de que você poderia conseguir o que quer e, portanto, não existiria medo de não conseguir. Você não precisa ter cobiça pois, caso esteja na verdade e em harmonia com as forças cósmicas, a corrente afirmativa funcionará como um fluxo natural, fácil e calmo no seu interior. Você pode emitir o "eu quero" na corrente afirmativa com uma plenitude e inteireza despidas de ansiedade, dúvida e cobiça.

Sim ou não, o "eu quero" ou o "eu não quero" só podem ser determinados como expressões da corrente afirmativa ou de negação se esses desejos forem observados de perto, caso se dê ouvidos a qualquer emoção rude ou perturbadora neles contida.

Tenho me referido com freqüência ao fato de que *o contato com a centelha divina ou com o seu Eu Verdadeiro é um resultado deste Pathwork*. Alguns de vocês, meus amigos, estão começando a experimentar esse evento indescritível. A segurança, a certeza, a convicção da verdade, a harmonia e justiça disso tudo são dignos de todo esforço para superar a resistência. Só ele pode realmente guiá-lo. Mas o Ego-mente se interpõe muitas vezes no caminho. Ele acredita que só ele existe e determina. Mas agora ele precisa decidir deixar que a mente maior decida sobre a sua vida. Deixe que o Eu mais interior, a inteligência maior dentro de você responda às suas confusões e o guie para a verdade que você precisa conhecer a respeito de si mesmo. Deixe que o seu Eu Superior o fortaleça para mudar as suas falsas imagens e o ajude a mudar da corrente de negação para a corrente de afirmação, com a sua promessa que será inevitavelmente realizada.

Fale sobre o problema

Uma fonte adicional de ajuda é o método de falar sobre as coisas. Isso já se provou verdadeiro em outras fases do Pathwork e é de igual importância na fase atual. Falar sobre o que você quer, sobre qual é a sua obstrução, qual a sua extensão e sobre a razão da corrente de negação observada tem um valor terapêutico, além da sua compreensão atual. Ao falar com outra pessoa, as coisas tomarão forma e ganharão uma clareza que faltava enquanto você apenas pensava a respeito delas, ou mesmo enquanto escrevia sobre elas.

Além disso, a percepção que uma pessoa não envolvida pode obter e apontar para você é normalmente impossível de atingir por si mesmo, porque você está envolvido de forma demasiado profunda. Falando sobre o problema, alivia-se uma pressão que libera uma energia valiosa e obtém-se uma nova perspectiva. Algo começa a mudar no seu interior, antes mesmo que você o saiba. Alguma coisa é posta em movimento quando você: a) deliberadamente faz contato com o seu Eu Divino em busca de respostas e orientação; b) "desabafa" a área de pressão.

O efeito dessas duas importantes atividades serão experimentadas por qualquer um que siga esses conselhos.

Para que a corrente afirmativa se expresse numa área da sua vida e da sua personalidade, todo o seu ser tem que estar inteiriço, num único bloco. Sua consciência não pode estar dividida, com diferentes níveis expressando objetivos, opiniões, conceitos e emoções diferentes.

Não é possível se convencer intelectualmente a deixar que a corrente afirmativa se expresse. Muitos sistemas e abordagens tentam impor pela força a corrente afirmativa à consciência. As pessoas são assim conduzidas, equivocadamente, a uma esperança e a um sucesso temporários, que não podem ser reais e permanentes a menos que todos os níveis do seu ser estejam plenos de uma única expressão e que não reste nenhuma área a alimentar dúvidas e medos e que falhe em conhecer e expressar a verdade. Tampouco isso pode acontecer a menos que algumas partes da estrutura de caráter sejam verdadeiramente transformadas — que elas "renasçam", como disse Jesus.

Quando atinge esse estado de unidade consigo mesmo, com o seu Eu Divino mais íntimo, no fluxo e harmonia da corrente afirmativa, você não tem nada a temer; você caminha em solo firme.

Nada se interpõe no caminho de uma vida plena, realizada, rica. Essas não são promessas vazias. Todos os instrumentos de que você precisa lhe são dados, mas você, e só você, tem de usá-los. Aqueles dentre vocês que progridem constantemente, lutando contra o NÃO interior, realizando o trabalho todos os dias, registram a crescente convicção de que, lentamente, estão saindo do confinamento e das trevas para a liberdade, para a luz e para a verdade. Qualquer um que alegue ter feito o seu melhor e não ter obtido sucesso não fala a verdade. Ele está enganando a si mesmo. Ele, ou ela, pode realizar bons esforços em áreas de menor importância, mas se recusa a ver a verdade onde ela dói mais, onde a pessoa ainda carece de libertação.

Alguma pergunta?

PERGUNTA: Sinto que tenho uma corrente de negação tanto dentro quanto fora de mim; tudo é NÃO. Você pode ajudar-me a compreender por quê?

RESPOSTA: Sim, e eu também posso ajudá-lo a sair disso. Eis a razão: você tem medo de que, se não disser NÃO, vai ter de enfrentar uma inadequação e uma vergonha específicas. Naturalmente, essa inadequação e essa vergonha não são reais, mas você inconscientemente acha que são. O NÃO parece eliminar a necessidade de olhar mais de perto. Você talvez ainda não seja capaz de senti-lo, mas isso vai acontecer caso você prossiga no seu Pathwork.

Feito isso, ficará mais fácil encarar o inimigo interior — o NÃO.

Quanto ao conselho imediato a respeito de como prosseguir:

Tome qualquer um dos pequenos "nãos" que surgem no seu trabalho, na sua vida diária, e medite sobre eles sozinho, em paz e relaxado. Essa meditação poderia ser mais ou menos assim (use, porém, as suas próprias palavras): "Por que eu digo NÃO? Eu tenho o poder de não dizer NÃO. E agora eu digo: SIM, eu quero real e verdadeiramente descobrir os meus NÃOS."

Tome um não de cada vez. "Com todo o meu coração, eu digo SIM à vontade de entender o NÃO." Primeiro você sentirá um forte impulso negativo contra isso, mas ao esperá-lo, você está preparado e não permite que ele o dissuada. Prossiga dizendo: "A verdade não pode me ferir, embora algo ignorante dentro de mim se rebele contra ela. Apesar disso, eu digo SIM. Essa parte de mim não tem poder sobre a maneira como dirijo a minha vontade e os meus esforços. Esse NÃO trouxe-me muita destrutividade e infelicidade, e eu não permitirei que ele me dirija mais. Tomo as rédeas em minhas mãos." Faça isso diariamente por algum tempo e abra-se para o que surgir.

Se você meditar dessa maneira, engajando as forças divinas que existem no interior do seu ser, você vai experimentar realmente uma grande mudança. A primeira vez será difícil, mas se você perseverar vai se tornar mais fácil e produzirá cada vez mais resultados. E, eu lhe imploro, não se esqueça das muitas ocasiões, neste Pathwork, em que você esteve enfrentando um NÃO feroz e assustador mas, depois que você superou isso tudo, lembre-se do alívio e do desafogo, da energia renovada, do aumento da compreensão e saúde e também do conhecimento e da certeza de que o que você temia antes não tinha base alguma, pois tudo era proporcional ao medo e à resistência que você alimentava. Use o considerável progresso já feito, em vez de se deixar escorregar novamente para a inércia. Então você ainda conseguirá a maior vitória e libertação da sua vida!

Seguindo este conselho, você realmente mudará de uma curva descendente, da corrente de negação, para uma corrente crescente, doadora de vida, para a corrente da afirmação.

Meus queridos amigos, todos vocês são abençoados. Possam estas palavras ser mais que simples palavras. Que elas possam ser, não uma teoria, mas as ferramentas que devem ser. Assim vocês finalmente decidirão ser felizes, não fugindo mais da realização. Fiquem em paz. Fiquem com Deus!

CAPÍTULO 13

ે&

A FUNÇÃO DO EGO EM RELAÇÃO AO EU VERDADEIRO

Saudações, meus queridos amigos. Bênçãos e orientação são-lhes proporcionadas para que todos e cada um de vocês encontre mais facilmente o seu caminho e atinja o seu objetivo com menos conflito e resistência.

E qual é o objetivo? O objetivo, tanto quanto lhes diz respeito, só pode ser uma coisa: tornar-se o seu Eu Verdadeiro.

Primeiro, quero discutir como o Eu Interior se distingue do Eu Exterior, ou como o Eu Verdadeiro difere do Ego. Qual o relacionamento que eles guardam entre si? Existem muitas teorias confusas sobre a função do Ego. De acordo com alguns, o Ego é essencialmente negativo e indesejável, e o objetivo espiritual é ver-se livre dele. Outras teorias, particularmente aquelas que caracterizam o pensamento psicanalítico, dizem que o Ego é importante, que onde não há Ego não pode haver saúde mental. Essas são duas visões inteiramente opostas. Qual delas é a correta? Qual é a falsa?

Recapitulemos brevemente a essência do Eu Verdadeiro. O seu Eu Interior é uma parte integrante da Natureza, presa às suas leis. Portanto, duvidar desse Eu mais íntimo não é razoável, pois a Natureza é absolutamente digna de confiança. Se a Natureza lhe parece um inimigo é apenas porque você não compreende as suas leis. O Eu Interior, ou Eu Verdadeiro, é a Natureza; ele é vida; é criação. É mais exato descrever o Eu Verdadeiro dessa maneira do que dizer que ele é "parte" da Natureza. O Eu Verdadeiro e a Natureza são uma e a mesma coisa.

Sempre que você opera a partir do Eu Verdadeiro você está com a verdade, você é feliz. As mais criativas e construtivas contribuições à vida vêm do seu Eu Interior. Tudo o que é grande e generoso, tudo o que expande a vida, tudo o que é belo e sábio vem do Eu interior ou Verdadeiro.

A necessidade de um ego forte

Se é assim, qual é então a função do Ego, significando com essa palavra o nível externo da personalidade? O nível do Ego é mais acessível e você tem uma percepção mais aguda e mais direta dele. O Ego é a parte que pensa, que age, discrimina e decide. A pessoa cujo Ego não se desenvolveu suficientemente é fraca, incapaz de ter domínio sobre a vida ou fazer-lhe face. E a pessoa que tem um Ego excessivamente desenvolvido e enfatizado não pode chegar ao Eu Verdadeiro. Em outras palavras, ambos os extremos, a fraqueza do Ego e sua hipertrofia, fatalmente impedem o acesso ao Eu Verdadeiro.

Somente quando o Ego está suficientemente desenvolvido é que ele pode ser adequadamente dispensado. Ora, isso pode soar como uma contradição, meus amigos, mas não é. Pois se o Ego está subdesenvolvido, seus esforços para compensá-lo criam uma debilidade e uma evasão que só podem produzir mais fraqueza. Enquanto o Ego não for suficientemente forte, faltam a você as faculdades características do seu Eu Exterior, quais sejam: pensar, discriminar, decidir e agir adequadamente em qualquer situação encontrada no mundo exterior.

Qualquer um que lute para alcançar o Eu Verdadeiro, rejeitando o desenvolvimento de um Ego saudável, o faz por pobreza. Essas pessoas ainda não se apropriaram do seu Eu Exterior. Isso pode dever-se à indolência, uma vez que o desenvolvimento do Ego é muito difícil e elas esperam que esse passo vital possa simplesmente ser evitado. Esse erro, porém, como todos os erros, tem seu custo. Ele na verdade atrasa a consecução do objetivo. Só quando você se encontra plenamente de posse do seu Eu Exterior, do seu Ego, é que pode dispensá-lo e alcançar o seu Eu Verdadeiro, só quando o Ego é saudável e forte é que você pode saber que ele não é a resposta final, o domínio último do ser. Só quando possui um Ego forte e saudável, que não é excessivamente desenvolvido nem recebe demasiada ênfase, é que você pode usá-lo para transcender a si mesmo e atingir um estado mais adiantado de consciência.

No seu trabalho neste Pathwork você aprende, através das suas meditações, a utilizar todas as faculdades do Ego para ir além dele mesmo. Aquilo que você absorve do exterior deve primeiro passar pelas faculdades do seu Ego. Em termos práticos: você primeiro sai para o exterior com as faculdades do Ego e as utiliza para apreender verdades que mais tarde experimenta num nível mais profundo de consciência.

Vá além do ego

Há muitos seres humanos que não se dão conta de que existe algo além do Ego. Sua meta final é cultivar um Ego forte, quer pensem ou não sobre isso nesses termos. Esse esforço pode levá-los a distorção de um Ego excessivamente desenvolvido. Esse é um beco sem saída: em lugar de transcender o estágio do Ego poderoso, as energias do indivíduo são usados para engrandecê-lo ainda mais.

A lei que diz que *é necessário que se atinja um certo estado e se encontre plenamente lá antes de poder abandoná-lo por um outro mais elevado* é extremamente importante e você deve entendê-la. Os seres humanos freqüentemente a negligenciam e, com mais freqüência ainda, ignoram-na totalmente. A importância dessa lei não é suficientemente clara para a humanidade, a despeito da descoberta de muitas verdades espirituais e psicológicas.

Numa forma variante, a essência dessa mesma lei pode ser vista no tópico agora discutido: a função do Ego em relação ao Eu Verdadeiro. O Eu Verdadeiro sabe que o Universo não tem limitações, que, na verdade, existe a perfeição absoluta, que pode ser alcançada por todo indivíduo. Essa ilimitada expansão de faculdades e forças, no Universo bem como no indivíduo, torna possível aquela perfeição.

No momento do nascimento, a criança ainda não possui um Ego. Sem o Ego, é possível perceber essa mensagem do Eu Verdadeiro muito claramente. Mas, sem o Ego, o significado dessa mensagem pode ser distorcido. Talvez você tenha descoberto e experimentado dentro de si mesmo a luta infantil por perfeição, por onipotência, por prazer absoluto, a bem-aventurança final que não conhece privação, insatisfação ou frustração.

Onde não há Ego esses esforços são irreais, nocivos mesmo. Alguns de vocês vivenciaram no Pathwork que é preciso primeiro abandonar esses desejos ou esforços antes que possam retornar a eles e realizá-los.

Em outras palavras, cada um de vocês, que se encontra neste caminho, tem de aceitar as suas limitações como ser humano antes que possa perceber que possui uma fonte ilimitada de poder à sua disposição. Todos vocês têm de aceitar as suas imperfeições, bem como as imperfeições desta vida, antes que possam experimentar aquela perfeição absoluta que por fim descobrirão, que é o seu destino. Mas só lhes é possível compreender isso depois de terem abandonado a distorção infantil desse conhecimento. Somente quando o seu Ego lida com o reino no qual as suas personalidades e os seus corpos vivem agora é que vocês podem compreender profundamente as suas reais faculdades e possibilidades, bem como o seu verdadeiro potencial.

Quando falo do objetivo último de perfeição, de poder ilimitado, de prazer absoluto, não quero dizer que essa realização ocorrerá num futuro distante, quando você não tiver mais um corpo. Eu não falo desse estado em termos de tempo, mas em termos de qualidade; ele pode ocorrer a qualquer momento, no momento em que você despertar para a verdade. E o despertar para a verdade só será possível quando você tiver encontrado e depois abandonado as distorções infantis de perfeição, poder e prazer absolutos. No Ego subdesenvolvido, esses desejos não são apenas ilusórios, mas egoístas e destrutivos. Eles têm que ser abandonados antes que possam ser alcançados.

Meus queridos amigos, esta palestra é de extrema importância para todos vocês. Ela pode, não só desfazer a confusão em torno de aparentes contradições a respeito de idéias filosóficas a respeito da vida, mas, o que é mais importante, pode fornecer uma chave essencial para o seu próprio desenvolvimento. Ela pode facilitar um abandono que só pode ocorrer quando você confia no seu Eu mais íntimo como parte integrante da natureza e da Criação.

Quando sentir e experimentar o Eu Verdadeiro, você não dará ênfase excessiva às faculdades do Ego. Tampouco deixará importantes faculdades subdesenvolvidas do Ego adormecidas, negligenciadas.

Todas as bênçãos são estendidas a todos vocês. Essas bênçãos são uma realidade que os envolve a todos. Elas são o amor universal, respondendo aos seus valentes esforços de expansão individual. Fiquem em paz, fiquem com Deus.

CAPÍTULO 14

❧

O QUE É O MAL?

Saudações, meus queridos amigos. Que esta palestra possa provar-se útil, possa ser uma bênção. Possam estas palavras lançar luz e esclarecimento na sua busca por libertação.

A maioria das religiões ocidentais assume uma abordagem dualista para a grande questão do mal; elas dizem que o mal é uma força diferente do bem. De acordo com essa idéia, as pessoas têm de enfrentar uma tomada de decisão entre o bem e o mal. O ponto de vista religioso reconhece o perigo do mal, o seu poder antivida e a infelicidade e o sofrimento que ele traz. Por outro lado, existem também filosofias que afirmam que o mal não existe, que ele é uma ilusão. Ambos esses ensinamentos antagônicos expressam grandes verdades, mas a exclusividade com a qual eles as professam, no fim das contas, tornam falsas as suas verdades. De fato, negar a existência do mal é exatamente tão inverídico quanto acreditar que existem duas forças separadas, o bem e o mal. Você deve esforçar-se entre essas duas alternativas para encontrar a verdadeira resposta. Esta palestra vai ajudá-lo a fazer isso.

O mal como entorpecimento

O mal é o entorpecimento da alma, ou resulta dele. Por que o mal é entorpecimento? Quando você pensa nos mecanismos de defesa em ação na psique humana, a conexão entre o entorpecimento e o mal torna-se clara. Crianças que se sentem feridas, rejeitadas e impotentemente expostas à dor e à privação, freqüentemente descobrem que entorpecer os seus sentimentos é a única proteção contra o sofrimento. Isso é comumente um aparato protetor útil e muito realista.

De modo semelhante, quando as crianças estão confusas por perceberem contradição e conflito à sua volta, emoções igualmente contraditórias surgem na sua própria psique. Crianças não podem lidar com nenhuma dessas duas situações. O entorpecimento é também uma proteção contra as suas respostas, seus impulsos e reações contraditórios. Nessas circunstâncias, ela pode mesmo ser uma salvação. Mas quando esse entorpecimento torna-se uma segunda natureza e é mantido muito depois que as circunstâncias dolorosas mudaram, e quando a pessoa não é mais uma criança indefesa, isso, na melhor das hipóteses, é o início do mal.

O entorpecimento e a insensibilidade em relação à sua própria dor significa o mesmo em relação à dor alheia. Quando uma pessoa examina as suas próprias reações de perto, pode comumente observar que a primeira reação espontânea em relação aos outros é um sentimento por eles e com eles, uma compaixão ou empatia, uma participação da alma. Mas a segunda reação restringe esse fluxo emocional. Algo estala por dentro e parece dizer não, o que significa que uma camada protetora de insensibilidade se formou. Nesse momento, a pessoa fica separada — aparentemente segura, mas separada. Mais tarde, o estado de separação pode ser exageradamente compensado por um falso sentimentalismo, uma dramatização e uma simpatia exagerada e insincera. Mas esses são apenas substitutos para o entorpecimento. Este, instituído pela própria pessoa, inevitavelmente se espalha para os outros, da mesma forma que toda atitude adotada em relação a si mesmo se expande inevitavelmente em direção aos outros.

Podemos distinguir três estágios de entorpecimento. Primeiro, *entorpecimento em relação a si mesmo*, como um mecanismo de proteção; segundo, *entorpecimento em relação aos outros*. Neste estágio, ele é uma atitude passiva de indiferença que permite observar o sofrimento alheio sem sentir desconforto. Muito do mal que há no mundo é causado por esse estado de alma. Justamente por ser menos óbvio, ele é mais prejudicial a longo prazo, pois a crueldade ativa induz reações mais rápidas. A indiferença passiva, contudo, nascida do amortecimento dos sentimentos, pode passar despercebida por ser muito fácil de camuflar. Ela permite que a pessoa siga os impulsos mais egoístas sem que essa atitude seja detectada. A indiferença pode não ser tão ativamente maléfica quanto a crueldade ativa, mas ela é tão danosa quanto esta a longo prazo.

Crueldade

O terceiro estágio do entorpecimento é a *crueldade ativamente infligida*. Ele tem sua origem no medo dos outros, que parecem estar à espera desses atos; na incapacidade de lidar com fúrias desabridas ou num processo sutil de fortalecimento do aparato protetor de entorpecimento. A princípio, isso pode parecer incompreensível, mas quando você pensa profundamente sobre o tema, descobre que as pessoas podem ocasionalmente, quase conscientemente, achar-se à beira de uma decisão: "Ou eu permito que os meus sentimentos busquem uma empatia com o outro ou, para repelir esse forte influxo de sentimentos calorosos, eu tenho que agir de maneira exatamente oposta." No momento seguinte, esse raciocínio se foi, a decisão consciente foi esquecida e o que permanece é uma força que compele a atos cruéis.

Em todos esses casos pode-se ver repetidamente como todo o dano, toda a destrutividade, todo o mal resultam da negação do Eu Verdadeiro espontâneo e da adoção de reações secundárias como substitutos que, de uma forma ou de outra, estão sempre relacionadas com o medo.

A fronteira entre o entorpecimento passivo e a crueldade ativa é com freqüência muito tênue e precária, muito dependente de circunstâncias aparentemente externas. Se as pessoas compreendessem esses processos, não apenas intelectualmente mas dentro delas mesmas, elas estariam equipadas para lidar com a crueldade do mundo, que tão freqüentemente dá origem ao desespero, à dúvida e à confusão.

A crueldade ativa entorpece a pessoa que a perpetra em um grau ainda maior. Ela não apenas proíbe o influxo dos sentimentos positivos espontâneos como também afasta o medo e a culpa. O ato de infligir dor aos outros ao mesmo tempo mata a capacidade que a própria pessoa tem de sentir. Portanto, ela é um aparato mais forte usado para alcançar o entorpecimento.

Você sempre deve distinguir os comportamentos ativos, tanto de crueldade quanto de indiferença, das *tendências emocionais*. A indiferença ou o entorpecimento podem não ser ativamente executados; é possível experimentar essa não-participação e esse entorpecimento mas não agir de acordo com eles. Você pode fazer tudo o que puder para ajudar outra pessoa, talvez algumas vezes até exagerar, só porque não quer, no nível consciente, ser tão indiferente. O desejo de ferir os outros pode existir apenas como uma emoção, sem que jamais seja expresso em atos. Contudo, quando você se sente culpado, não diferencia essas manifestações vitais e, assim, não faz diferença se você sente ou age de forma destrutiva e danosa. Por conseguinte, toda a área problemática é negada, empurrada para fora da consciência, onde ela não pode mais ser corrigida. Admitir, reconhecer, encarar uma emoção, não importa quão indesejável ela seja, não pode jamais ferir a própria pessoa ou os outros e, com o tempo, necessariamente dissolve o sentimento negativo. Confundir o impulso com o ato e, portanto, negar a ambos, resulta em extrema perturbação para a personalidade, afetando os outros indiretamente, sem esperança de mudança enquanto o processo permanece inconsciente.

Visto sob essa luz, ficará claro que o entorpecimento em seu extremo torna-se uma crueldade ativa. A diferença entre eles é apenas em grau. É de extrema importância que você entenda isso, pois aqueles que estão mais chocados, mais temerosos e incapazes de lidar com a crueldade que existe no mundo, e que mais sofrem com o simples conhecimento de que ela existe, fizeram-se inevitavelmente entorpecidos de algum modo e, conseqüentemente, sofrem pela culpa. Portanto, deve existir uma correlação entre o entorpecimento de uma pessoa e sua abordagem ou atitude em relação aos aspectos maléficos da vida. Algumas pessoas podem estar exageradamente sobrecarregadas, outras exageradamente sentimentais, outras ainda podem ser demasiadamente duras e indiferentes à existência do mal. Qualquer uma dessas reações exacerbadas está obrigatoriamente ligada ao entorpecimento que, em algum aspecto, foi instituído na psique. Num certo momento, esse entorpecimento pareceu ser a única proteção disponível; depois, ela foi inconscientemente mantida.

Ligação da força vital com situações negativas

Com freqüência, pergunta-se por que existe a destrutividade, a doença, a guerra e a crueldade. As respostas para essa pergunta, em geral, não são suficientemente compreendidas, mas mesmo quando elas são compreendidas em parte, algo fica faltando. Penso que a maioria de vocês agora está pronta para entendê-lo num nível mais profundo. Tenho dito repetidamente que as concepções errôneas criam o conflito, e isso é perfeitamente verdadeiro. Existe porém um elemento adicional sem o qual nenhuma concepção errônea poderia ter poder. É o seguinte: a mera negatividade, como numa atitude destrutiva, tem um efeito destrutivo muito menor que a *destrutividade ligada e combinada ao princípio vital positivo*. É isso o que torna as manifestações neste plano terrestre particularmente sérias ou severas. Em outras palavras, quando uma força positiva se mistura com uma atitude destrutiva ou com negatividade, sua combinação cria o mal. A verdadeira destrutividade é, portanto, não apenas uma distorção da verdade e dos poderes universais construtivos, mas uma distorção que deve ser permeada por um poderoso princípio vital e pelo seu poder construtivo. Se o princípio vital positivo não estivesse envolvido e não fosse utilizado inadvertidamente, então o mal, ou destrutividade, teria uma duração muito curta. A melhor maneira para que você possa aplicar o que digo aqui, e retirar desta palestra mais que um princípio vago e abstrato, é vendo-se a si mesmo da seguinte perspectiva: Todos vocês que se encontram neste Pathwork descobriram certas feridas e dores que suportaram quando crianças. Alguns começaram a compreender, mesmo que muito superficialmente, que no momento em que foram feridos um processo específico teve lugar. O princípio erótico, ou princípio do prazer, foi posto a serviço do seu ferimento, do seu sofrimento, da sua dor. Todas as emoções surgidas dessa ferida original, de acordo com o seu caráter e o temperamento, também combinam com o princípio do prazer. Essa ligação cria todas as dificuldades pessoais, todas as circunstâncias indesejáveis.

Todas as almas que habitam esta Terra, somadas, criam o conflito geral do gênero humano. Quando você se der conta do número de pessoas, independentemente da sua ação exterior, que só pode experimentar o princípio do prazer em fantasias de crueldade, vai compreender que esse é o verdadeiro núcleo da guerra — da crueldade como um todo. Isso não deve fazê-lo sentir-se culpado. Antes, deve esclarecê-lo e libertá-lo para permitir que os seus processos internos se transformem. Porque foi uma ferida malbaratada e mal-entendida que criou essa situação. A crueldade sem o princípio do prazer jamais poderia ter poder real. A falta de consciência dessa combinação de crueldade e prazer não alivia, de modo algum, o efeito que ela tem sobre o clima geral da emanação da humanidade.

A persistência do mal: O prazer ligado à crueldade

Se você experimentou a crueldade, o seu princípio do prazer está ligado a ela e funciona de certa forma em conexão com ela. Com freqüência, a culpa e a vergonha em relação a isso são tão fortes que toda a vida de fantasia é negada, mas às vezes esse fato é consciente. Deve-se estabelecer a consciência dessa verdade e ela deve ser compreendida de um ponto de vista geral pois, se for verdadeiramente entendida, tanto a culpa quanto a vergonha serão removidas. Na medida em que crescer a compreensão, o princípio do prazer responderá gradualmente a eventos positivos.

A combinação do princípio do prazer com a crueldade pode existir de forma ativa ou passiva. Isto é, o prazer é experimentado ao infligir-se crueldade ou ao suportá-la — ou ambos. A ligação do princípio do prazer a uma condição na qual ele funciona mais fortemente em conjunção com a crueldade cria uma retirada do amor, limita-o e torna a verdadeira experiência do amor impossível. O amor existe apenas como um vago anseio que não pode ser mantido ou seguido até o fim. Nessas circunstâncias, o amor não é a experiência tentadora e prazerosa que pode ser para uma outra parte da personalidade. O anseio pelo prazer do amor e a ignorância do fato de que se rejeita a sua verdadeira experiência, por medo da ligação do princípio do prazer à negatividade, comumente criam uma profunda desesperança. A desesperança pode ser entendida e instantaneamente eliminada assim que este fato particular for compreendido em toda a sua profundidade.

Em casos menos evidentes, quando a criança não sofre uma agressão tão direta, mas apenas uma vaga rejeição e não-aceitação, o princípio do prazer se integrará numa situação semelhante, de tal forma que, a despeito de desejo consciente por aceitação, o fluxo do prazer só será ativado junto com o da rejeição. Há vários graus e variações dessa situação. Existem, por exemplo, situações em que a criança experimenta apenas uma aceitação e rejeição parciais. Nesse caso, o princípio do prazer se associa a uma ambivalência semelhante. Isso cria um conflito nos relacionamentos da vida real.

A primeira hipótese, a de associar crueldade ao princípio do prazer, tornará um relacionamento tão incerto, que muitas vezes ele é totalmente evitado. Ou você o achará tão assustador que fica perplexo e, nesse caso, sente-se incapaz de continuar com ele. Ou você poderá ficar inibido por causa da vergonha de querer infligir ou suportar crueldade, o que impede toda espontaneidade e faz você se retrair ou torna confusos todos os sentimentos.

Meus queridos amigos, é muitíssimo importante entender este princípio. Ele se relaciona com a humanidade como um todo, bem como com o indivíduo. Em geral, ele não tem sido bastante compreendido porque a psicologia e a ciência espiritual não se fundiram suficientemente. A psicologia tem feito algumas vagas tentativas para compreender este fator e, em alguma medida ele tem sido compreendido, no entanto, não é entendida a sua grande importância em termos de civilização e seu destino, ou evolução. Agora o mundo está pronto para entender este fato da vida.

Evolução significa que cada indivíduo, através do processo de autoconfrontação e de autopercepção, gradualmente muda a orientação interior do princípio do prazer. Na sua reação espontânea, mais e mais indivíduos responderão a eventos, situações e condições positivos.

Todos vocês sabem que essa mudança íntima não pode ser desejada diretamente. A expressão direta da sua vontade exterior pode e deve seguir na direção de manter e sustentar um trabalho como este Pathwork, o qual aumenta a habilidade de entender e cultivar a vontade e a coragem de olhar para si mesmo e descobrir e superar a resistência. E à medida que você faz isso, à medida que usa a sua vontade e as faculdades do seu Ego dessa maneira construtiva, a verdadeira mudança acontece, como alguns de vocês começam a experimentar, quase como se nada tivesse a ver com todos os esforços, como se fosse um subproduto, um desdobramento sem relação com esse esforço.

É assim que as coisas realmente são! É dessa maneira que o progresso e o crescimento devem ocorrer.

Gradualmente, através desse processo de crescimento, um indivíduo após outro reorienta os movimentos e as forças da alma. A expressão do movimento cósmico no interior da psique vai ligar-se então a condições e circunstâncias puramente positivas. Sentimentos positivos ou prazerosos não serão mais retirados de circunstâncias negativas. Agora você está acostumado a estas últimas e, portanto, reprime a combinação de sentimentos prazerosos e eventos negativos.

Em lugar de reprimi-la, negá-la, desviar o olhar, você deve enfrentá-la. Ao encarar e compreender esse fato, sem culpa ou vergonha, você tem de aprender no curso do crescimento que toda imperfeição deve ser aceita e compreendida antes que possa ser mudada. Assim, na medida em que é bem-sucedido em encarar e entender o seu conflito, o princípio do prazer vai correr em diferentes canais. Quando isso acontecer, a mobilidade irá existir sem tensão e ansiedade, e o relaxamento vai existir sem estagnação.

Todos vocês, meus amigos, tentem encontrar o seu "casamento" interior específico entre a corrente do prazer e uma condição negativa. Quando encontrar esse casamento dentro das forças da sua alma, em termos específicos, você conhecerá e entenderá perfeitamente certas manifestações externas dos seus problemas. O alívio da plena compreensão só pode produzir-se quando você tem a coragem de encarar esse casamento. Quando você se tornar capaz de formular clara e concisamente como as forças positivas e negativas estão combinadas no seu caso específico, você verá claramente a imagem exata da sua insatisfação. Verá por que você se mantém escondido de si mesmo e da vida; por que se retira dos seus próprios sentimentos;

por que reprime e monta guarda sobre as forças mais espontâneas e criativas que existem dentro de você. Você verá por que bloqueia sentimentos, às vezes com muita dor, e então tenta racionalizá-los e afastá-los com explicações.

Faça tentativas de descobrir os dois fatores que discuti:

Primeiro, descubra como você se entorpeceu; descubra as áreas nas quais desenvolveu uma insensibilidade para com a sua própria dor. Permaneça alerta quando estiver interagindo com os outros e procure por momentos nos quais tem um sentimento momentâneo e imediato de compaixão e empatia, e então, rapidamente, o afasta e torna-se separado e insensível.

Segundo, descubra em que aspecto o princípio de vida e prazer está ligado a uma condição negativa. Em que medida isso se manifesta — talvez apenas em suas fantasias — e como isso o afasta da auto-expressão, da união, da experiência, de um estado sem medo de auto-realização com um espírito próximo?

Há alguma pergunta relacionada a este tópico?

PERGUNTA: Eu gostaria de entender, de um modo um pouco mais concreto, esse casamento entre as forças do amor e da crueldade. Por exemplo, no caso de crianças que se sentem rejeitadas por suas mães, esse casamento significa que a pessoa não pode sentir prazer sem também sentir desejo de vingança — algum tipo de desejo sádico em relação à mãe? Isso acontece, talvez, só na fantasia, nunca na realidade, e então a pessoa está normalmente inconsciente de que o parceiro representa a mãe?

RESPOSTA: Sim, poderia ser exatamente assim. Ou poderia também ser que o prazer pudesse apenas ser experimentado em ligação com o fato de ser rejeitado novamente, ou um pouco rejeitado, ou com medo de que a rejeição pudesse ocorrer.

PERGUNTA: Mas elas não sentiram prazer quando foram rejeitadas.

RESPOSTA: É claro que não. Mas a criança usa o princípio do prazer para tornar o evento negativo, o sofrimento, mais suportável. Isso ocorre inconscientemente, de forma não intencional e quase que automática. Inadvertidamente, por assim dizer, o princípio do prazer combina-se com a condição negativa. O único modo pelo qual isso pode ser determinado é através da investigação da vida de fantasia de uma pessoa. É assim que o casamento é estabelecido. Então, os reflexos automáticos são atrelados a uma situação que combina a corrente inerente do prazer com o evento doloroso.

PERGUNTA: E a criança quer reproduzir essa rejeição?

RESPOSTA: Não de forma consciente, naturalmente. Ninguém realmente quer ser rejeitado. O problema é que as pessoas conscientemente desejam ser aceitas e amadas, mas inconscientemente elas não podem responder a uma situação completamente favorável de aceitação. Nesses casos, o princípio do prazer já foi conduzido para o canal negativo e só pode ser canalizado novamente através da consciência e do entendimento. A própria natureza desse conflito é que o princípio do prazer funciona de maneira que a pessoa menos o quer conscientemente. Não se pode dizer que a pessoa inconscientemente quer ser rejeitada, mas o reflexo já foi estabelecido numa época em que esse funcionamento tornou a vida mais suportável para a criança. Você compreende isso?

PERGUNTA: Eu não entendo muito bem como se pode sentir prazer quando alguém é rejeitado, exceto sob a forma de vingança. Isso eu posso entender.

RESPOSTA: Talvez você possa imaginar também — isso é muito comum — que quando as pessoas se sentem seguras em serem aceitas e amadas, elas perdem a centelha do interesse. Isso também é racionalização pela alegação de que essa é uma lei inevitável, que ocorre devido ao hábito ou a outras circunstâncias. Mas isso não seria assim se não fosse pelos fatores discutidos nesta palestra. A centelha, o interesse, o fluxo dinâmico só existem quando há uma situação insegura ou infeliz. Vê-se isso com freqüência. Por vezes, a condição negativa se manifesta apenas em fantasias. Estas, quando examinadas de perto, de uma maneira ou de outra são ligadas ao sofrimento, à humilhação ou à hostilidade. Isso é que é chamado de masoquismo ou sadismo. Você compreende agora?

PERGUNTA: Sim, acho que sim.

RESPOSTA: Não há dúvida, meus queridos, de que cada um de vocês, desde que realmente o deseje, encontrará mais e mais a paz, a vida dinâmica, a segurança interior que existe na auto-realização que vocês começaram a cultivar. Portanto, você experimenta momentos de viver no eterno agora de si mesmo, em vez de lutar para se afastar dele. Cada momento vivido agora deve trazer-lhe respostas. Se você relembrar esse fato simples em suas meditações, na sua aproximação de si mesmo, estas vão se tornar mais produtivas à medida que você prossegue. Aquilo que você espera do futuro será ainda mais libertador que o que você já começou a experimentar.

Sejam abençoados, fiquem em paz, fiquem com Deus.

CAPÍTULO 15

O CONFLITO ENTRE AS FORMAS POSITIVA E NEGATIVA DO PRAZER COMO ORIGEM DA DOR

Saudações, meus queridos amigos. Novas bênçãos para todos e cada um de vocês; para cada passo, cada esforço que vocês empreendem na sua jornada para a libertação.

Como prefácio a esta palestra, eu gostaria de discutir o significado da dor e a sua causa real. A dor é o resultado do conflito. Ela ocorre quando duas direções opostas coexistem numa personalidade. A direção das forças universais criativas orienta-se para a luz, para a vida, para o crescimento, o desdobramento, a afirmação, a beleza, o amor, a inclusão, a união e o prazer supremo. Sempre que essa direção é contrariada por outra, cria-se uma perturbação. Não é a perturbação em si mesma que cria a dor, mas o desequilíbrio e um tipo especial de tensão causada pela direção oposta. É isso que causa o sofrimento.

Vida e antivida

O princípio que exponho aqui mostra-se verdadeiro em todos os níveis. Na realidade, ele é verificável no nível físico. O sistema físico, como todos os outros sistemas ou planos, também se esforça por alcançar a integridade e a saúde. Quando uma força perturbadora puxa numa direção oposta, o conflito das duas direções cria a dor.

Quando lutamos contra a perturbação de forma ineficaz, e a personalidade quer saúde, ela nega que também quer a não-saúde. Uma vez que o esforço pela não-saúde é reprimido e ignorado, a luta pela saúde fica ainda mais tensa. Essa é a origem da dor. Se a personalidade tivesse consciência de querer a saúde bem como a não-saúde, o conflito cessaria instantaneamente, pois este último desejo não pode ser mantido; apenas o primeiro pode ser sustentado. É a inconsciência que cria o abismo entre causa e efeito. A causa é o desejo negativo; o efeito é a perturbação no sistema. Os dois impulsos persistem, e a dor começa a existir.

Porém, quando esse processo é plenamente compreendido e as conseqüências temporárias, ainda que inevitáveis, do desejo negativo são aceitas, o indivíduo pode permitir-se penetrar nessa dor agora existente, e a dor cessa, inevitavelmente. Essa não é uma maneira destrutiva de abraçar a dor ou um elemento masoquista, autopunitivo, que abriga e perpetua em si um desejo negativo. É uma plena aceitação daquilo que é — e com isso a dor cessa. Esse é o princípio, por exemplo, do parto sem dor. É o princípio do não-conflito. É o princípio que Jesus Cristo expôs quando disse, "não resistais ao mal".

Nos planos mental e emocional existe algo semelhante. Quando o conflito é plenamente compreendido e aceito como uma manifestação temporária, como um efeito — aceito como tal sem finalidade, e ainda assim com consciência da retidão dessas conseqüências — a dor mental ou emocional cessa. Isso não acontece quando o negativo é desejado pois, como vimos, esse querer simplesmente cria a nova direção, contrária à direção original, positiva. Tampouco pode acontecer pelo abandono do princípio afirmativo, mas sim pela compreensão do agora, do presente. Então cessam as dores mental e emocional, assim como a dor física cessa quando o impulso oposto é abandonado. Tudo isso é verificável e tem sido verificado em todo o mundo. Todos vocês que estão neste Pathwork de auto-realização já o experimentaram, pelo menos ocasionalmente.

No plano espiritual, meus amigos, é diferente. É diferente porque o plano espiritual é a causa, enquanto todos os outros planos ou esferas são efeitos. O plano espiritual é a origem da direção positiva. Ele não contém, e não pode conter, uma direção negativa. A direção negativa cria e é criada por várias atitudes incompatíveis com a origem de toda a vida. O plano espiritual é a própria unidade e, portanto, o conflito, direções opostas e, conseqüentemente, a dor, são impensáveis ali.

É muito importante compreender, meus amigos, que o negativo só pode ser desejado por uma parte da personalidade, nunca por toda ela. Sempre haverá uma outra parte da psique que se opõe violentamente ao desejo negativo, de forma que a dor certamente será produzida. No nível físico, assim como no mental e no emocional, é possível aceitar temporariamente o negativo como um estágio passageiro, na compreensão de que ele é o efeito de uma causa inadvertida e uma perturbação apenas momentânea.

Nessa compreensão e aceitação o indivíduo interrompe o conflito. Ele aceita o negativo sem finalidade e com uma atitude objetiva, não indulgente.

A dor e o sofrimento são sempre o resultado do impulso de duas tendências sobre a personalidade, tendências que são as direções da vida e da antivida. Elas também podem ser chamadas as direções amor/ódio e positiva e negativa. As camadas externas da personalidade devem sofrer enquanto a união não é alcançada. A união, ou unidade, existe apenas na realidade plena do princípio criativo cósmico. É extremamente importante, meus amigos, compreender o que digo aqui, porque essa compreensão abrirá novas portas.

O desejo pelo negativo

Toda a diferença reside em estar ou não consciente dos próprios desejos negativos. Existem, é claro, graus de consciência. É possível ter consciência deles de um modo casual, superficial, ou ter obtido uma importante percepção da sua existência, porém diluir essa consciência. Quanto mais consciente você estiver de um desejo deliberado pelo negativo, mais estará no controle de si mesmo, da vida, e menos se sentirá vitimado, indefeso e fraco.

Quando uma entidade não tem consciência do seu desejo deliberado do negativo, o sofrimento é infinitamente maior que qualquer sofrimento ou dor que pode seguir-se quando o indivíduo está consciente de que ele mesmo quis isso. A falta dessa consciência cria inevitavelmente um clima psíquico no qual o indivíduo se sente identificado como vítima. A separação entre causa e efeito na consciência de uma pessoa cria confusão, dúvida e desesperança. No momento em que tenha sido alcançada a percepção do desejo negativo, você pelo menos sabe o que causa as suas dificuldades exteriores e situações indesejáveis. Mesmo antes que seja capaz de abandonar os desejos negativos, por não entender ainda a razão da sua existência, simplesmente saber que você criou as manifestações indesejáveis vai transformá-lo numa pessoa livre.

Aqueles dentre vocês que trilharam esses caminhos interiores iniciais que levam à consciência dos seus desejos negativos devem ter o cuidado de estender essa consciência e de relacioná-la com as manifestações indesejáveis da sua vida. Esse passo essencial não deve ser desprezado pois, na verdade, é possível estar consciente, pelo menos até certa medida, de um desejo negativo e, não obstante, ignorar que o desejo negativo é a causa imediata de uma quantidade de manifestações na sua vida contra as quais você luta obstinadamente. E essa é exatamente a sua dor. Você luta contra algo que você mesmo induziu, e continua a induzir, enquanto, ao mesmo tempo, sempre haverá o impulso para a luz, para a inteireza, para o amor; a inclusão e a atitude construtiva, para a beleza e o desenvolvimento. A sua negação em relação à direção da integridade e o seu esquecimento dessa negação — o não saber que quer duas coisas opostas ao mesmo tempo — o confundem e causam-lhe dor.

Aqueles dentre vocês que reconheceram seus desejos negativos obtiveram nova força e esperança. Porque então você vê, primeiro como um princípio e uma possibilidade, como a sua vida pode ser quando você não tem mais os desejos negativos, mesmo que não saiba ainda por que os abriga em primeiro lugar. Mas, simplesmente saber que os possui e, subseqüentemente, fazer a sua conexão com os resultados indesejáveis, dar-lhe-á uma nova esperança e uma nova perspectiva.

Aqueles que ainda não tiveram essa percepção devem tentar ao máximo descobrir seus desejos negativos. Na superfície, a maioria das pessoas não pode imaginar como pode abrigar desejos destrutivos. Medite e queira realmente descobrir o que está em você. Fazer isso é ainda mais difícil quando se nega persistentemente aqueles aspectos da vida que deixam algo a desejar, e não se quer encarar o fato de perder algo, de sofrer por alguma coisa. Esse tipo de negação do que você realmente sente e daquilo que lhe falta torna impossível a produção da verdadeira satisfação na sua vida.

Portanto, pergunte-se: "Eu experimento tudo ao máximo do meu potencial? O que possivelmente me perturba mais do que eu admito?" Essa seria a primeira pergunta pertinente para aqueles cuja tendência é fugir das próprias insatisfações, de negá-las, atenuá-las, falsificando a situação. E então, é claro, há aqueles que estão muito agudamente consciente do seu sofrimento e daquilo que lhes falta, mas que estão desligados do mecanismo interior que quer o resultado negativo.

Este Pathwork prossegue com a tomada de consciência dos desejos negativos deliberados, ou do ato de evitar resultados positivos, o que vem a ser a mesma coisa. Isso, como você pode ver é um importante marco em toda a sua rota de evolução. Isso constitui a diferença entre sentir-se uma indefesa folha ao vento e sentir-se governante de si mesmo, autônomo. O princípio de ciclos ou círculos — quer sejam benignos ou viciosos — é sempre o princípio da autoperpetuação. A autonomia é positivamente autoperpetuadora, posta em movimento pela consciência da realidade.

Ciclos autoperpetuadores

Quando atinge certo grau de percepção do interior da sua psique, você vê como ambas as atitudes, a positiva e a negativa, são autoperpetuadoras. Tome, por exemplo, qualquer atitude sadia. Quando você é expansivo, construtivo, aberto, compreensivo, todas as coisas são fáceis. Você não tem que despender muito esforço. Elas perpetuam a si mesmas. Você nem mesmo tem que gastar energia em nenhum tipo deliberado de meditação. Por si mesmos, os seus pensamentos, atitudes e sentimentos positivos criam mais pensamentos, atitudes e sentimentos positivos. Esses, por sua vez, criam satisfação, produtividade, paz e dinamismo. O princípio é exatamente o mesmo em situações negativas. Nesse caso, as forças autoperpetuadoras só podem ser modificadas por um processo deliberado que põe algo novo em movimento.

É também importante que você entenda e visualize que as esferas da consciência operam exatamente de acordo com as direções que nós discutimos. Em outras palavras, o princípio e a direção positivos são a esfera da realidade, na qual existe uma ilimitada autoperpetuação em qualquer aspecto em que a consciência perceba a existência dessa integridade e abundância inexauríveis.

O nível de personalidade que quer o negativo e segue essa direção cria um novo mundo, ou nova esfera psíquica, encobrindo o mundo original, positivo. Imagens e formas — os produtos de atitudes, pensamentos e sentimentos — criam esse mundo negativo. Existem muitas variações, graus e possibilidades, de acordo com a força dos desejos negativos, com a consciência dos desejos, tanto positivos quanto negativos, e com o equilíbrio entre os dois tipos de desejo. Você pode obter uma idéia aproximada disso comparando a sua própria mudança de consciência com a sua negação inconsciente anterior da experiência positiva, ou mesmo do seu desejo direto do negativo. Você verá que essa diferença constitui outra esfera da consciência, um mundo diferente, com sabor e atmosfera próprios.

O mundo físico, material, em que você vive manifesta o positivo e o negativo e apresenta uma combinação dos dois. Tudo isso existe dentro e fora de você — num ser sem tempo nem espaço. Você pode e deve atingir esses mundos no interior da sua psique tornando-se agudamente consciente deles. Eles são o produto das suas próprias auto-expressões, das suas várias esferas de consciência. Você deve atravessá-los, camada por camada, no seu interior. Onde quer que você esteja relativamente livre de desejos negativos, será bastante simples e fácil entender, sentir e experimentar o mundo da verdade, no qual todo o bem existe e perpetua a si mesmo. Portanto, não há necessidade de conflito, de dúvida, de medo ou de privação. Nessas áreas, você vai descobrir que abre destemidamente o coração para a experiência positiva e dinâmica, que se move eternamente na direção de mais desdobramento, de mais felicidade, de mais inclusão, uma vez que você não barra esse movimento com a sua mente temerosa, mantendo-o preso e estagnando-o. Essas esferas estão lá; elas não só existem nas profundezas da sua psique, onde você pode sentir a vida eterna de toda a existência, mas também se manifestam na sua vida exterior. É útil tomar consciência delas também, para que você possa compará-las adequadamente.

E então, naturalmente, sempre há o problema principal: a área da sua psique na qual existe o medo do positivo e, portanto, a sua negação. Conseqüentemente, a privação e o sofrimento se manifestam na sua vida exterior. Você deve experimentar plenamente essa esfera dentro da sua consciência, de modo a poder transcendê-la pela transformação de si mesmo. Você deve vivê-la totalmente, não negando ou lutando para se afastar, mas vendo-a e aceitando-a, aprendendo a compreender a sua natureza. É isso o que quer dizer atravessá-la, passar por ela. Quando essa esfera é afirmada e avaliada como uma realidade temporária, só então o mundo subjacente, autoperpetuador, de bem, pode ser alcançado, e nele você não tem mais que procurar, tatear e querer, mas sabe que tudo já é seu, mesmo antes de tê-lo alcançado.

Sempre que você está separado dos outros, das outras criaturas humanas, você por certo está no mundo negativo, numa negatividade autoperpetuadora, que você cultiva através dos seus desejos destrutivos. Você não pode, portanto, deixar de sofrer, porque nega e ignora o significado total do conflito que assim se desenvolve. O conflito varia de indivíduo para indivíduo e, num dado indivíduo, de fase para fase, e mesmo às vezes de uma hora para outra, porque em diferentes momentos surgem diversas direções de desejos. Elas se alternam na predominância em qualquer momento dado.

Portanto, sempre haverá em você um conflito incessante no qual um lado porfia em direção à integridade e à união com as outras criaturas de muitas formas diferentes: rumo ao amor e à compreensão, para a consideração, para o dar e receber. Mas sempre existe ainda esse outro lado que nega a direção anterior, que a teme e resiste a ela. Em conseqüência disso, existe uma dor particular, e quanto maior a negação, maior a dor.

A dor é agravada pelo conflito que se instaura com a outra pessoa. Pois você não deve esquecer, meu amigo, que é bastante doloroso que você queira e não queira, alternadamente, relacionar-se e amar por um lado, e odiar, rejeitar e retirar-se por outro. Isso fica infinitamente mais complicado quando esse conflito é multiplicado por uma segunda pessoa em cujos parâmetros você penetra e que mantém uma luta interior semelhante.

O prazer negativamente orientado

Ambas essas direções, a positiva e a negativa, estão ligadas ao princípio do prazer. É essa conexão que torna tão difícil abrir mão da direção negativa e mudar. O princípio do prazer positiva e negativamente orientado parte você em pedaços. Por si mesmo ele lhe inflige dor, mas isso não existe apenas em você. Ele também existe naqueles com quem você está envolvido nesse conflito e a quem você não consegue decidir se ama ou não, ou ainda se os rejeita. Caso estivessem em perfeito equilíbrio e livres dessa divisão interior, eles certamente não seriam afetados pela sua luta. A harmonia deles com as forças universais e o alto grau de consciência por eles possuído serviriam de proteção contra a sua negatividade e a tensão resultante entre os impulsos positivo e negativo. Se fosse possível, apenas a título de argumento, que um ser tão evoluído pudesse entrar num relacionamento com uma pessoa comum que é destroçada por essa luta, a última ainda sofreria por causa da sua própria divisão. Mas como tudo fica mais complicado quando a outra pessoa está numa posição semelhante, pois então o conflito não é duplo, mas é um conflito composto, quádruplo. Imagine as muitas possibilidades matemáticas que surgem de uma situação assim, com todas as suas conseqüências psicológicas de incompreensão, julgamento errado e mágoa, os quais, por sua vez, criam mais negatividade.

Imaginemos duas pessoas, A e B. "A" expressa momentaneamente a direção positiva orientada pela união. "B" está com medo dessa expressão e, portanto, se retira e rejeita "A". Conseqüentemente, "A" novamente fica convencido de que o movimento sadio da alma em direção à união era arriscado e doloroso e, portanto, retorna ao negativo e à negação. Como isso é muito doloroso, o princípio de prazer negativo se liga a esse fato, tornando a dor mais suportável. E então "A" vai deleitar-se na situação negativa. Entrementes, a dor do isolamento em "B" torna-se insuportável e, então, "B" aventura-se a sair enquanto "A" está num buraco negro. Isso vai prosseguindo, por vezes em aberta oposição, embora em alguns momentos possa haver uma conjunção fugaz. Por vezes, a direção positiva de "A" encontra a direção negativa de "B"; outras vezes, ocorre o contrário; outras vezes ainda, ambas as correntes negativas estão em ação, ambos se retiram ou se antagonizam. Em outras ocasiões, ambos se aventuram temporariamente no positivo mas, uma vez que o princípio negativo ainda existe neles, a posição positiva é apenas tateante, é tão incerta e temerosa, tão dividida, tão defensiva e apreensiva que essas emoções negativas a respeito da direção positiva mais cedo ou mais tarde produz resultados negativos. Estes são, então, atribuídos à aventura positiva, antes que às emoções problemáticas a seu respeito. É inevitável que a direção negativa assuma novamente o controle depois desses períodos de positividade mútua, até que o lado negativo, destrutivo e cheio de negação, seja plenamente compreendido e eliminado.

A direção negativa e destrutiva não seria tão feroz e tão difícil de superar se o princípio do prazer não estivesse ligado a ela. Você se encontra na posição de não querer separar-se do prazer precário que retira da indulgência para com os sentimentos e as atitudes destrutivas. Isso pode evoluir sutilmente, insidiosamente e inadvertidamente quando um indivíduo começa a seguir numa direção saudável e construtiva.

Tomemos o seguinte exemplo, que pode provar-se útil para todos. Suponha que, no seu caminho para a auto-realização, você obtenha força e autoconfiança. Onde você sentia incerteza e culpa ao sentir uma atrito com outra pessoa, você agora experimenta uma nova calma interior, certeza de si mesmo e uma força e flexibilidade que nunca soube que existiam. Da antiga maneira, você poderia ter reagido de forma submissa para aliviar a sua culpa, ou com agressão hostil para aliviar o desprezo por si mesmo, causado pela sua incerteza. O que quer que fizesse, como quer que reagisse, com a sua negatividade e dúvida, você estava apegado ao princípio negativamente orientado do prazer. Você gostava dos seus problemas. Agora você progrediu. Você se experimentou de uma nova maneira; em lugar de escolher a dúvida incômoda, você obtém percepção do motivo pelo qual a outra pessoa se comporta desse jeito. No momento, essa compreensão torna-o livre, forte e lhe dá mais objetividade quanto a si mesmo e à outra pessoa. Em outras palavras, o princípio autoperpetuador de percepção e compreensão foi posto em movimento.

Mas então o princípio negativo de prazer ainda existente, porque ainda não totalmente reconhecido, liga-se à sua compreensão da negatividade da outra pessoa. Você começa a se convencer a prestar mais e mais atenção aos defeitos e à cegueira da outra pessoa, e começa inadvertidamente a gostar disso. Você não distingue imediatamente entre os dois tipos diferentes de prazer. O primeiro vem quando você observa com distanciamento o que existe no outro, e isso o faz livre; o segundo aparece quando você prazerosamente consente no erro do outro, e isso o cega. O que você notou no outro a princípio vai acumular-se até que o velho prazer negativo tenha reaparecido numa nova roupagem. É aí que você perde a harmonia e a liberdade, porque consente novamente no prazer negativo. Esse é um exemplo de como isso pode acontecer insidiosamente sempre que as velhas raízes ainda existam sem que sejam observadas.

Aqui, meus amigos, a continuação do Pathwork torna-se mais clara e mais concisamente definida. Vocês têm as ferramentas imediatas para sair em campo e descobrir o que acabei de expor.

Abençoados sejam, todos vocês. Recebam esse caloroso fluxo de amor que os rodeia. Abram-se para ele, pois esse amor é verdade e essa verdade é vida. E essa vida é sua; basta pedir. Os corajosos passos que todos vocês dão têm um significado. Que vocês sempre saibam disso. Cada admissão de algo negativo que existe em vocês contribui mais para o processo universal de inteireza que qualquer outra coisa imaginável. Assim, prossigam neste caminho. Abençoados sejam. Fiquem em paz. Fiquem com Deus!

CAPÍTULO 16

POSITIVIDADE E NEGATIVIDADE: UMA ÚNICA CORRENTE DE ENERGIA

Saudações, meus queridos amigos. Possam as bênçãos da inteligência criadora, que existe ao redor de vocês e dentro de vocês, fortalecê-los e esclarecê-los para que estas palavras ecoem em vocês e sirvam como material para ajudá-los a continuar com sucesso o caminho para encontrar o Eu Verdadeiro.

Muitos de vocês descobriram agora dentro de si mesmos uma camada na qual estão face a face com a sua própria destrutividade. E eu não me refiro apenas à descoberta de uma mera emoção, ao reconhecimento de uma hostilidade momentânea; eu quero dizer, uma destrutividade geral, penetrante, essencial e duradoura que tem estado adormecida o tempo todo e simplesmente encoberta. Você está agora num estado no qual pode se observar pensando, sentindo e agindo destrutivamente, enquanto antes estava, na melhor das hipóteses, apenas teoricamente consciente dessa destrutividade, e só podia imaginar sua presença pelas manifestações desagradáveis na sua vida. Agora você está enfrentando o problema de como sair dessa situação.

Você está confuso porque não gosta de ser assim. Você até sabe e compreende muito profundamente que essa condição é totalmente inútil e sem sentido, que a destrutividade não serve a nenhum bom propósito. Contudo, você se vê na situação de ser incapaz de abrir mão dessa destrutividade.

A natureza da destrutividade

Não é fácil alcançar uma consciência na qual você pode se ver a si mesmo pensando, sentindo e agindo destrutivamente; na qual está, além disso, consciente de que isso causa a sua infelicidade, mas que é ainda totalmente incapaz de abandonar essa maneira de ser. Eu diria que essa é uma grande medida do sucesso, se é que essa palavra pode ser usada: estar consciente de que estamos nessa situação. Mas, para realizar a segunda parte dessa fase da sua evolução, isto é, para abandonar a destrutividade, a natureza dessa destrutividade tem que ser bem compreendida.

Todo o problema humano relativo ao conceito dualista da vida tem muito a ver com a falta de compreensão da humanidade a respeito de sua própria destrutividade. Os seres humanos estão atrelados ao pensamento de que uma força destrutiva tem que ser algo oposto a uma força construtiva. Mesmo aqueles dentre vocês que teoricamente sabem muito bem que não existe essa divisão tendem a pensar: "Aqui estão os meus sentimentos negativos. Eu gostaria de ter sentimentos positivos no seu lugar." Ou você pensa que, depois de terem sido dissipadas as emoções negativas, um novo conjunto de sentimentos surgirá como se esses novos sentimentos consistissem de uma energia ou de um material psíquico inteiramente diferente. Quando você fala das duas forças, dos dois grupos de sentimentos, isso é uma mera figura de linguagem, uma maneira de expressar dois tipos diferentes de experiências. Contudo, essa figura de linguagem é uma expressão da concepção errônea, dualista, que opera dentro de toda a consciência humana.

Na realidade, existe apenas um poder. É muito importante que se entenda isso, meus amigos, particularmente quando é o momento de lidar com a sua própria destrutividade e negatividade. Existe apenas uma força vital que energiza cada expressão da vida. Essa mesma força vital pode fluir de forma construtiva, positiva, afirmativa, ou pode tornar-se uma corrente destrutiva, cheia de negação. Para entender esse processo de modo específico e pessoal, discutirei o mesmo do ponto de vista de um indivíduo analisando a sua própria vida. Eu não vou pronunciar aqui um discurso sobre princípios espirituais gerais; vou apenas tocar neles quando necessário para a compreensão de todo este tópico. Primeiro, repetirei que a força vital enquanto tal, quando não adulterada, é totalmente construtiva, totalmente positiva e afirmativa. Portanto, ela produz total prazer para qualquer consciência viva, sensível ou perceptiva. Quanto mais desenvolvida essa consciência, mais pleno o prazer que ela pode experimentar a partir e através da pura força vital, em qualquer modo que esta possa achar expressão. Todo o organismo vivo — um bebê recém-nascido, uma planta, uma célula — tende a realizar essa potencialidade da Natureza. Quando esse fluxo natural sofre interferência, a corrente energética em busca de expressão é bloqueada e impedida de fluir para o seu destino; o fluir natural é barrado por dificuldades. Estas podem ser internas ou externas — ou ambas. Quando crianças pequenas encontram no ambiente externo condições que proíbem o fluxo natural da força vital, a extensão do dano depende de quão livres elas estejam de bloqueios internos. Se existem bloqueios internos que jazem latentes, porque não foram eliminados em existências anteriores, as condições externas negativas criarão um forte bloqueio, congelando a corrente de energia fluente e petrificando-a numa massa psíquica endurecida. Quando não existem bloqueios anteriores, as condições negativas externas criarão apenas uma perturbação temporária no fluxo de força vital. Os problemas persistentes que as pessoas têm na vida resultam dessa energia bloqueada. O desbloqueio só pode ocorrer quando a relação entre as condições negativas internas e externas, responsáveis pelo bloqueio, é plenamente compreendida. As faculdades do Ego imaturo da criança tornam impossível que ela lide adequadamente com a condição negativa. Uma condição negativa externa pode, portanto, jamais ser totalmente responsável pela condensação de energia e pela paralisia do fluxo vital. Ela só pode ser o fator ativador final, trazendo à cena a condição negativa interior, que se encontrava em estado latente.

O local da alma no qual as condições negativas externas ativam a condição negativa interna latente é o mesmo ponto no qual a força vital positiva torna-se uma força destrutiva não vital. Os sentimentos passam de amor para medo e hostilidade; de confiança para desconfiança, e assim por diante. Finalmente, o poder negativo torna-se tão insuportável que os sentimentos ligados a ele ficam completamente entorpecidos.

Quando seres humanos estão num caminho de auto-reconhecimento, é muito importante que eles compreendam especificamente que uma emoção negativa não pode ser substituída por uma emoção positiva diferente. Ela deve ser reconvertida ao seu estado original. Como fazer isso, meus amigos? Cada pessoa deve encontrar o modo de reconverter esse fluxo de energia ao seu estado original. Cada manifestação desagradável, problemática ou geradora de ansiedade experimentada por vocês é o resultado da repetição do evento original desta vida, no qual a força positiva do prazer foi bloqueada, impedida ou proibida e, portanto, transformou-se em desprazer.

O prazer da negatividade

Agora, não se pode afirmar com exatidão que o prazer está totalmente ausente desse desprazer. Quando você está bloqueado no seu esforço para superar a negatividade, é extremamente importante sentir profundamente em si mesmo o aspecto prazeroso dessa negatividade, sem se importar com quanta dor você sente na sua consciência superficial. A dificuldade em se ver livre da destrutividade é, naturalmente, devida também a outras razões que você já verificou: a vontade de punir ou de usar a corrente de força que diz: "Se eu for suficientemente infeliz, isso mostrará ao mundo como é errado não me dar aquilo que eu quero." Mas essas razões não constituem a dificuldade mais profunda quanto à dissolução da negatividade. É preciso sentir intuitivamente, e então sentir muito especificamente, que na sua negatividade, paradoxalmente, tanto o prazer quanto o desprazer estão presentes ao mesmo tempo.

Isso é muito compreensível quando você olha para o processo nos termos da explicação que eu dei. O princípio de prazer não pode jamais estar completamente ausente, mesmo que ele apareça na sua forma distorcida. Seus ingredientes básicos sempre permanecem, não importa quão distorcida seja a manifestação e, conseqüentemente, quão difícil seja detectar a natureza da corrente vital. É precisamente por isso que a negatividade parece tão difícil de transformar. Seu aspecto de prazer sempre existe. Quando se compreende que apenas a forma de expressão tem que ser modificada, de modo que a corrente vital idêntica possa reconverter-se, a negatividade pode ser deixada para trás. Quando você tiver entendido que os aspectos dolorosos da expressão negativa podem ser abandonados, enquanto os aspectos prazerosos ficam mais fortes, a negatividade pode se transformar. Quando você entender que um novo conjunto de emoções não virá do nada, mas que a mesma corrente vai se manifestar de forma diferente, então o que parece difícil vai acontecer por si mesmo.

Quando você meditar sobre isso, vai se tornar possível para você ficar consciente do prazer ligado à sua destrutividade. Em lugar de se sentir culpado em relação a esse prazer e, conseqüentemente, reprimi-lo, você estará em posição de permitir que a corrente destrutiva se desdobre, expresse e reconverta a si mesma. A ligação ou conexão entre prazer e destrutividade tem sido um fator ativo na culpa generalizada que os seres humanos sentem a respeito de todas as experiências de prazer. Isso, por sua vez, pode ser responsabilizado pelo entorpecimento de todos os sentimentos. Pois, como pode o prazer ficar livre da destrutividade se ambos são considerados igualmente errados? E, contudo, os seres humanos não podem viver sem prazer, mesmo que tenham que usufruí-lo em segredo, porque vida e prazer são uma e a mesma coisa. Quando o prazer está ligado à destrutividade, esta não pode ser abandonada; a sensação é a de que se está abandonando a própria vida. Isso gera uma situação na qual, no nível da sua vida interior, você se apega igualmente ao prazer e à destrutividade, sentindo-se culpado e ao mesmo tempo temeroso de ambos. Num nível consciente mais superficial, você está entorpecido e pouco ou nada sente.

Não é suficiente saber disso de forma genérica; o conhecimento tem que ser trazido de volta para as suas circunstâncias específicas. Qual é, neste momento, a manifestação externa que lhe causa angústia contínua? Ela não é uma experiência momentânea causada por uma situação passageira, que então se dissolve quando novas situações surgem. Não, esses são os problemas na sua vida com os quais você não pode chegar a um acordo. Para resolver verdadeiramente essas condições que chamamos de imagens e que recriam para sempre condições semelhantes e novas situações, a energia bloqueada e paralisada tem que se tornar fluida novamente. E isso só pode ocorrer quando você começa, como primeiro passo nesta fase particular do seu desenvolvimento, a identificar o aspecto de prazer na sua destrutividade. Você tem que sentir o prazer ligado ao desprazer do problema.

A energia sexual bloqueada

Uma vez que a corrente de prazer de energia vital se manifesta primariamente em você naquilo que chamamos de sexualidade, a energia destrutiva e bloqueada contém energia sexual bloqueada. Segue-se que os problemas externos devem ser simbólicos ou representativos de como a energia sexual foi a princípio bloqueada por condições externas. A dor desse bloqueio causou a destrutividade que, ao mesmo tempo, contém aspectos do princípio do prazer. Portanto, cada situação difícil na vida representa uma fixação sexual na psique mais profunda da qual você foge por temê-la. Por não enfrentar esse fato e continuar a viver com ele, as condições externas tornam-se insolúveis; você fica mais e mais alienado da causa interna naquele ponto onde ela é ainda vivificada pelo aspecto de prazer.

Você, que segue este Pathwork, deve portanto voltar ao seu interior, por assim dizer, e permitir a si mesmo sentir o prazer da destrutividade. Só então você vai realmente compreender a situação dolorosa exterior que, à primeira vista, pode não ter nada a ver com a sua vida emocional ou com quaisquer problemas sexuais. Eu tenho dito, com freqüência, que *nas suas fantasias sexuais mais secretas jazem os segredos dos seus conflitos*, bem como a chave para a sua solução. Quando encontrar o paralelo entre o problema externo e a corrente de prazer na sua sexualidade, você será capaz de fluidificar novamente a energia congelada. Isso vai torná-lo capaz de dissolver a negatividade e a destrutividade, e isso, naturalmente, é essencial para a eliminação do problema exterior na sua vida.

Sua incapacidade em sentir o prazer no desprazer é o resultado da sua luta contra si mesmo e do fato de não gostar de si mesmo por causa dessa distorção específica. Conseqüentemente, existe negação, repressão e mais alienação do núcleo onde essas condições ainda podem ser experimentadas e gradualmente alteradas. Todo problema tem, necessariamente, esse núcleo onde a corrente original foi bloqueada e está portanto distorcida, e onde a dicotomia prazer/desprazer produz uma fixação inconsciente da experiência de prazer numa situação negativa. Você então luta contra isso por uma série de razões, com a conseqüência adicional de que os problemas externos começam a formar-se e, então, sempre se repetem. Eles não podem ser superados até que esse núcleo seja experimentado. Isso se aplica a todos os problemas, quer pareçam ou não ter algo a ver com a sexualidade.

Tudo isso pode parecer muito teórico se você ainda estiver longe desse ponto, mas no futuro ele pode ser um divisor de águas na sua vida interior e, conseqüentemente, na sua vida exterior, depois do qual não será mais um problema abandonar a destrutividade, pois ninguém pode ser bem-sucedido forçando-a para longe com a sua vontade superficial, sem uma profunda compreensão das forças internas que constituem essa mesma destrutividade. Sim, a vontade deve, é claro, estar presente em princípio, mas ao mesmo tempo, como eu disse em tantos outros contextos, a vontade exterior só deve ser usada para o propósito de liberar os poderes interiores que tornam o desenvolvimento um processo natural, orgânico e harmonioso. Assim, a destrutividade dissolve-se a si mesma. Ela não é atirada fora deliberadamente como um manto, nem os sentimentos construtivos são produzidos por um ato voluntário semelhante. Esse é um processo evolutivo dentro de você, exatamente aqui e agora.

Alguma pergunta?

PERGUNTA: O que torna a percepção do prazer tão única e específica em relação ao desprazer?

RESPOSTA: É sabido que você teme o prazer quando ainda está cheio de conflitos e problemas cuja natureza você não compreende. Qualquer um de vocês que estão no Pathwork que vá fundo o bastante para sondar as suas reações descobre este fato espantoso: vocês têm mais medo do prazer do que da dor. Vocês que não verificaram esse fato em si mesmos podem achar isso inacreditável, pois conscientemente se ressentem do desprazer e desejam afastá-lo. E isso em certa medida está certo, pois o desprazer não pode realmente ser desejado.

Você não pode resolver essa dicotomia, a menos que mergulhe fundo dentro dos seus processos psíquicos para sentir prazer no desprazer.

O prazer total é temido por uma razão muito importante: o prazer supremo da corrente cósmica de energia parece inevitavelmente insuportável, assustador, esmagador, e quase aniquilador quando a personalidade ainda está ligada à negatividade e à destrutividade. Em outras palavras, na medida em que a personalidade comprometeu sua integridade e ainda existe impureza, desonestidade, engano e malícia na psique, o puro prazer necessariamente será rejeitado. Portanto, a forma negativa é o único meio pela qual a entidade pode experimentar pelo menos um pouco de prazer. Quando você, que está nesse Pathwork, descobre que bem no fundo de si mesmo tem o prazer como um perigo, deve perguntar-se: "Em que ponto eu não sou honesto com a vida ou comigo mesmo? Onde eu trapaceio? Onde eu prejudico a minha integridade?" Essas áreas mostram precisamente onde, porque e em que grau o puro prazer tem que ser rejeitado. Quando você comprova para si mesmo que teme e rejeita o prazer e que não é a vida que o priva dele, você pode fazer algo a respeito, fazendo a si mesmo as perguntas pertinentes e, depois, identificando os elementos de bloqueio. Essa é a saída. Quando descobre onde você viola o seu próprio senso de decência e honestidade, você pode destrancar a porta que fechou seu acesso à transformação do prazer negativo e o forçou a rejeitar o prazer que não é estorvado pela dor.

Possa o seu entendimento crescer de forma que você sinta as suas próprias distorções e o modo como elas são uma valiosa energia vital que pode ser ativada da maneira específica que mostrei aqui.

Abençoados sejam, cada um de vocês; recebam a força e o poder que fluem na sua direção. Façam uso deles, trilhem este Pathwork para o próprio núcleo do seu Ser Interior. Fiquem com Deus.

CAPÍTULO 17

෧

COMO VENCER A NEGATIVIDADE

Saudações e bênçãos para todos, meus amigos.

Em palestras recentes falamos sobre a criação negativa, que é um processo em curso em todo ser humano. Porque, caso estivessem livres dela, vocês não seriam humanos; não viveriam neste plano de consciência, que expressa um certo grau de desenvolvimento. A humanidade é livre até certo ponto, de forma que as pessoas também criam de forma bastante construtiva. Porém, em graus variados, a criação negativa continua em ação na psique. Isso significa que é tarefa da humanidade nesta Terra lutar para sair dessa criação negativa e tornar-se cada vez mais livre das suas amarras. Isso não é fácil, pois a fascinação de qualquer processo criativo toma conta das pessoas de maneira tal que elas querem permanecer nele. Minha função agora é ajudá-los, passo a passo, a diminuir ainda mais a força do seu envolvimento negativo com processos criativos distorcidos.

Existe todo um mundo de diferença entre uma crença intelectual nesta filosofia e a percepção clara e precisa de que você cria negativamente, de que a própria infelicidade que deplora é causada por atitudes negativas que você cultiva em segredo e as quais quer manter. Isso não significa que os problemas que você vê na sociedade não tenham existência real. Sim, eles existem. Contudo, eles não poderiam afetá-lo verdadeiramente caso você não estivesse, profunda e ainda inconscientemente, contribuindo para esses mesmos problemas sociais que tanto deplora.

Deve ser difícil acreditar nessa verdade quando você ainda está no começo de um caminho como este Pathwork. Porém, uma vez que esteja realmente envolvido nele, você fatalmente verá que é exatamente assim. Você não é, jamais, uma vítima inocente, e a própria sociedade é apenas a soma ou o resultado da constante criação e produção negativa, a sua e a de muitas outras pessoas. Essa percepção é chocante e dolorosa a princípio, mas apenas enquanto você continua disposto a não abandonar a negatividade. Caso não abra mão dela, você realmente vai precisar da ilusão de que os outros a causam. Você espera alcançar a bem-aventurança sem enfrentar esse aspecto de si mesmo que a torna inatingível. Espera tornar-se um ser humano que aceita e respeita a si mesmo sem abandonar tudo o que verdadeiramente serve de entrave à sua integridade. Assim você vive a ilusão de que os outros lhe causam isso, outras pessoas a quem você pode culpar por supostamente vitimá-lo. Esse é um dos freqüentes jogos de fingimento que foram desvendados por muitos de vocês, sob variadas formas.

Três formas para encontrar a saída

Eu gostaria de discutir os vários passos para que você encontre a saída do labirinto formado pela sua própria ilusão e criação negativa, no qual você parece estar tão inexorável e inextricavelmente preso. É evidente que o primeiro passo consiste em localizar, determinar, reconhecer, aceitar e observar as suas próprias atitudes negativas.

O segundo passo é questionar, no mais profundo do seu ser, os seus sentimentos e reações particulares em relação a essa produção negativa e a sua própria intenção deliberada e escolhida. Você verá, então, que tudo isso lhe agrada, que você encontra aí algum tipo de prazer e não deseja abandoná-lo.

O terceiro passo é achar o seu caminho trabalhando, com perseverança, através das conseqüências e ramificações exatas da sua produção negativa, sem encobrir nenhum detalhe, nenhum efeito, mesmo que colateral. A percepção e compreensão precisa dos efeitos danosos que essa produção negativa tem sobre você e sobre os outros devem ficar muito claras. Não vai adiantar aliviar a culpa pela sua criação negativa, dizendo que você só pode fazer mal a si mesmo. Você precisa ver que não pode prejudicar a si mesmo sem também prejudicar outras pessoas, da mesma forma que não pode fazer mal aos outros sem ser atingido. É impensável que qualquer coisa que o afete de forma adversa não afete também as outras pessoas. O ódio a si mesmo, por exemplo, sempre se manifesta, também, como incapacidade de amar ou mesmo como uma compulsão para odiar.

O terceiro passo consiste também em ver que o prazer que você obtém da sua produção negativa não vale nunca o preço exorbitante que você paga por ele, porque tudo o que você mais deplora em si mesmo e na sua experiência de vida diretamente é resultante dela. Você sacrifica a alegria, a paz, a auto-estima, a segurança interior, a expansão e o crescimento, o prazer em todos os níveis do seu ser, e uma existência significativa e sem medos.

Outro aspecto ainda do terceiro passo é a procura da compreensão de que o prazer obtido com o fato de ser destrutivo em seus sentimentos e atitudes não é aquilo que tem que ser abandonado. De fato, o mesmo prazer será transferido para a criação positiva, na qual você pode expandir-se de forma feliz e sem culpa, sem pagar o alto preço que agora paga pela criação negativa. O que torna possível o desejo de abandonar a negatividade é a elaboração exata das relações de causa e efeito, e a visão dos resultados e conexões. Não é suficiente ter consciência do fato de ser deliberadamente destrutivo; é preciso admitir que você não quer abrir mão disso.

No segundo passo, você ainda está separado dos efeitos. Você pode ver que a causa é a sua destrutividade e admiti-la, porém não vê ainda a ligação desse fato com tudo o que deplora na sua vida. O elo de união entre causa e efeito continua ausente. Enquanto essa ligação não for estabelecida, você não pode realmente querer abandonar a negatividade. É preciso que você enxergue o preço exorbitante que paga por isso para ficar verdadeiramente motivado a querer abandoná-la. O segundo passo talvez seja o mais difícil de atingir; ele certamente constitui a mais drástica mudança na percepção de si mesmo e dos processos da vida. Mas é igualmente importante percorrer até o fim o passo número três pois sem ele não há motivação para mudar. Todavia, o passo número três não apresenta sequer a metade da dificuldade e jamais encontra tanta resistência quanto o passo número dois.

Quando você começa a descobrir o mesmo fascínio em criar de forma positiva ou de forma negativa, desta vez, porém, não desfigurada por sofrimento, culpa, medo e acusações, o mundo se abre adiante com tal beleza e luz que não existem palavras para descrevê-lo. Você provará o gosto de ser o criador da vida que escolher.

Papéis e jogos

Para facilitar a descoberta desse elo de ligação da fascinação positiva com a criação, será preciso que você reconheça a destrutividade e a negatividade sob vários tipos de fachadas os fingimentos, as defesas, os jogos, as auto-imagens idealizadas, as formas específicas de negação que você usa para esconder a sua destrutividade. Todas essas máscaras são hipócritas.

Elas sempre mostram o oposto daquilo que você rejeita e não aprecia em si mesmo.

Para se esconder dos outros — e principalmente de si mesmo — você produz algo que parece ser o oposto daquilo que ocultar. O papel assumido torna-se como que uma segunda natureza, mas ele não tem nada a ver com você. Ele é meramente um hábito que você não pode abandonar enquanto não estiver disposto a olhar o que existe por trás dele. É muito importante que você se desiluda em relação à imagem que projeta no mundo e de cuja veracidade tenta ardentemente convencer-se a si mesmo. A artificialidade desse papel deve ser desmascarada. Ele sempre lhe parece ser bom de alguma maneira, mesmo que só em fingir ser uma vítima. Mas você precisa analisá-lo com exatidão e compreendê-lo para ver que ele não é nada daquilo que você pretende que seja.

Contudo, o papel assumido contém os mesmos aspectos que você tenta tão ardentemente ocultar. Se você se esconde e o seu papel é o de ser perseguido pelo ódio e pelas injustas acusações dos outros, nessa falsa idéia jaz o seu próprio ódio. A fachada do papel nunca é intrinsecamente diferente daquilo que ele encobre. Fingir ser uma vítima do ódio alheio é ela mesma uma atitude de ódio. Esse é apenas um exemplo. O próprio jogo tem que ser exposto, não só para revelar o que oculta, mas também para pôr a nu os seus verdadeiros aspectos e o que eles realmente significam. A energia criadora negativa está totalmente envolvida na imagem apresentada. Eu sugiro que você tome algum tempo agora para identificar os vários papéis que escolheu. Refira-se a esses papéis em frases simples que descrevam aquilo que estão destinados a expressar. Veja se pode perceber como o papel que supostamente é muito nobre é tão destrutivo quanto o que se encontra dissimulado por trás dele. Na verdade, não poderia ser de outro modo uma vez que você não pode esconder a energia de correntes da alma; não pode fazê-las diferente do que são através do fingimento, não importa o quanto tente.

O papel ou jogo que você adota, na ilusão de que ele elimina a sua deliberada destrutividade, é a primeira camada que deve ser confrontada. Então você pode começar a dar os passos que esbocei acima. Algumas vezes, esses passos se sobrepõem.

O quarto passo

Quanto mais percepção você tiver do jogo que você entretém com a vida, jogo no qual você só pode perder, quando se aferra ao falso papel que encobre atitudes destrutivas, tanto mais ficará motivado a abandonar tudo isso. Você vai fortalecer a sua vontade. Isso vai levá-lo ao quarto passo, que é o verdadeiro processo de recriar a substância da alma. Através da meditação e da prece, formulando pensamentos deliberados de verdade a respeito de todo esse assunto e imprimindo-os no seu material psíquico, a recriação começa e continua à medida que você se torna mais adepto. Você adquirirá consciência da sua tentativa de exagerar e de resolver velhas feridas para punir deliberadamente outras pessoas por aquilo que seus pais lhe fizeram, ou que você pensa que fizeram, e da sua recusa de ver as suas falhas como nada além de um ato deliberado de ódio contra você. Quando você perceber que lhe causa prazer demorar-se sobre tudo isso no seu interior e não modificar a sua perspectiva e atitude, ou sentimentos, você pode começar a recriar. Quando você vê a falsidade das suas pretensões, você pode então se lembrar de querer ver o que está por trás da sua fachada particular, da sua atitude de acusação e de sentir-se vítima, qualquer que seja o disfarce que isso assuma.

O sentimento de ter sido ferido surge a princípio como algo muito real e faz-se necessária uma sondagem mais profunda para descobrir que ele não é absolutamente verdadeiro. Ele é um hábito cultivado. E o mesmo pode ser dito dos papéis que você desempenha. Cada reconhecimento objetivo dos seus fingimentos permite-lhe querer estar em uma verdade mais profunda, abandonar essas falsidades e encarar a vida com atitudes verdadeiras e honestas. A formulação dessa intenção e o apelo aos poderes superiores que existem em você, para que lhe prestem ajuda, é o quarto passo.

Outra parte do passo número quatro é dirigir uma pergunta concisa ao seu ser interior: "Que abordagem posso usar para viver a minha vida sem fingimentos? Como você se sente inventando melhores maneiras de responder às experiências da vida?" Em resposta a essas perguntas, algo novo vai evoluir. Nesse processo de recriação, vão surgir facilmente da sua verdadeira natureza reações saudáveis, adequadas e genuínas que não precisam de nenhuma ocultação. Quando criar, formule suas frases de forma bastante concisa. Afirme que o que você faz não funciona, diga porquê não funciona e aquilo que você quer fazer de forma diferente. Essas afirmações, se feitas com convicção, têm grande poder criador.

Esses são os passos para uma purificação mais profunda e vital. Esta é impensável sem que se passe por esses quatro passos, assim como também é impensável sem que se receba qualquer ajuda ativa. É difícil demais fazê-lo sozinho. É pura ilusão esperar — consciente ou inconsciente — que o enfrentamento desses aspectos do seu ser possa ser evitado, contornado, ignorado ou afastado por algum meio espiritual "mágico". A auto-realização, ou o ato de tornar-se verdadeiro, ou ainda a chegada ao seu centro espiritual, ou qualquer outro nome que você queira usar para descrever o objetivo de toda a vida, não pode ocorrer a menos que você encare as suas negatividades e hipocrisias mais profundas. Muitas são as pessoas que querem galgar alturas espirituais mas que abrigam a ilusão não expressa de que podem evitar enfrentar o que venho discutindo aqui. Elas continuam se escondendo e sempre que são confrontadas com a sua própria verdade intragável, fogem.

Sempre que atitudes destrutivas permanecem ignoradas ou intocadas, você vive numa ambivalência dolorosa, pois jamais poderá seguir numa direção quando quer ser negativo. Sempre há o Eu Verdadeiro clamando pela realidade absoluta e puxando na direção oposta. A unificação da direção interior só pode ocorrer quando a personalidade é verdadeiramente construtiva, sem destrutividades ocultas.

Para que você se vivencie como aquele ser eterno que você é essencial e absolutamente, é preciso que você considere e teste a possibilidade da criação positiva. Você verá então que criar positivamente é realmente muito mais fácil e natural: trata-se de um processo orgânico. A criação negativa e as atitudes destrutivas são artificiais e forjadas, mesmo que você esteja agora tão acostumado a elas que lhe pareçam mais naturais. O positivo não exige esforço. À primeira vista parece que abandonar o negativo, que se tornou uma segunda natureza para você, é um esforço grande demais. Ele parece excessivo porque você ainda crê que, ao abandonar a negatividade, você cria uma positividade que é algo completamente novo. Se fosse assim, na maioria dos casos, essa criação seria totalmente impossível. Mas no momento em que você percebe que a criação positiva já está aí no seu interior e que ela pode se desenvolver, se revelar no momento em que isso for permitido, abandonar a negatividade converte-se no alívio de um pesado fardo que o empurrou para baixo durante toda a sua vida — e em muitas outras vidas antes desta.

Quando dizemos que Deus está dentro de você, queremos dizer precisamente isso. Não apenas a consciência maior, com infinita sabedoria da ordem mais pessoal, está ao seu alcance a qualquer momento que você precise dela; não apenas os poderes da força e da energia criadora, sentimentos de bem-aventurança, alegria e prazer supremo estão acessíveis a você em todos os níveis, mas também, exatamente debaixo daquele ponto em que você está enfermo com a sua negatividade existe uma nova vida na qual todas as reações a todas as possíveis contingências são claras, fortes e inteiramente satisfatórias e corretas para cada ocasião. Uma flexibilidade e uma criatividade no reagir já existem por trás dos falsos papéis e dos fingimentos, além do domínio da destrutividade. Sob o seu amortecimento exterior já existe uma vivacidade borbulhante. A princípio, ela vai brilhar apenas em alguns momentos. No devido tempo, ele vai se manifestar como o seu clima interior permanente.

Creio que a maioria de vocês pode sentir a importância desta palestra, especialmente se for usada em referência à vida de vocês em lugar de uma mera discussão teórica. Então ela irá provar que é de vital importância na sua evolução pessoal. Sejam abençoados. Amor e força são derramados sobre todos os presentes.

PARTE 3

ð

TRANSFORMAÇÃO

Existe um grande e universal desejo do gênero humano, expresso em todas as religiões, em toda a arte e filosofia e em toda a vida humana; a vontade de ir além daquilo que você é agora.

Beatrice Hinkle[1]

Muitas pessoas ingressam num caminho espiritual como o Pathwork pela mesma razão por que outros iniciam algum tipo de psicoterapia — devido à infelicidade e à insatisfação com as suas vidas. Outras começam a trilhar o caminho porque estão em busca de respostas para questões vitais. Todos os que seguem por esse caminho devem lidar com ambos os lados, o psicológico/emocional e o espiritual. O trabalho psicológico, caso vá suficientemente longe, tornar-se-á inevitavelmente trabalho espiritual. E este, para que seja verdadeiramente efetivo, deve também lidar com a psique daquele que busca. Esta verdade não é nova; eis aqui uma expressão dela, pelo teólogo e místico do Séc. XIV, Meister Eckhart:

> *Para chegar à essência de Deus em toda a sua grandeza é necessário antes pelo menos penetrar na essência de si mesmo, pois não é possível conhecer a Deus sem primeiro conhecer-se a si mesmo. Vá às profundezas da alma, o lugar secreto do Altíssimo, vá às raízes e às alturas; pois tudo o que Deus pode fazer está concentrado ali.*[2]

Portanto, o objetivo principal do Pathwork não é apenas obter autoconhecimento; é mudar, *transformar-se*; e essa mudança é tanto psicológica quanto espiritual. As partes precedentes deste livro ensinaram-nos como examinar a nós mesmos e como penetrar sob a Máscara da nossa autoimagem idealizada. Caso tenhamos então a coragem de começar a vivenciar todos os nossos sentimentos reprimidos, chegaremos, com o tempo, a *saber* que é a nossa própria negatividade inconsciente que causa os problemas da nossa vida. Esse conhecimento é necessário, se é que deve existir uma chance para a ocorrência de uma mudança verdadeira e profunda. Nesta Parte 3, voltamos nossa atenção para a questão de como podemos realizar a autotransformação.

O processo de mudança acontece em dois níveis. O primeiro é principalmente psicológico e emocional; nele aprendemos a nos tornarmos um tipo diferente de ser humano — tendo enxergado e abandonado nossas atitudes, crenças, medos e comportamentos derrotistas e sabotadores de nós mesmos. O segundo nível é predominantemente espiritual. Ele envolve uma mudança radical de identidade, além da personalidade e até mesmo, pode-se dizer, além da condição de ser humano.

Muitas mudanças psicológicas e emocionais ocorrem simplesmente no curso do processo de aquisição de autoconhecimento. Uma parte do nosso comportamento derrotista chega a ser vista tão claramente, e a dor causada por ele é tão fortemente sentida, que ele é simplesmente abandonado; desaparece. Ou, mais precisamente, a energia que tinha estado aprisionada na negatividade torna-se novamente disponível para a expressão vital positiva.

Porém, as últimas palestras do Pathwork concentram-se no tema de como lidar com os padrões negativos que permanecem paralisados e resistentes, ainda que pareçam ter sido plenamente analisados e compreendidos, completamente sentidos, assumidos e repudiados. Esse estágio final do trabalho depende grandemente do uso adequado de um tipo específico de meditação. Na meditação do Pathwork a pessoa primeiro deve ter aprendido a descer abaixo do nível usual do ruído mental e, então, a permanecer num estado de profunda quietude. Nesse estado de silêncio pode-se aprender a ouvir claramente a voz da criança que existe no Eu Inferior e a dialogar com ela. Aqui também é possível estabelecer contato com a sabedoria e a força do Eu Superior e recorrer a elas. É nessa fase do trabalho que o senso de identidade da pessoa começa a mudar.

O Guia declarou: "O Pathwork não é psicoterapia, embora alguns de seus aspectos devam necessariamente lidar com áreas também incluídas no escopo daquela. Na estrutura do Pathwork, a abordagem psicológica é apenas uma questão secundária, uma forma de transpor obstruções. É essencial que se lide com confusões, concepções errôneas interiores, equívocos, atitudes destrutivas, defesas alienantes, emoções negativas e sentimentos paralisados, o que a psicologia também tenta fazer e coloca mesmo como seu objetivo final. Em contraste, o Pathwork só adentra a sua fase mais importante depois de concluído esse primeiro estágio. A segunda e mais importante fase consiste em aprender como ativar a Consciência Maior que habita no interior de cada alma."[3]

O que é a "Consciência Maior"? Ou melhor, o que realmente quer dizer a frase "o senso de identidade da pessoa começa a mudar"?

Existem diferentes níveis de consciência humana e diferentes tipos de trabalho são necessários em cada um desses níveis, no decorrer do longo processo de despertar, de tornar-se mais e mais consciente, de tornar-se iluminado. Logo que começamos a sair do nosso sono acordado, do nosso transe consentido, devemos penetrar as ilusões que nós mesmos criamos e reintegrar aquelas partes de nós que relegamos à sombra. Poder-se-ia dizer que esse é o processo de tornar-se "maior", pois estamos reintegrando e reclamando mais de nós mesmos. Nós *re-identificamos* como pertencentes a nós aspectos que, inconscientemente, negávamos.

À medida que o trabalho prossegue, chega-se finalmente ao estágio que Abraham Maslow denominou auto-realização. A maioria das terapias parece acreditar que esse ponto é o máximo que se pode alcançar; que atingi-lo plenamente representa o fim bem-sucedido do processo de crescimento. Existem, porém, dois níveis além deste: o *transpessoal* e o *unificado*.

No nível transpessoal, a pessoa começa a vivenciar a existência de domínios além do humano e a possibilidade de fazer contato com esses domínios. Como afirma Ken Wilber: "A pessoa média ouve com incredulidade quando se afirma que ela tem, aninhado nos mais profundos recessos do seu ser, um Eu que transcende a sua individualidade e que a conecta a um mundo além do tempo e do espaço convencionais."[4] Mas na verdade é possível, no clímax de momentos de experiência, ou de autotranscendência, ou ainda de meditação profunda, realmente sentir a si mesmo como um ser que vive nesse plano espiritual de existência. Foi a partir desse nível que o Guia transmitiu o Pathwork para Eva Pierrakos, do qual vem toda revelação verdadeira. Para aquele que se empenha numa busca espiritual, o resultado mais prático do atingimento desse nível de consciência é que se pode começar a viver segundo a orientação de um *guia interior*; pode-se estabelecer uma ligação com esse nível de maior sabedoria e dele receber instruções sobre como viver a vida de modo a alcançar maior satisfação.

O trabalho nesse nível transforma-se mais e mais num processo de afastamento das preocupações da personalidade individual e no aprendizado de como testemunhá-las com serenidade. A pessoa descobre um centro calmo e silencioso no seu interior, o qual existe durante todo o tempo, mesmo quando o Eu pessoal tem acessos de raiva ou ataques de ansiedade. Portanto, uma mudança sutil aconteceu. Não estou mais trabalhando para reidentificar partes minhas que eu rejeitei. Antes, agora estou engajado num processo de *des-identificação*; estou descobrindo cada vez mais claramente que, embora "eu" tenha "problemas", há um Eu mais profundo que existe sob o nível dos problemas, que precede os problemas, que existe calmamente o tempo inteiro, mesmo através da vida e da morte.

Na medida em que aumenta o espaço de tempo em que eu vivo nesse nível, a experiência de receber essa orientação começa a mudar de qualidade. Eu não sinto mais que alguém fala a "mim". Antes, tenho um sentimento crescente de que uma parte de mim está falando a uma outra parte de mim mesmo. Não é que alguma "Consciência Maior" esteja me enviando uma mensagem mas, antes, que eu pareço mais e mais ser essa Consciência. Isso pode ser bastante confuso, até mesmo fantasmagórico, por algum tempo. Mas, com o passar do tempo, deixa de ser um transtorno; com o tempo, produz-se a sensação de um maravilhoso e prazeroso regresso ao lar.

As palavras desta seção tratam de meditação, dissolução de medos, identificação com o Eu Espiritual e transição para a intencionalidade positiva. Então, depois desse cuidadoso exame da negatividade pessoal, concluímos com uma palestra que faz a abertura para a vastidão do espaço interior e descreve como esse espaço pode ser preenchido com o Espírito Santo.

D.T.

1. Beatrice Hinkle, *The Re-creating of the Individual*. Harcourt, Brace, 1923.
2. *Meister Eckhart*. Trad. R. Blakney.
3. Palestra do Pathwork nº 204. "O Que é o Pathwork?"
4. Ken Wilber, *No Boundary*. Center Publications, 1979, p. 123. [*A Consciência sem Fronteiras*. Editora Cultrix. São Paulo, 1991.]

CAPÍTULO 18

MEDITAÇÃO PARA TRÊS VOZES: EGO, EU INFERIOR, EU SUPERIOR

Saudações a todos os meus amigos aqui presentes. Amor e bênçãos, ajuda e força interior estão vindo para sustentá-los e ajudá-los a abrir o seu Ser mais íntimo. Espero que vocês prossigam com esse processo e o cultivem, de forma a trazer para a vida todo o seu Ser — criando em todos a plenitude.

Existem muitos tipos diferentes de meditação. A meditação religiosa consiste em recitar preces consagradas. Existem meditações que visam principalmente aumentar o poder de concentração; em outro tipo de meditação, as leis espirituais são contempladas e tornadas objeto de profunda reflexão. Existe também aquela meditação em que o Ego é tornado completamente passivo e sem vontade, permitindo que o Divino flua por si mesmo.

Essas e outras formas de meditação podem ter mais ou menos valor; porém, a minha sugestão para os amigos que trabalham comigo é que, em vez disso, usem o tempo e a energia disponível para confrontar aquela parte do ser que destrói a felicidade, a realização e a integridade. Jamais lhe será possível criar a integridade à qual você realmente aspira, quer esse objetivo seja especificado ou não, caso você passe ao largo dessa confrontação. Essa abordagem inclui dar voz ao aspecto recalcitrante do Eu egoísta e destrutivo que, por alguma razão, nega a felicidade, a satisfação e a beleza.

Para realmente compreender a dinâmica, o significado e o processo da meditação, e para extrair dela o máximo benefício, você deve ter uma idéia clara acerca de certas leis psíquicas. Uma delas é que, para que a meditação seja realmente eficaz, três camadas da personalidade devem estar ativamente envolvidas.

A esses três níveis fundamentais da personalidade podemos chamar:

(1) O *nível do Ego consciente*, com todo o conhecimento e vontade conscientes;

(2) O *nível da Criança egoísta inconsciente*, com toda a sua ignorância, destrutividade e todos os seus protestos de onipotência; e

(3) O *Eu Universal supraconsciente*, com a sua sabedoria, seu poder e amor superiores, bem como sua compreensão abrangente dos eventos da vida humana.

Na meditação eficaz, o Ego consciente ativa tanto o Eu inconsciente, egoísta e destrutivo quanto o Eu Universal Superior, supraconsciente. É necessário que ocorra uma interação constante entre esses três níveis, o que requer uma grande vigilância do seu Ego consciente.

O ego como mediador

O Ego consciente tem de estar determinado a permitir que o Eu egoísta inconsciente se revele, se desdobre, se manifeste na consciência, se expresse. Isso não é tão difícil nem tão fácil quanto possa parecer. É difícil, meus amigos, exclusivamente por causa do medo de não ser tão perfeito, evoluído, bom, racional, tão ideal quanto se quer ser, ou mesmo se finge ser, de forma que na superfície da consciência o Ego quase fica convencido de ser a auto-imagem idealizada. Essa convicção superficial é constantemente contrariada pelo conhecimento inconsciente de que essa imagem é falsa, com o resultado de que, secretamente, a personalidade como um todo se sente fraudulenta e apavorada com a possibilidade de se expor. É um importante sinal de auto-aceitação e crescimento o fato de um ser humano ser capaz de permitir que a sua parte egoísta, irracional e destrutiva se manifeste na consciência interior e a reconheça em todos os seus detalhes específicos. Somente isso impedirá uma perigosa manifestação *indireta*, da qual a consciência não se dá conta por não ter ligação com essa parte, de forma que os resultados indesejáveis parecem vir de fora.

Portanto, o Ego consciente tem que se voltar para dentro de si mesmo e dizer: "O que quer que esteja em mim, o que quer que esteja oculto e que eu deveria saber a meu próprio respeito, qualquer negatividade e destrutividade que exista deve vir para o campo aberto. Eu quero vê-lo, eu me comprometo a vê-lo, não importa o quanto isso fira a minha vaidade. Quero ter consciência do quanto eu deliberadamente me recuso a ver a minha parte sempre que estou num impasse e, portanto, concentro-me exageradamente nos erros alheios." Esse é um caminho para a meditação.

O outro caminho tem de ser na direção do Eu Superior Universal, que tem poderes que superam as limitações do Eu consciente. Esses poderes superiores também devem ser invocados para expor o pequeno Eu destrutivo, de forma que essa resistência possa ser superada. A vontade do Ego, por si só, pode ser incapaz de fazê-lo, mas o seu Ego consciente e autodeterminado pode e deve convocar a ajuda dos poderes mais elevados. Deve-se também pedir a ajuda da Consciência Universal para que você compreenda corretamente as expressões da Criança destrutiva, sem exageros, de tal modo que você não passe do extremo de ignorá-la para o de transformá-la num monstro. Uma pessoa pode facilmente flutuar de um auto-engrandecimento exterior para uma autodepreciação interior e oculta. Quando a Criança destrutiva se revela, a pessoa pode tornar-se presa da convicção de que esse Eu destrutivo é a triste realidade final. Para que tenha uma perspectiva completa sobre a revelação da Criança egoísta, a pessoa precisa pedir constantemente a orientação do Eu Universal.

Quando a Criança começar a se expressar mais livremente, porque o Ego o permite e a recebe como um ouvinte interessado, aberto, como um ouvinte que não julga, colete esse material para mais estudos. O que quer que se revele deve ser explorado em busca das origens, dos resultados e de outras ramificações. Pergunte a si mesmo que concepções errôneas são responsáveis pelo ódio, pelo rancor, pela maldade ou por quaisquer sentimentos negativos que sobem à superfície. Quando as concepções errôneas são identificadas, a culpa e o ódio por si mesmo diminuem proporcionalmente.

Outra pergunta a ser feita é: quais são as conseqüências quando você cede aos impulsos destrutivos em nome de uma satisfação momentânea? Quando questões como essas são claramente desvendadas, os aspectos destrutivos se enfraquecem — novamente em proporção à compreensão da relação particular de causa e efeito. Sem essa parte do Pathwork, a tarefa fica pela metade. A meditação deve tratar de todo o problema da negatividade inconsciente, passo a passo.

A interação é tripla. O Ego observador deve inicialmente querer explorar o interior, expor o lado negativo e comprometer-se com essa tarefa. Ele também tem de pedir a ajuda do Eu Universal. Quando a Criança se revelar, o Ego deve novamente pedir a ajuda do Eu Universal para fortalecer a consciência para o trabalho restante, que é a exploração das concepções errôneas subjacentes e do alto preço pago por elas. O Eu Universal pode ajudá-lo — se você o permitir — a superar a tentação de ceder sempre aos impulsos destrutivos, o que não resulta necessariamente em ação, mas pode se manifestar em atitudes emocionais.

A atitude meditativa

Uma tal meditação exige muito tempo, muita paciência, perseverança e determinação. Lembre-se que onde quer que você esteja insatisfeito, onde quer que haja problemas, onde quer que exista conflito na sua vida, você não deve se concentrar com pesar sobre os outros ou sobre circunstâncias fora do seu controle, mas procurar dentro de si mesmo e explorar as causas enraizadas no seu nível infantil egocêntrico. Aqui a meditação é um pré-requisito absoluto: ela significa *concentrar-se no seu próprio interior* e calma, silenciosamente, querer conhecer a verdade dessa circunstância particular e suas causas. Então você precisa calmamente *esperar por uma resposta*. Nesse estado mental, a paz chegará a você antes mesmo que compreenda totalmente por que tem esse tipo de negatividade. Essa abordagem verdadeira da vida já dará a você uma medida da paz e do respeito próprio que lhe faltavam enquanto responsabilizava outras pessoas pelo que você tinha de sofrer.

Caso você pratique essa meditação, descobrirá um lado seu que jamais conhecera antes. De fato, virá a conhecer dois aspectos: os mais elevados poderes universais vão comunicar-se com você para ajudá-lo a descobrir o seu lado mais destrutivo e ignorante, o qual necessita de percepção, de purificação e de mudança. Através da sua disposição para aceitar o seu Eu Inferior, o Eu Superior vai se tornar uma presença mais real em você. De fato, você vai experimentá-lo cada vez mais como o seu Eu Verdadeiro.

Muitas pessoas meditam, mas elas negligenciam a bilateralidade da realização e, portanto, perdem em integração. Com efeito, elas podem perceber alguns dos poderes universais que entram em jogo sempre que a personalidade é suficientemente livre, positiva e aberta, mas as áreas não livres, negativas e fechadas são negligenciadas. Os poderes universais percebidos não irão, por si sós, garantir uma integração com a parte não desenvolvida da personalidade. O Ego consciente tem de se decidir por essa integração e lutar por ela, do contrário, o Eu Universal não pode chegar até as áreas bloqueadas. Uma integração apenas parcial com o Eu Universal pode resultar num engano ainda maior se a consciência for iludida pela integração parcial que realmente existe com os poderes divinos e se tornar mais propensa ainda a ignorar o lado negligenciado. Isso causa um desenvolvimento distorcido.

As mudanças proporcionadas pela meditação do Pathwork

Quando você passa por todo o processo, ocorre um tremendo fortalecimento de todo o seu Eu. Muitas coisas começam a acontecer dentro da sua personalidade, meu amigo. Em primeiro lugar, o seu Ego-personalidade consciente fica mais forte e mais saudável. Ele será mais forte num sentido bom, descontraído, com mais determinação, consciência, direção significativa e um maior poder de concentração com atenção focalizada. Em segundo lugar, você vai cultivar uma maior auto-aceitação e compreensão da realidade. O ódio e o desagrado consigo mesmo, irreais, vão desaparecer. Pretensões igualmente irreais de ser especial e perfeito também cessam. O orgulho e a vaidade espiritual, bem como a auto-humilhação e a vergonha, todos falsos, desaparecem. Por meio da constante ativação dos poderes superiores, a personalidade se sente cada vez menos desamparada, abandonada, perdida, desesperançada ou vazia. Todo o sentido do Universo em todas as suas maravilhosas possibilidades, revela-se de dentro para fora, à medida que a realidade desse mundo mais amplo lhe mostra o caminho para aceitar e modificar a sua Criança interior destrutiva.

Essa mudança gradual torna-o capaz de aceitar todos os seus sentimentos e permitir que a energia flua através do seu ser. Quando o seu lado pequeno, mesquinho, é aceito sem pensar que ele é a realidade total, final, então a beleza, o amor, a sabedoria e poder infinitos do Eu Superior tornam-se mais reais. O fato de lidar com o seu Eu Inferior conduz a um desenvolvimento e uma integração equilibrados, bem como a um senso profundo e reconfortante da sua própria realidade. O resultado será uma auto-estima realista e bem fundada.

Quando você vê a verdade em si mesmo e a sua vontade de comprometer-se com essa verdade se torna uma segunda natureza, você localiza em si mesmo um lado feio, que até então tinha muita resistência em ver. Ao mesmo tempo, você descobre também esse grande poder espiritual, universal, que está em você e que de fato é você. Por mais paradoxal que possa parecer, quanto mais você é capaz de aceitar a pequena criança ignorante no seu interior sem perder o senso do seu próprio valor, mais vai perceber a grandeza do seu Ser mais interior, desde que não use as suas descobertas a respeito do pequeno Eu para se desvalorizar. O Eu Inferior quer seduzir o Ego consciente, levando-o a permanecer nos estreitos limites da autopunição neurótica, da desesperança e da capitulação mórbida, que sempre encobrem um ódio não expresso. O Ego consciente tem de evitar esse estratagema usando todo o seu conhecimento e todos os seus recursos. Observe em si mesmo esse hábito de maltratar-se, de desesperança e capitulação, e neutralize-o — não empurrando-o para o subterrâneo novamente, mas usando o que você sabe. Conversando com essa parte de si mesmo, você pode fazer atuar sobre ela todo o conhecimento do seu Ego consciente. Se esse não for suficiente, invoque os poderes além da sua consciência para que venham em sua ajuda.

À medida que passa a conhecer o mais baixo e o mais elevado em si mesmo, você começa a descobrir a função, as capacidades, mas também as limitações do Ego consciente. No nível consciente, a função do Ego é querer ver toda a verdade tanto do mais inferior quanto do mais elevado em você, querendo, com todas as suas forças, mudar e abandonar a destrutividade. A limitação é que o Ego-consciência não pode executar isso sozinho e deve voltar-se para o Eu Universal para obter ajuda e orientação, e esperar pacientemente, sem duvidar nem forçar as coisas. Essa espera requer uma atitude aberta a respeito da maneira como a ajuda pode se manifestar. Quanto menos idéias preconcebidas se tem, mais rapidamente a ajuda surge e se faz reconhecer. A ajuda da Consciência Universal pode vir de uma maneira totalmente diferente daquelas que os seus conceitos podem proporcionar.

A reeducação do eu destrutivo

Até aqui, temos discutido duas fases do processo de meditação: primeira, o reconhecimento do Eu inconsciente destrutivo e egoísta e, então, a compreensão das concepções errôneas subjacentes, as causas e os efeitos, o significado e o preço a ser pago pelas atitudes destrutivas atuais. *A terceira fase é a reorientação e reeducação da parte destrutiva do Eu.* A Criança destrutiva agora não é mais inteiramente inconsciente. Essa Criança, com suas falsas crenças, com sua resistência obstinada, tem que ser reorientada. A reeducação, contudo, não pode acontecer a menos que você esteja completamente consciente de cada aspecto das convicções e atitudes dessa Criança destrutiva. É por isso que a primeira parte da meditação — a fase reveladora, exploratória — é tão fundamental. Não é preciso dizer que essa primeira fase não é algo que termina, de forma que a segunda, e mais tarde a terceira, possam começar. Esse não é um processo seqüencial; as fases se interpenetram.

O que eu vou dizer agora deve ser recebido com muito cuidado, do contrário as sutilezas envolvidas não serão compreendidas. A reeducação poderia facilmente ser malcompreendida, conduzindo a uma supressão ou repressão renovada da parte destrutiva que está começando a se desdobrar. Você tem que tomar muito cuidado e procurar deliberadamente evitar isso, sem porém permitir que a parte destrutiva o engolfe. A melhor atitude em relação à parte destrutiva em desenvolvimento é a observação desapegada, a aceitação sem julgamento e sem punição. Quanto mais ela se desdobra, mais você deve lembrar a si mesmo que nem a verdade da sua existência nem as suas atitudes destrutivas são definitivas. Elas não são as únicas atitudes que você tem, nem tampouco são absolutas. Acima de tudo, você possui o poder inerente de mudar qualquer coisa. Talvez lhe falte o incentivo para mudar quando não está plenamente consciente do dano que a sua parte destrutiva causa na sua vida enquanto não é reconhecida. Portanto, outro importante aspecto dessa fase da meditação do Pathwork consiste em procurar profunda e amplamente por manifestações indiretas. Como o ódio não expresso se manifesta na sua vida? Talvez através de um sentimento de desmerecimento ou medo, ou ainda pela inibição das suas energias. Esse é apenas um exemplo; todas as manifestações indiretas têm que ser exploradas.

É importante aqui que você se lembre que onde há vida existe constante movimento, mesmo que esse movimento esteja temporariamente paralisado; a matéria é substância vital paralisada. Os blocos de energia congelada no seu corpo são formados de substância vital momentaneamente endurecida, imobilizada. Essa substância sempre pode ser posta novamente em movimento, mas só a consciência pode fazê-lo, pois a substância vital é cheia de consciência, assim como a energia. Quer essa energia esteja momentaneamente bloqueada e congelada, quer essa consciência esteja momentaneamente obscurecida, não importa. A meditação tem que significar, acima de tudo, que a parte de você que já está consciente e em movimento quer realmente movimentar a energia bloqueada e a consciência obscurecida. A melhor maneira de fazer isso é permitindo que a consciência congelada e obscurecida, antes de mais nada, se expresse. Aqui você precisa de uma atitude receptiva, em vez de considerar aquilo que se revela como catastrófico e devastador. A atitude de pânico em relação à própria Criança destrutiva que se revela causa mais danos que a Criança em si. Você precisa aprender a escutá-la, a absorvê-la, a receber calmamente suas expressões sem odiar a si mesmo, sem empurrar a Criança para longe. Somente com uma atitude assim é que você pode entender as causas da sua destrutividade subjacente. Só então o processo de reeducação pode começar. A atitude de negação, de pânico, de medo, de auto-rejeição e exigência de perfeição que você normalmente tem torna impossíveis todas as etapas dessa meditação. Essa atitude permite o desdobramento; não permite a explicação das causas do que pode ser desdobrado; e ela certamente não permite a reeducação. É a atitude de aceitação e compreensão que capacita o Ego consciente a afirmar seu domínio benigno sobre a matéria psíquica violentamente destrutiva e estagnada. Como eu já disse muitas vezes, gentileza, firmeza e profunda determinação contra a sua própria destrutividade são necessárias. É um paradoxo: identificar-se com a destrutividade e ainda assim, ficar distanciado dela. Aceitar que isso é você, mas também saber que existe outra parte de você que pode dar a última palavra, caso seja essa a sua escolha. Para isso, você precisa ampliar os limites das expressões do seu Ego consciente para incluir a possibilidade de dizer a qualquer momento: "Serei mais forte que a minha destrutividade e não serei tolhido por ela. Eu determino que a minha vida será a melhor e mais plena possível e que eu posso e vou superar os bloqueios que existem em mim, que me fazem querer permanecer infeliz. Essa determinação vai trazer para mim os poderes superiores que me farão capaz de experimentar mais e mais bem-aventurança porque poderei abandonar o prazer dúbio de ser negativo, o que agora reconheço plenamente." Essa é a tarefa do Ego consciente. Então, e só então, ele também pode invocar os poderes de orientação, sabedoria, força e um novo sentimento interior de amor que vêm do fato de ser integrado pelo Eu Universal.

Pois a reeducação também tem que acontecer através do relacionamento dos três níveis interativos, da mesma forma que isso foi necessário para tornar consciente o lado destrutivo e explorar o seu significado mais profundo. A reeducação depende dos esforços tanto do Ego consciente, com suas instruções para a Criança ignorante e egoísta e para o diálogo com ela, como da intervenção e da orientação do Eu Universal, Espiritual. Cada um à sua própria maneira irá realizar o amadurecimento gradual dessa Criança. Para mudar a consciência da Criança negativa interior, o Ego deve querer isso e comprometer-se a fazê-lo. Essa é a tarefa. Sua completa execução se torna possível pelo influxo espiritual da personalidade profunda, que tem que ser deliberadamente ativada. Aqui a consciência tem de adotar uma abordagem dupla: uma é a atividade que afirma o seu desejo de transformar os aspectos derrotistas, conduzindo o diálogo e, calma mas firmemente, a Criança ignorante. A outra é uma espera mais passiva e paciente pela manifestação final, mas sempre gradual, dos poderes universais. São eles que produzem a mudança interior quando os sentimentos levam a reações novas e mais flexíveis. Assim, bons sentimentos substituirão aqueles que eram negativos ou amortecidos.

Apressar e pressionar a parte resistente é tão inútil e ineficaz quanto aceitar a sua recusa direta a se curvar. Quando o Ego consciente não reconhece que existe uma parte do Eu que realmente recusa cada passo em direção à saúde, ao desenvolvimento e à boa qualidade de vida, o movimento contrário pode ser de pressão apressada e impaciente. Ambos derivam do ódio a si mesmo. Quando você se sentir bloqueado e desesperançado, tome isso como um sinal para buscar aquela parte de si mesmo que diz: "Eu não quero mudar, eu não quero ser construtivo." Vá e descubra essa voz. Use aqui novamente o diálogo meditativo para explorar a si mesmo, e deixe que o pior que existe em você se expresse.

Essa é a única maneira significativa pela qual a meditação pode mover a sua vida em direção à resolução dos problemas, em direção ao crescimento e à satisfação e em direção ao desenvolvimento do seu melhor potencial. Se você fizer isso, meu amigo, chegará o tempo no qual a confiança na vida não soará mais como uma teoria vaga e distante que não pode se transformar em ação pessoal. Em vez disso, sua confiança na vida, bem como o amor-próprio no seu sentido mais saudável, vai preenchê-lo mais e mais.

Esses são conceitos muito importantes e devem ser compreendidos, usados e observados dentro de você mesmo. Quando a interação tripla acontece no seu interior, sempre há uma mistura harmoniosa de desejo e ausência de desejo; de envolvimento e distanciamento; de atividade e passividade. Quando esse equilíbrio se transforma num estado constante, *a Criança destrutiva cresce*. Ela não é morta ou aniquilada. Ela não é exorcizada. Seus poderes congelados tornam-se energia viva, que você pode realmente sentir como uma nova *força vital*. Essa Criança não deve ser morta; ela deve ser instruída para que a salvação possa vir a ela, liberando-a, levando-a a crescer. Caso trabalhe visando esse objetivo, você chegará cada vez mais perto da unificação do nível do Ego e do Eu Universal.

Este é um material importante. Sejam abençoados. Fiquem em paz, fiquem com Deus.

CAPÍTULO 19

ૅ▲

A AUTO-IDENTIFICAÇÃO E OS ESTÁGIOS DA CONSCIÊNCIA

Saudações e bênçãos são derramadas sobre vocês em uma grande e magnífica força espiritual que todos podem partilhar e assimilar, na medida em que se abrirem verdadeiramente para ela com suas mentes e seus corações.

Nesta palestra discutirei a consciência partindo de uma abordagem nova e diferente. Talvez seja difícil para os seres humanos compreenderem que a consciência permeia todo o Universo. A consciência não depende apenas da personalidade de uma entidade. Ela permeia tudo o que existe. A mente humana está condicionada a pensar na consciência exclusivamente como um subproduto da personalidade, e mesmo a associá-la exclusivamente ao cérebro. Isso não é verdade. Ela não requer uma forma fixa. Cada partícula de matéria contém consciência, mas na matéria inanimada ela está solidificada, da mesma maneira que a energia está petrificada nos objetos inanimados. Consciência e energia não são a mesma coisa; são, porém, aspectos interdependentes da manifestação da vida. À medida que a evolução avança, essa condição estática diminui, enquanto a consciência e a energia se tornam cada vez mais vibrantes e móveis. A consciência ganha em percepção; a energia ganha mais poder criativo para mover-se e gerar formas.

Cada traço familiar à compreensão humana, cada atitude conhecida da Criação, cada aspecto da personalidade é apenas uma das muitas manifestações da consciência. Cada manifestação que ainda não está integrada ao todo precisa ser unificada e sintetizada num todo harmonioso.

É necessário um salto da sua imaginação para compreender o conceito que tento transmitir aqui. Você pode imaginar por um momento que muitos traços familiares, que você sempre esteve certo só poderiam existir através de uma pessoa, não são a pessoa *per se*, mas partículas livremente flutuantes de uma consciência genérica? Não importa se esses traços são bons ou maus; por exemplo, tome o amor, a perseverança, a indolência, a preguiça, a impaciência, a gentileza, a teimosia ou a maldade. Todos eles precisam ser incorporados à personalidade que se manifesta. Só então podem ocorrer a purificação, a harmonização e o enriquecimento da consciência manifesta, criando as precondições para o processo evolutivo da consciência em unificação.

O ser humano é um conglomerado de vários aspectos da consciência. Alguns já estão purificados. Alguns sempre foram puros e, assim, fazem parte do indivíduo, formando um todo integrado. Outros aspectos da consciência são negativos e destrutivos e, portanto, separados, como apêndices. É tarefa de todo ser humano em cada encarnação sintetizar, unificar e assimilar esses vários aspectos da consciência. Se realmente tentar compreender o que digo aqui, você pode descobrir que essa é uma forma nova de explicar a existência humana. Naturalmente que isso não se aplica apenas ao nível da consciência humana, mas também a estados mais elevados de consciência, nos quais o conflito não é mais tão severo ou doloroso. A percepção ampliada dos estados mais elevados de consciência facilita incomensuravelmente o processo de síntese. A dificuldade humana é a falta generalizada de compreensão do que está acontecendo, a cegueira de muitas das pessoas envolvidas no conflito e as suas deliberadas tentativas de perpetuar a própria cegueira.

Na medida em que o conflito e a tensão existem numa personalidade, nessa mesma medida os vários aspectos de consciência vão estar em desacordo entre si. A entidade não se dá conta do significado do conflito e tenta identificar-se com um ou com vários desses aspectos, sem saber qual ou o que é o verdadeiro Eu. Onde está localizado? O que ele é? Como ele pode ser encontrado no labirinto dessa discórdia? Você é o que você pode ser? Ou é o que há de pior? Ou será você os muitos aspectos que existem entre esses extremos? Quer as pessoas saibam ou não disso, esse conflito e essa busca incessantes existem. Quanto mais consciente o conflito, melhor, é claro. Qualquer caminho de autodesenvolvimento, mais cedo ou mais tarde, deve chegar a um acordo com essas questões — com o profundo problema da identidade.

É você quem integra

A identificação com qualquer dos aspectos acima mencionados é uma distorção humana. Você não é nem os seus traços negativos, nem a sua consciência superposta e autopunitiva, nem mesmo os seus traços positivos. Ainda que tenha conseguido integrar estes últimos na inteireza do seu ser, isso não é o mesmo que identificar-se com eles. É mais exato dizer que você é aquela parte de si mesmo que realizou essa integração, determinando, decidindo, agindo, pensando e querendo, de forma a poder absorver no seu Eu o que antes era um apêndice. Cada aspecto da consciência possui uma vontade própria, como sabem aqueles dentre vocês que trilham o Pathwork. Enquanto você estiver cegamente envolvido no conflito e, portanto, mergulhado nele, cada um desses vários aspectos por sua vez vai controlá-lo, porque o Eu Verdadeiro que poderia determinar a identificação de forma diferente ainda não encontrou o seu poder. O seu envolvimento cego o escraviza e desativa a sua energia criativa. A ausência do senso de identidade leva ao desespero.

Se a personalidade acredita cegamente que nada mais é senão seus aspectos destrutivos, ela fica envolvida em um tipo especial de batalha interior. Por um lado, haverá auto-aniquilação, autopunição e um ódio violento de si mesmo como reação à percepção de que o seu Eu é apenas as suas partes negativas. Por outro lado, como pode você realmente querer abandonar esses traços negativos, ou mesmo encará-los e investigá-los verdadeiramente, quando acredita que eles são a única realidade do seu ser? Você é atirado de um lado para o outro entre as seguintes atitudes: "Eu tenho de continuar como sou, inalterado e sem avanços, pois esta é a minha única realidade e eu não quero deixar de existir", e "Eu sou tão terrível, tão mau, tão desprezível que não tenho o direito de existir; portanto, preciso me castigar, deixando de existir." Como esse conflito é doloroso demais para ser encarado quando se acredita que ele é real, toda a questão é posta de lado.

Então você leva uma vida à base do "como se", ou do fingimento, a qual por sua vez desloca o seu senso de identidade para a Máscara. Você luta para não expor esse fingimento e também para não o abandonar, uma vez que a única alternativa é o doloroso conflito que acabei de descrever. Não é de admirar que os seres humanos possuam tanta resistência. E, ainda assim, que desperdício isso é, pois nada disso é a verdadeira realidade. Existe um Eu Verdadeiro que não corresponde nem aos seus aspectos negativos nem à sua férrea auto-aniquilação, nem ao fingimento que procura cobrir tudo. Sua principal tarefa é descobrir esse Eu Verdadeiro.

Antes que o Eu Universal possa manifestar-se plenamente em você, existe um aspecto dele que já está disponível neste momento e que você pode compreender imediatamente: O seu Eu consciente no que tem de melhor, tal como existe agora. Ele é uma manifestação presente limitada do seu ser espiritual, mas ele é realmente você; ele é o "eu" do qual você necessita para pôr ordem em toda a sua confusão. Essa consciência já manifestada existe em muitos domínios da sua vida, mas você não lhe dá atenção. Você ainda não o fez atuar nessa área de conflito na qual continua a ser cegamente controlado por uma falsa identidade, ou antes, pelas suas conseqüências.

O "eu" que é capaz de tomar uma decisão, por exemplo, de verdadeiramente encarar esse conflito e de observar suas várias expressões é o ser com o qual você pode se identificar com segurança. Na medida em que a personalidade desperta e adquire consciência de si mesma, essas decisões e escolhas de atitude são possíveis. No sentido oposto, na medida em que essas decisões e escolhas de atitude ocorrem, a consciência desperta e se expande. A consciência imediatamente disponível de cada ser humano vivo geralmente não é usada exatamente onde existem os maiores conflitos e sofrimentos. O alcance total do seu poder não é colocado a serviço desse conflito sobre a identidade. Quando a entidade começar a fazê-lo sistematicamente, uma importante mudança ocorrerá e um novo estágio de desenvolvimento será alcançado. Na medida em que o seu Eu consciente pode usar o conhecimento já existente da verdade, o seu poder já existente para praticar a boa vontade, a sua capacidade já existente para ser positivo, dedicado, leal, corajoso e perseverante na luta para encontrar a própria identidade, e a sua capacidade já existente de escolher com qual atitude deve lidar com o problema, exatamente nessa medida a sua consciência se expande e torna-se cada vez mais permeada de consciência espiritual.

A consciência espiritual não pode manifestar-se quando a sua consciência já existente não é plenamente usada na condução da sua vida. Quando você pode usar a consciência já existente, nova inspiração, novos campos de visão, compreensão e profunda sabedoria jorram das profundezas do seu ser. Mas enquanto você segue a linha de menor resistência, cedendo ao envolvimento cego, desistindo de encontrar a sua verdadeira identidade e conformando-se cegamente a uma existência frustrada, você continua preso à velha rotina de reagir por hábito e de justificá-lo levianamente. Você é complacente consigo mesmo e admite um pensamento compulsivo, negativo, desesperadamente circular, e a sua consciência presente não pode ser plenamente utilizada. Conseqüentemente, a consciência não tem possibilidade de se expandir, nem pode transmutar e sintetizar os aspectos negativos com os quais ela falsamente se identifica. Ela tampouco pode introduzir aspectos mais profundos do Eu Espiritual. Enquanto os valores existentes não são totalmente empregados, não existe a menor possibilidade de realização de valores adicionais. Essa é uma lei da vida que se aplica a todos os níveis do ser. É muito importante que se entenda isso, meus amigos.

Quando você se identifica com um ou mesmo com um grupo de aspectos e acredita que eles são você, você fica mergulhado neles. Logo no início, quando comecei a fazer estas palestras, usei os termos Eu Superior, Eu Inferior e Máscara. Estes são termos bastante sucintos que comportam, naturalmente, muitas subdivisões e variações. Como uma estrutura conveniente de referência, pode-se classificar certos aspectos como pertencentes a uma ou a outra dessas três categorias básicas.

A genuína vontade na direção do bem, não é preciso dizer, é uma expressão do Eu Superior. Mas existe também uma outra vontade para o bem que pode ser facilmente confundida com a outra, embora não seja absolutamente a mesma. É a vontade de ser bom em nome das aparências, em nome da negação dos aspectos inferiores, porque o Eu consciente, aquele que determina e escolhe, não assume o desafio de confrontar com os aspectos negativos. Os aspectos demoníacos, destrutivos, são obviamente uma expressão do Eu Inferior. Mas a gigantesca culpa que ameaça punir esses aspectos destrutivos com sua total aniquilação não é uma expressão do Eu Superior, embora possa facilmente fazer-se passar como tal. Na realidade, ela é mais destrutiva que a própia destrutividade. Ela nasce totalmente da falsa identificação a que já nos referimos. Se você acredita que você é o seu demônio, então não lhe resta escolha senão aniquilar-se; porém você tem medo do aniquilamento e, por isso, agarra-se ao demônio. Se, todavia, observar o demônio, você pode começar a se identificar com a parte de você que está observando.

Você jamais deve se esquecer de que ninguém está totalmente envolvido nesse conflito; de outro modo, seria impossível elevar-se dele. Existem muitos aspectos do seu ser nos quais você usa o poder do seu pensamento criativo, nos quais você expande a sua mente e, assim, constrói criativamente. Mas agora nós estamos concentrados naquelas áreas nas quais você não é expansivo nem criativo.

Enquanto os seres humanos continuarem incapazes ou, antes, não estiverem dispostos a reconhecer seus aspectos destrutivos, inevitavelmente ficarão perdidos neles e, conseqüentemente, não poderão atingir uma auto-identificação adequada. Embora o seu desejo de esconder os aspectos destrutivos seja mais destrutivo do que seja o for que você queira esconder, ao mesmo tempo ele indica que você quer se livrar dessa destrutividade. Assim, o desejo de escondê-la é uma mensagem do Eu Superior malcolocada, malcompreendida e mal-interpretada. É um modo errado de aplicar e interpretar o anseio do Eu Espiritual. Agora, vamos analisar mais um pouco o modo como o Eu consciente pode ser mais ativado e utilizado, de forma que você possa expandi-lo e dar espaço para que a consciência espiritual se infiltre nele.

Todos os que se encontram no Pathwork e que tenham trabalhado diligente e conscientemente para abandonar a Máscara, abandonar defesas e superar a resistência em expor deficiências aparentemente vergonhosas, viram como o reconhecimento de traços negativos cria uma nova liberdade. Por que isso? A resposta óbvia é que o simples fato de você ter coragem e honestidade para fazê-lo é em si mesmo um fator de alívio e de libertação. Mas a coisa vai ainda além, meus amigos.

A mudança de identificação

Por meio do próprio ato de reconhecimento, ocorre uma sutil porém distinta mudança de identificação. Antes desse reconhecimento, você estava cego para alguns, ou mesmo para todos os seus aspectos destrutivos, e era, portanto, inevitavelmente controlado por eles, acreditando que eles eram você. Não lhe era possível sequer reconhecer esses aspectos inaceitáveis porque você se identificava com eles. Mas no momento em que reconhece o até agora inaceitável, você mesmo deixa de ser inaceitável; em vez disso, você começa a se identificar com aquela parte de si mesmo que pode decidir e decide fazer o reconhecimento. Então uma outra parte sua assume o controle, a qual pode fazer algo a respeito desses aspectos, mesmo que, para começar, possa apenas observar e tatear em busca de algum entendimento mais profundo da dinâmica subjacente. Identificar-se com as características desagradáveis é algo totalmente diferente de conseguir identificar essas características em você. No momento em que as identifica, você deixa de se identificar com elas e é por essa razão que o reconhecimento do pior que existe na sua personalidade, depois de ter lutado contra a resistência sempre presente para fazê-lo, tem um efeito tão libertador. E isso vai ficar mais fácil ainda se você puder fazer claramente essa distinção.

No momento em que você identificar, observar e articular claramente os seus aspectos destrutivos, você terá encontrado o seu Eu Verdadeiro, com o qual a sua identificação pode ocorrer com segurança. O Eu Verdadeiro pode fazer muitas coisas, e a primeira delas é o que você está fazendo agora: identificar, observar e articular. Agora não é mais necessário que você persiga a si mesmo tão impiedosamente com o seu ódio. Parece que não há como evitar que você se odeie enquanto negligencia esse processo importantíssimo de identificação com o Eu Verdadeiro, o qual tem também o poder de reconhecer e adotar novas atitudes, sem um autojulgamento devastador. É também possível julgar negativamente num espírito de verdade, mas são coisas completamente diferentes acreditar que aquilo que você julga é a única verdade do seu ser e perceber que a parte de você que pode reconhecer a presença da destrutividade tem outras opções e está mais próxima da sua realidade. Como é necessariamente diferente a sua atitude em relação a si mesmo quando percebe que é destino dos seres humanos carregar consigo aspectos negativos com o propósito de integrá-los e sintetizá-los. Isso abre espaço para a honestidade sem desespero. Que dignidade lhe é conferida pela consideração de que você assume essa importante tarefa em nome da evolução!

Ao chegar a esta vida, você traz consigo aspectos negativos, com os objetivos acima mencionados. Existem certas leis significativas que determinam quais aspectos você carrega. Cada ser humano cumpre alguma imensa tarefa na escala universal da evolução. Essa tarefa lhe confere grande dignidade, a qual é muito mais importante que o sofrimento momentâneo que resulta do fato de você não saber quem você é. Só quando, em primeiro lugar, assume responsabilidade pelos aspectos negativos é que você é capaz de chegar à maravilhosa constatação de que você não é esses aspectos, mas que carrega consigo algo pelo qual assumiu responsabilidade, com um propósito evolutivo. Só então pode vir o próximo passo: a integração.

Os quatro estágios de percepção

Recapitulemos os quatros estágios de percepção mencionados até aqui:

(1) o estágio semi-adormecido, no qual você não sabe quem é e no qual luta cegamente contra aquilo que odeia em si mesmo — ou consciente, ou semiconsciente ou inconscientemente;

(2) o primeiro estágio do despertar, quando você já é capaz de reconhecer, observar e expressar aquilo de que não gosta; quando você é capaz

de sentir que isso é apenas um aspecto de si mesmo e não a verdade final e secreta a seu próprio respeito;

(3) a percepção de que o "eu" ou Eu Verdadeiro que observa e articula também pode tomar novas decisões e fazer novas escolhas, e pode procurar por opções e possibilidades até então nem sequer sonhadas — não por um passe de mágica, mas experimentando atitudes que antes eram totalmente negadas e ignoradas. Alguns exemplos de novas atitudes são: estabelecer um objetivo positivo de auto-aceitação sem perder o senso de proporção; procurar por novos caminhos; aprender com os erros e fracassos; recusar-se a desistir quando não obtém sucesso imediato; ter fé em potenciais desconhecidos que só podem manifestar-se à medida que essas novas posturas são adotadas pela consciência.

A atitude de adotar os novos modos de percepção de que a sua consciência é capaz neste exato momento leva diretamente à

(4) compreensão, no seu devido tempo, daqueles aspectos antes negados e odiados, o que significa dissolução e integração. Simultaneamente, a consciência em constante expansão funde-se com uma parte maior da realidade espiritual, que agora pode desdobrar-se ainda mais. Esse é o significado da palavra purificação. Na medida em que você vive a sua vida dessa maneira, a consciência genérica que permeia o Universo torna-se menos fragmentada e mais unificada.

Quando tiver assimilado o que eu disse aqui, você vai compreender vários fatos fundamentais. Antes de mais nada, você verá a tremenda importância que existe em reconhecer os traços demoníacos distorcidos. Você assumirá plena responsabilidade por eles, o que paradoxalmente irá libertá-lo da identificação com eles. Você irá conhecer o seu Eu Verdadeiro e reconhecer que esses aspectos negativos são apenas apêndices que você pode incorporar à medida que os dissolve. Sua energia e natureza não distorcida, básica, pode tornar-se parte da consciência que você manifesta.

Portanto, não importa quão indesejável possa ser a realidade, você pode lidar com ela, aceitá-la, explorá-la e deixar de ser atemorizado por ela. Essa capacidade de observar, articular, avaliar e escolher as melhores atitudes possíveis para lidar com o que é observado é o verdadeiro poder do seu Eu Verdadeiro tal como já existe neste exato momento. Liberdade, descoberta e conhecimento de si mesmo são os primeiros passos para perceber a grande consciência universal, divina, que existe em você. Enquanto isso não é feito, sua consciência espiritual mais íntima continua sendo um princípio, uma teoria e um potencial a ser materializado apenas no futuro.

Você pode crer nela com o seu intelecto, mas não pode verdadeiramente concretizá-la dentro de si mesmo até que use a consciência já disponível agora, mas que é deixada em desuso onde quer que os seus assim chamados problemas existam. À medida que esses quatro estágios são reconhecidos e trabalhados da maneira que eu esbocei nesta palestra, sua mente consciente pode expandir-se o suficiente para absorver a sabedoria, a verdade, o amor, a força de sentimento, a capacidade de transcender opostos dolorosos, até então não manifestados e que irão enriquecer e reorientar a sua vida no sentido de criar mais alegria e prazer.

O terror desaparece

No momento em que ocorre a auto-identificação, desaparece um terror profundo e aparentemente infinito da alma humana. Em geral, esse terror não é sentido conscientemente; só quando você se encontra no limiar desses estados, fazendo a transição do estágio em que se encontra perdido, cego e confuso acerca do que e de quem você é, para aquele em que tem as primeiras fagulhas de identificação com o seu Eu Verdadeiro, é que você se dá conta do terror. Esse é um período de transição que pode durar semanas, ou muitas encarnações. Você pode esconder de si mesmo esse terror ou pode encará-lo de frente. Quanto mais você se dispõe a encará-lo, menos você demora para encontrar a saída. Ao escondê-lo, você não terá ganho nada, pois o terror deixará suas marcas indeléveis na sua vida. Os medos ocultos não são nem um átomo menos dolorosos e limitadores do que a verdadeira experiência do terror. De fato ocorre justamente o oposto.

O terror existe apenas porque você não sabe que existe um você verdadeiro além daqueles aspectos que odeia. Por causa desse terror, você hesita bastante em identificar até aquilo que odeia. Enquanto lhe faltar coragem para inquirir se o seu medo é justificado ou não, você não será capaz de descobrir que ele não tem razão e que você é muito mais do que teme ser. A personalidade humana está com freqüência a ponto de querer dar esse passo. Mas esse ponto parece um precipício; portanto, você hesita e prolonga uma falsa existência. Quando não se lida com esse ponto, o terror permanece na alma; então é negado e reprimido — e o terror reprimido tem outros efeitos adversos sobre a personalidade, que fica cada vez mais alienada do seu verdadeiro núcleo.

Quando finalmente toma plena decisão e assume o compromisso de encarar os seus medos, o terror desaparece e você se dá conta de que pode descobrir quem é realmente. Você também descobre que a vida é plena, rica, aberta e infinita. No momento em que você experimenta a si mesmo como aquela parte que observa, e não como aquela que é observada, não há mais necessidade de se aniquilar ou de limitar a sua identidade à Máscara fraudulenta, ao demônio odioso ou ao egoísta mesquinho. Assim, a identificação com o Eu Verdadeiro remove o terror do aniquilamento — não apenas da morte, mas do aniquilamento, o que é diferente.

Vamos agora voltar à sua mente consciente tal como ela é neste momento. Ela se encontra agora no estágio em que é capaz de reconhecer e observar a personalidade, ou um aspecto dela, e tem muitas escolhas. A atitude que você escolher em relação aos traços não desenvolvidos e indesejáveis é a chave para expandir a sua consciência.

A expansão da consciência

Hoje em dia, ouve-se muita coisa sobre o conceito de expansão da consciência. Acredita-se com freqüência que seja esse um processo mágico que ocorre de modo súbito. Não é assim. Para alcançar a verdadeira consciência espiritual é preciso, primeiro, prestar atenção ao material ainda não totalmente utilizado que existe no seu interior. Cada minuto de depressão ou ansiedade, e cada atitude desesperançada, ou de qualquer outro modo negativa, em relação a uma situação contém várias opções. Contudo, é necessário um ato de vontade interior da sua parte para despertar as suas forças adormecidas e torná-las disponíveis para você. Quando os potenciais já existentes estão sendo usados, um poder muito maior de consciência espiritual desdobra-se de forma gradual e orgânica.

As pessoas muitas vezes passam por várias práticas espirituais e esperam por uma manifestação miraculosa da consciência maior, enquanto a sua mente e o seu poder de raciocínio imediatos estão enredados nos mesmos sentimentos, atitudes e pensamentos negativos. Elas inevitavelmente ficarão decepcionadas ou se entregarão a fantasias. Nenhum exercício, esforço ou esperança de intervenção de uma graça exterior podem proporcionar-lhes uma verdadeira percepção e verdadeira manifestação do seu Eu Espiritual.

A energia criativa, inerente aos pensamentos e aos processos de pensamento, é totalmente subestimada pela maioria dos seres humanos. Por conseqüência, seus processos de criação e recriação da vida são negligenciados. Fazer uso desse poder criativo é um empreendimento desafiador e fascinante. Agora mesmo você pode explorar os recessos da sua mente consciente para procurar por novas, melhores e mais criativas maneiras de enfrentar as dificuldades, por modos mais realistas e construtivos de reagir. Você não é obrigado a reagir da maneira que o faz; você tem à sua disposição muitas possibilidades de pensamento, de como direcionar os seus pensamentos, processos de raciocínio e padrões de atitude para um novo objetivo. Na proporção em que a identificação com o seu Eu Verdadeiro não tenha ocorrido e em que você ainda esteja secretamente identificado com aqueles aspectos que mais odeia e que, portanto, mais resiste em observar, nessa mesma proporção a sua consciência é incapaz de lançar mão das suas opções e possibilidades.

Quando começar a se questionar a respeito de qual atitude escolher diante daquilo que você observa em si mesmo agora e que não lhe agrada, você terá feito uma das mais importantes descobertas nesta fase atual da sua evolução. Isso não requer uma atuação subliminar do mais profundo Eu Espiritual. Significa simplesmente usar o que você já tornou disponível no curso de séculos, de milênios de evolução.

Quais são as suas escolhas à medida que você observa as atitudes e intenções destrutivas que existem no seu interior? Você pode escolher entre ficar totalmente desalentado e desesperançado — que é o que você tem feito até agora, sem que o perceba —, ou pode optar por pensar que é impossível ser diferente, e que você é isso mesmo e nada mais. Pode também optar por pensar que você tem o poder de efetuar uma mudança imediata e drástica. Essa última atitude não é mais positiva que a primeira. De vez que se encontra baseada em algo irreal, ela inevitavelmente leva à decepção e a uma negatividade aparentemente ainda mais justificada. Desesperança irreal e esperança mágica irreal são os dois extremos que levam a um círculo vicioso.

No entanto, será que não existem outras opções disponíveis? Não será possível, com a sua mente tal como se encontra agora, escolher outras modalidades? Diga: "É provável e previsível que eu esqueça e me veja novamente envolvido pela velha cegueira e seus reflexos condicionados. Mas isso não precisa me deter. Eu terei que lutar novamente e tatear sempre e sempre em busca da minha chave. Mas eu posso fazê-lo, e o farei, e assim, gradualmente, reunirei novas forças, novos recursos e novas energias. Não serei detido pelo fato de que a construção de um belo edifício demanda paciência. Não serei tão infantil a ponto de esperar que isso seja feito de uma só vez. Quero usar, e usarei, todos os meus poderes para fazê-lo, mas serei paciente e realista. Eu gostaria de ser guiado pelos poderes espirituais que existem em mim, mas, se eu ainda não posso perceber a orientação porque no início dessa empresa minhas energias são muito densas e minha consciência muito nublada, vou confiar, esperar e perseverar. Quero dar o melhor de mim à aventura de viver. Tentarei sempre identificar, observar e articular aquilo de que não gosto, sem que me identifique com ele. Procurarei novas maneiras de compreender tudo isso, até que algum dia eu cresça o bastante para encontrar a saída."

Uma atitude como essa está à sua disposição. Não é mágica; é uma escolha imediatamente disponível. Você pode começar agora com a atitude que gostaria de observar e identificar, em vez de ficar mergulhado naquilo que até agora você nem sequer queria reconhecer. Essas e outras atitudes e opções existem em todos os dilemas e dificuldades possíveis. Existe em você um conhecimento que pode ser aplicado ao que observa. Caso você use esse conhecimento disponível, você expande o conhecimento bem como a amplitude das suas atitudes e sentimentos.

Quanto mais você o fizer, mais a consciência infinitamente maior e ilimitada do seu até agora submerso Eu Espiritual vai se integrar à sua mente consciente, e ele vai tornar-se você. Como eu já havia dito, isso acontece com mais facilidade num diálogo tríplice: o diálogo do Eu consciente com os aspectos demoníacos, o diálogo da mente consciente com o Eu-Divino e o diálogo entre o Eu-Divino e o Eu demoníaco ou Eu Inferior. Em todas essas três possibilidades, ambos os lados falam e ouvem alternadamente, como em qualquer conversa significativa. Portanto, quanto mais você percebe e observa dessa maneira, mais fácil vai ficar o próximo salto: a tomada de consciência da sua verdadeira identidade espiritual. Então você saberá realmente que essa incrível, linda, ilimitada consciência é o verdadeiro você, onde reside todo o poder e onde não há nada a temer.

Meus amigos, esta palestra, como todas, requer um trabalho diligente do começo ao fim. Muito do material aqui apresentado não pode ser absorvido de pronto, por ser de difícil compreensão. Ele exige concentração da mente e boa vontade, e também o contato, através da meditação, com reinos mais elevados de realidade e poder espirituais para ajudá-los a absorver e pôr em prática o que eu disse.

Sejam abençoados, fiquem em paz, fiquem com Deus.

CAPÍTULO 20

❧

A DISSOLUÇÃO DOS SEUS MEDOS

Saudações, queridos amigos aqui presentes.
Todos nós sabemos como é importante e essencial encarar e aceitar aqueles aspectos, sentimentos, convicções e atitudes que existem em você e que são ou de todo inconscientes ou não suficientemente conscientes. A menos que essa percepção seja cultivada, é impossível libertar o centro mais íntimo do seu ser, o núcleo do qual nasce toda a vida. Tentemos agora ver quanto ainda lhe resta percorrer no seu interior. O quanto você já trouxe à luz? Quão consciente você está do que realmente se passa no seu íntimo em oposição às explicações superficiais que você tem sempre à mão?

A remoção de ilusões que a própria personalidade produziu parece a princípio uma dificuldade invencível, já que todos os seres humanos acreditam vagamente que a verdade subjacente a eles é inaceitável e que, portanto, eles próprios são inaceitáveis. Assim, uma dupla ilusão tem que ser removida: a crença em questão bem como a capa com a qual você a recobre. E essa é sempre a parte mais árdua do Pathwork.

O mal como defesa contra o sofrimento

Para continuar essa fase do seu trabalho pessoal é preciso que você compreenda num nível mais profundo de onde vêm as atitudes negativas e a destrutividade. Qual é a verdadeira origem do mal? Você sabe e já me ouviu dizer freqüentemente que a negação das suas vulnerabilidades, a sua vergonha em se sentir desenganado e o seu sentimento de não ser digno de amor criam o mal e atitudes e sentimentos destrutivos. Em outras palavras, o mal é uma defesa contra o sofrimento.

É portanto óbvio que o seu trabalho no Pathwork daqui por diante pode estar mais imediatamente relacionado com as feridas e sofrimentos que você suportou no princípio da sua vida e contra os quais se defendeu até agora. Você, que aprendeu a re-experimentar emocionalmente sentimentos passados, pode corroborar como uma realidade sentida aquilo que eu tenho reiterado por tantos anos: a negação da experiência original o compele e recriá-la repetidas vezes. Você recria a experiência negada e, assim, aumenta a dor e o sofrimento acumulados. Essa experiência deve ser repetida muitas vezes ainda, mas agora você pode fazê-lo de modo seguro.

Uma parte excessivamente grande daquilo que você sofreu na infância, especialmente o tamanho da sua infelicidade, ainda é para você apenas um conhecimento intelectual. Você não sente o quanto você era infeliz quando criança e durante muito tempo muitos dentre vocês acreditaram exatamente o oposto em relação à própria infância. A aquisição desse conhecimento, primeiro de forma intelectual, é a preparação necessária para experimentá-lo. Sem essa percepção intelectual da verdade da sua infância, as defesas não podem ser suficientemente enfraquecidas para que ocorra uma re-experiência no nível emocional. Quando as defesas continuam fortes, elas bloqueiam a rota para a experiência emocional, de forma que a tentativa de chegar aos sentimentos é sufocada. Vocês agora estão realmente prontos, meus amigos, para aventurar-se nas profundezas do seu ser. Lá vocês podem relaxar e entregar-se livremente a todos os sentimentos acumulados que até agora jamais poderiam deixar o seu sistema. Eles não podiam ser transformados antes no seu natural fluxo de energia precisamente porque vocês haviam trancado os portões aos sentimentos.

O problema da preguiça

Há algum tempo foi-me pedido que discutisse o problema da preguiça. Existe uma íntima conexão entre este problema e os sentimentos que não foram plenamente experimentados. Não olhe para a preguiça como uma atitude que deva ser abandonada por um ato de vontade, bastando que a pessoa simplesmente passe a ser razoável e construtiva. Essa não é absolutamente uma questão moral. A preguiça é uma manifestação de apatia, estagnação e paralisia, um resultado de energia estagnada na substância da alma. A substância espiritual estagnada é o resultado de sentimentos que não foram plenamente experimentados ou expressos e que, portanto não foram totalmente compreendidos no que tange ao seu significado e à sua verdadeira origem. Quando sentimentos não são experimentados, compreendidos e expressos dessa maneira, eles se acumulam e barram o fluxo da força vital.

Não basta deduzir que você deve ter em si certos sentimentos do passado que logicamente devem ter produzido as atuais circunstâncias. Esse conhecimento dedutivo é com freqüência a abertura necessária para permitir a experiência mais profunda. Contudo, o conhecimento, por si mesmo, pode ser uma barricada quando você substitui por ele o sentimento. Nesse caso, a unidade dessas duas funções é interrompida. O mesmo acontece quando você sente e não sabe o que significam os sentimentos, por que e como eles surgem, nem como eles ainda dirigem a sua vida no presente.

Ainda existem muitas defesas contra a plena experiência dos sentimentos acumulados em vocês, meus amigos, apesar de todo o progresso feito. Manter isso em mente vai ajudá-lo a concentrar sua atenção e percepção nessas defesas, para superá-las cada vez mais. Você pode reduzir sistematicamente o limiar da defesa contra as suas experiências profundas acumuladas, que se tornaram venenosas por não serem liberadas. Essas experiências dolorosas não podem ser liberadas caso não sejam sentidas, conhecidas, expressas e vividas o mais plenamente possível.

Recapitulando: tudo o que é mau, destrutivo e negativo na natureza humana é resultado das defesas contra a experiência de sentimentos dolorosos e indesejáveis. Essa negação paralisa a energia. Quando os sentimentos ficam estagnados, acontece o mesmo com a energia; e, se a energia se estagna, você não pode se mover. Como você sabe, os sentimentos são correntes de energia em movimento. Eles se transformam constantemente de um conjunto ou tipo de sentimentos em outro, desde que a energia flua livremente. A não-experiência dos sentimentos paralisa o movimento dessas correntes, detendo a energia viva. Quando o fluxo natural de energia é barrado no interior da sua substância espiritual, você sente preguiça, aquele estado no qual o movimento só é possível se forçado dolorosamente pela vontade exterior. Portanto, quando você se sentir como que estagnado, preguiçoso, passivo ou inerte, e não quiser fazer nada, o que é freqüentemente confundido com o estado espiritual de apenas existir, você tem um bom sinal de que existem sentimentos no seu interior que criaram uma toxicidade psíquica porque você não se dispôs a experimentá-los e reconhecê-los.

A estagnação de correntes de energia aprisiona não apenas sentimentos, mas também conceitos. Você generaliza a partir de ocorrências particulares e se aferra à falsas crenças resultantes. É raro que sentimentos estagnados não incluam também conceituações estagnadas da vida. Essas podem existir nos mais profundos recessos da alma, totalmente escondidas da consciência. Isso é o que eu, anos atrás, denominei as "imagens" que são mantidas no interior da psique. Eu o ajudei a descobrir essas imagens, e você viu como era compelido a re-experimentar concepções errôneas e sentimentos estagnados. Mais de uma vez você se vê aprisionado no ciclo que reproduz o passado de uma maneira ou de outra, até que possa reunir coragem para optar por viver completamente agora aquilo que não foi vivido antes por causa das suas defesas. Você não pode sair desses ciclos repetitivos, não importa quão boas sejam as suas intenções e quanto esforço você emprega em outros caminhos, a menos que realmente vivencie plenamente os seus sentimentos anteriores. Dissemos muitas vezes que o problema humano é a divisão dualista, a qual não passa de uma ilusão da percepção. Essa ilusão tem muitas facetas, sendo que uma delas é uma divisão na própria consciência humana. Os seres humanos podem sentir uma coisa, acreditar em outra e agir sem saber como ambas essas funções os governam. A falta de percepção do que você sente e do que realmente acredita cria outra manifestação da divisão. Quando você junta conhecimento e sentimento, você trabalha em direção ao reparo e à integração, o que se manifesta como um novo e maravilhoso despertar e um sentimento de inteireza.

Quando os sentimentos não são experimentados na sua total intensidade, o fluxo interior de vida necessariamente fica estagnado. As pessoas se sentem inexplicavelmente paralisadas. Suas ações se tornam ineficazes; a vida parece obstruir todas as suas metas e desejos. Elas encontram portas fechadas para a realização dos seus talentos, de suas necessidades, enfim, para a sua realização como um todo. A assim chamada preguiça pode ser uma manifestação dessa paralisia. Uma falta de criatividade ou um sentimento de desespero generalizado podem ser outra. Neste último caso, as pessoas muitas vezes podem usar um evento ou dificuldade corrente para explicar o seu estado interior. A verdade é que um senso de futilidade e confusão a respeito da vida e do seu papel nela irão envolvê-lo quando você resiste à plena vivência dos sentimentos que abriga; você continua a abrigá-los porque se ilude dizendo que evitar os sentimentos vai feri-lo menos do que se os expressasse. Há muitas outras manifestações. A incapacidade de sentir prazer ou de viver a vida plenamente é um dos efeitos gerais mais comuns.

O medo de sentir todos os sentimentos

A total experiência de um sentimento está disponível na medida de sua disposição e prontidão para aventurar-se nela. Esses sentimentos são com freqüência acumulações de séculos ou de milênios — e não apenas de décadas. Cada encarnação apresenta-lhe a tarefa de se purificar ao experimentá-los e compreendê-los. Você está purificado quando não existem mais refugos. Depois que você terminar o ciclo desta vida, as condições, as circunstâncias e o ambiente da sua próxima vida, para os quais você é atraído por uma lei inexorável, vão dar-lhe a oportunidade de expor qualquer refugo acumulado anteriormente. Mas a lembrança das encarnações anteriores está obnubilada, de forma que você tem apenas as experiências desta vida para utilizar.

A diminuição da memória é um subproduto do ciclo vida e morte, no qual estão presos todos os que se negam a experimentar o sentimento. Se você continua negando a percepção e recusando-se a experiência daquilo que viveu nesta mesma vida, você perpetua o processo de redução da memória. Assim você perpetua o ciclo de morrer e nascer, e esse processo sempre se manifesta como uma quebra na continuidade da percepção. No sentido inverso, você elimina essa descontinuidade de percepção, e com ela todo o ciclo de morte e nascimento, ao vivenciar o que quer que se tenha acumulado nesta vida, sempre que for possível restabelecer os elos da memória. Se todos os sentimentos desta existência foram plenamente experimentados, toda a matéria residual de vidas anteriores será tratada automaticamente porque o trauma de agora só é um trauma porque as dores anteriores foram negadas.

Vocês podem fazê-lo, meus amigos, se confiarem no processo e na aventura de desapegar-se verdadeiramente. E aqui, de novo, está o problema. Você não pode deixar acontecer se o seu ser mais íntimo se defende contra a vivência dos seus sentimentos, que você sabe que existem no seu interior. Na realidade, você se defende contra o estabelecimento de um elo de ligação entre esses sentimentos, o seu conhecimento interior e os seus padrões de ação atuais. A paralisia que freqüentemente é chamada de preguiça, e sobre a qual você tem uma postura moralista como se fosse realmente indolência, deve portanto ser vista como um sintoma muito indireto.

A preguiça é uma proteção contra o movimento da substância da alma que ameaça trazer à superfície os sentimentos que você pensa que pode continuar evitando sem que isso bloqueie a sua vida. Assim, a preguiça é ao mesmo tempo tanto um efeito quanto uma defesa. O movimento remexe aquilo que está estagnado. Pela compreensão plena desse fato você pode redirecionar sua vontade e intenção interior rumo à superação dessa estagnação protetora auto-induzida, reunindo coragem para sentir o que deve ser sentido. O verdadeiro e sereno estado de apenas ser, pelo qual toda alma anseia inconscientemente, não é uma passividade cautelosa que deve evitar o movimento e que o faz parecer indesejável. O verdadeiro estado espiritual de apenas ser é bastante ativo, embora seja calmo e descontraído ao mesmo tempo. Esse estado é movimento e ação cheios de prazer. É apenas a passividade da personalidade medrosa que cria um frenesi como forma de contrabalançar a estagnação. É como se a personalidade lutasse ferozmente contra a estagnação superpondo-lhe a ação compulsiva e, então, tornando-se mais alienada da verdade de sua estagnação e da razão dessa estagnação, que é o medo de realmente sentir os próprios sentimentos, inclusive o medo. Somente quando essa verdade é plenamente sentida e compreendida, quando você pára de lutar contra ela e dissolve a sua causa através da vivência dos seus sentimentos, é que você pode sair tanto do frenesi da superatividade quanto da paralisia. Em outras palavras, você deve sentir o medo que se apóia na preguiça e em todos os tipos de estagnação.

Esse medo existe em todos, mesmo naqueles que não são abertamente preguiçosos ou que não se dão conta de outros sintomas causados pelo medo oculto. Essa condição humana básica do medo precisa receber permissão para se expressar externamente. Você deve permitir que ele assuma o controle, nas condições adequadas, logicamente. E, quando sentir esse medo, você descobrirá nele dois elementos básicos: o primeiro elemento são as condições da infância, que foram tão dolorosas que você pensou não poder permitir-se senti-las, separando-se portanto delas. E o segundo elemento, ainda mais importante e significativo, é o medo do medo, o medo de sentir medo; é aí que o verdadeiro dano se encontra.

Há alguns anos, proferi para vocês uma palestra sobre o tema da autoperpetuação[1] e mostrei como um sentimento negado alimenta-se a si mesmo, de forma a se multiplicar. Por exemplo: o medo negado cria o medo do medo, o medo de sentir o medo do medo, e assim por diante. O mesmo vale para outros sentimentos. A raiva negada cria a raiva de ter raiva; então, quando isso é negado, a pessoa fica ainda com mais raiva por ser incapaz de aceitar a raiva, e assim infinitamente. A frustração em si é suportável quando você entra totalmente nela. Mas quando você fica frustrado porque "não deveria" ficar frustrado, e então fica ainda mais frustrado porque o nega, a dor aumenta. Esse processo é muito importante porque aponta claramente para a necessidade de sentir diretamente, não importa quão indesejáveis possam ser os sentimentos. Se você alimenta a sua dor por negar-se a senti-la, essa dor secundária tornar-se-á inevitavelmente amarga, tortuosa e insuportável. Se você aceita e sente a dor, tem início, automaticamente, um processo de dissolução. Muitos de vocês já experimentaram essa verdade muitas vezes no seu Pathwork. O mesmo se aplica ao medo, à raiva, à frustração ou a qualquer outro sentimento.

Portanto, quando você sentir o medo do seu medo e puder deixar-se mergulhar no próprio medo, este vai rapidamente dar lugar a um outro sentimento negado. O sentimento negado, por sua vez — qualquer que seja ele —, vai ser mais facilmente suportável que a sua negação, o medo. E o próprio medo é mais suportável que o medo do medo. Dessa maneira, você pode progredir até o núcleo da energia residual acumulada dos sentimentos negados. Lutar contra os seus medos e defender-se deles cria toda uma outra camada de experiência alienada da sua essência e, que portanto, é artificial e mais dolorosa que a experiência original contra a qual você luta.

O compromisso de entrar e ir até o fim

O seu Eu consciente como um todo tem que reunir todas as suas faculdades, todos os seus recursos e usar toda a experiência que você obteve para estar plenamente determinado a sentir o medo de sentimentos profundos, dolorosos, mortificantes e assustadores que existem no seu interior. Como eu já lhes disse muitas vezes, "A única maneira de sair é entrar e ir até o fim".

É importante agora focalizar a sua meditação. Aqueles dentre vocês que ficaram convencidos do grande poder assim gerado aprenderam que a focalização específica e a direção consciente dadas às suas meditações evoca uma orientação interior na medida justa e equilibrada, a qual então pode ser aplicada às suas vidas. A direção adequada tem dois aspectos: primeiro, você precisa do compromisso de entrar em si mesmo e não contornar-se. Esse compromisso voluntário de entrar nos seus sentimentos e de atravessá-los até o fim deve ser a força propulsora dessa meditação específica. Sua declaração e afirmação de que isso é o que você quer e tenciona fazer criará necessariamente uma nova condição na substância da sua alma. Você então pode pedir orientação específica, pois liberará imediatamente uma parte da matéria estagnada. A indolência que faz com que você evite, adie e procrastine vai desaparecer suficientemente neste ponto para pôr em movimento um novo influxo de energia. A atitude voluntária de compromisso vai criar um influxo energético involuntário e ativar a sabedoria condutora do seu Eu Espiritual. Afirmar na sua meditação a intenção e o desejo de experimentar todos os sentimentos acumulados e de livrar-se do refugo é o melhor e o mais eficaz dos começos.

Além do equilíbrio e do tempo corretos, vão ser oferecidas orientação interior e exterior exatamente na medida que você precisa para a sua situação pessoal. Você vai aprender a sintonizar-se com essa orientação e a senti-la, em vez de ficar surdo e cego para ela. Sim, porque na verdade ela sempre existiu como um potencial à espera — não apenas para esta fase do Pathwork, é claro, mas para cada fase individual, específica, pela qual você precise passar. O Eu exterior, volitivo, deve desempenhar o seu papel voluntariamente, de forma que o Eu involuntário possa então assumir o controle.

Esse Eu involuntário manifesta-se de duas maneiras inteiramente diferentes: a sabedoria e orientação superiores que acabaram de ser mencionadas, e a emergência do Eu, que freqüentemente se contorce de dor mas nega a experiência da dor residual de muito tempo atrás. O primeiro ajuda e guia o último.

Através dessa abordagem de meditação ocorre a liberação de uma energia que pode ser dirigida para esse propósito fundamental. Você geralmente persuade a si mesmo de que lhe faltam a energia e o tempo necessários para descer às profundezas dos seus sentimentos. Ao mesmo tempo, você gasta muita energia em outras atividades que podem muito bem parecer mais importantes no momento. Não importam quão importantes e vitais sejam as outras atividades; elas jamais podem ser mais importantes que essa exploração, uma vez que a realização da tarefa desta vida é a sua verdadeira razão de viver. Além disso, ela é a chave de uma vida produtiva para você agora mesmo.

O segundo aspecto importante da meditação é reunir a sua fé de que o fato de "prosseguir" não irá aniquilá-lo. Sem esse ato de fé, você não terá a coragem de fazê-lo. Em outras palavras, se a segurança e a validade desse curso não forem claramente divisadas no início, sua ausência de inclinação para experimentar sentimentos dolorosos vai inadvertidamente levá-lo a fabricar uma dúvida artificial sobre a segurança do processo. Junto com esta vem uma ilusão artificial de que é possível evitar o "prosseguimento" e, ainda assim, atingir a integração, a saúde e a vida plena. O ato de evitar os sentimentos sempre cria esses paradoxos dualistas de falsa dúvida e de falsa esperança.

Muitos anos atrás, numa palestra chamada "O Abismo da Ilusão", eu disse que o Pathwork de auto-realização e unificação contém muitos pontos críticos nos quais é preciso deixar a personalidade cair naquilo que parece um abismo sem fundo. A queda nesse abismo ameaça aniquilar a entidade. Eu afirmei que até um certo ponto da evolução individual, a pessoa encolhe-se à beira desse abismo, segurando-se e não ousando saltar. A pessoa nesse estado fica muito infeliz, mas ainda acredita que a falsa segurança dessa posição tensa e medrosa é preferível ao aniquilamento. Somente depois de ter reunido bastante confiança para arriscar o salto é que a pessoa pode descobrir que na realidade ela flutua. Muitos momentos críticos como esse são necessários para que se descubra sempre novamente que o salto é seguro.

O mesmo se aplica ao fato de deixar-se cair no aparente precipício dos seus sentimentos bloqueados — sentimentos dolorosos, assustadores. A menos que o faça, você permanecerá na posição encolhida e desconfortável na qual é realmente impossível viver e gostar de si mesmo. A fé necessária para dar o salto pode ser tirada enfrentando-se claramente a questão e examinando-se o que está em jogo. Você tem de considerar a questão fundamental, que pode ser resumida da seguinte maneira: "Existe mesmo um poço sem fundo da negatividade, destruição e mal nos alicerces da condição humana? Ou serão esses, aspectos de uma distorção que não precisa existir?" Existem muitos pontos críticos nos quais a fé de um ser humano é posta à prova. Você tem de enfrentar a discrepância entre o que você diz que acredita e o que você realmente acredita. Se você acredita na natureza espiritual fundamental da humanidade, então não há o que temer. Caso contrário, é preciso dar-se conta dessa dúvida subjacente e enfrentar a sua verdadeira natureza. Encarar suas dúvidas abertamente vai protegê-lo, pelo menos, da natureza ilusória da sua fé na humanidade e no seu destino espiritual. Se por fim, então, você continuar tendo a convicção de que a humanidade é essencialmente má, destruidora, assustadora e caótica, o verdadeiro motivo dessa crença também deve ser analisado. Essa confrontação entre aquilo em que o indivíduo verdadeiramente acredita e aquilo em que ele pensa que acredita deve sempre ser procedida honestamente. Isso é verdadeiro para qualquer questão importante. A ajuda e a orientação podem e devem ser ativados através da meditação para esse propósito específico.

Afirme também, na sua meditação, que você quer ter consciência dos seus métodos especiais de escape e que você não mais deseja enganar-se a esse respeito. É melhor continuar evitando o salto para o abismo, sabendo que o faz e por quê, do que negar o seu medo de saltar e fingir que não o sente. Ao admitir livremente o seu medo você está em contato mais íntimo consigo mesmo que quando nega o medo. Questionando a validade do medo, você muitas vezes pode descobrir que a verdadeira razão que está por trás do medo é a vergonha e o seu parceiro, o orgulho. O orgulho e a vergonha negados com freqüência criam medo. A idéia de que é humilhante ter certos sentimentos ou estar em certos estados vulneráveis, junto com a idéia de que você não deveria estar onde está e o sentimento de que o seu sofrimento na infância é devido ao fato de que você é inaceitável e indigno de amor, tudo isso cria a tendência de negar o estado no qual você se encontra. Assim, a pressão dessa negação cria o medo e este, por sua vez, exige que a pessoa fabrique teorias que o justifiquem. Se as pessoas se convencem de que é realmente perigoso sentir o que sentem, essa convicção pode produzir um colapso e uma crise que são meros resultados dessa profunda convicção. O terror pode levar a pessoa a um agudo estado de crise. Mas o verdadeiro sentimento essencial que subjaz a tudo isso é muitas vezes apenas vergonha e orgulho e a concepção errônea de que a dor da infância existiu em razão da inadequação pessoal, que a pessoa sente vergonha demais para expor.

A transposição da barreira do constrangimento, da humilhação e do orgulho geralmente dissolverá o medo. Você deve confrontar e encarar francamente essas questões. Só assim o caminho pode ser aplainado para permitir que você entre em si mesmo. *A meditação é um requisito sem o qual o caminho torna-se desnecessariamente difícil.* Uma abordagem e atitude desse tipo criarão o clima que você necessita para penetrar no abismo de medo, solidão, desamparo, dor e de raiva gerada pelo sofrimento que você tem de suportar. Cada lágrima não derramada é uma barreira. Cada protesto não enunciado permanece em você e o obriga a expressá-lo onde ele não é apropriado. Todos esses sentimentos parecem poços sem fundo mas, uma vez que mergulhe no interior deles, você descobrirá inevitavelmente que existe no seu interior, lá no fundo, aquele núcleo divino que habita em você e do qual você é uma expressão. Ele é luz, calor, vitalidade e segurança. Todas essas são perfeitas realidades, mas só podem ser experimentadas quando você atravessa a realidade até agora negada dos sentimentos evitados.

A travessia do portal

O seu Eu Espiritual, com toda a sua alegria, segurança e paz, está logo atrás da tristeza e da dor. Ele não pode ser ativado por um ato direto da vontade nem por práticas e ações que deixam de fora a necessidade de experimentar todos os seus sentimentos. Mas o seu Centro Espiritual manifesta-se inexoravelmente como um subproduto, o resultado do ato volitivo direto de passar através dos seus sentimentos negados.

Concluirei esta palestra dizendo-lhes que o medo não é real. Ele é, na verdade, uma ilusão, mas vocês devem passar por ele, senti-lo. Do outro lado do portal do sentimento das suas fraquezas está a sua força; do outro lado do portal do sentimento da sua dor estão o seu prazer e a sua alegria; do outro lado do portal do sentimento da sua solidão está a sua capacidade de ter satisfação, amor e companheirismo; do outro lado do portal do sentimento do seu ódio está a sua capacidade de amar; do outro lado do portal do sentimento da sua desesperança está a verdadeira e justificada esperança; do outro lado do portal da aceitação das privações da infância está a sua plenitude agora. Ao experimentar todos esses sentimentos e estados é essencial que você não engane a si mesmo, forçando-se a acreditar que eles são causados por qualquer coisa que você sente ou não consegue sentir agora. O que quer que o agora traga, é apenas o resultado do passado que ainda continua no seu sistema.

Atravessando esses portais, você encontrará a verdadeira vida. Todas as muitas tentações que o chamam a seguir caminhos pelos quais é possível descobrir a própria realidade espiritual sem passar pelos portais mencionados não passam de devaneios. Não há como contornar o que se acumulou em você e que envenenou todo o seu sistema espiritual, psicológico, e muitas vezes também o seu sistema físico. Esse veneno só pode ser eliminado por meio da experiência de sentir aquilo que você esperava poder evitar sentir. Então, um novo influxo energético surge numa proporção cada vez maior. Muitos de vocês experimentaram em alguma medida o que eu digo aqui, e nisso reside o seu crescimento. Mas todos vocês têm que ir mais longe nesse caminho. A autopunição pelo ódio e pelo rancor, pela crueldade e pela cobiça, pelo egoísmo e pelas exigências unilaterais sobre os outros, deve ser liberada para que vocês possam penetrar no terror do medo, da vergonha e da dor. Quando deixarem de lutar contra isso, vocês serão reais, abertos, e estarão verdadeiramente vivos.

Bênçãos para todos.

1. Ver palestra n⁰ 140.

CAPÍTULO 21

A IDENTIFICAÇÃO COM O EU ESPIRITUAL PARA SUPERAR A NEGATIVIDADE

Saudações e bênçãos para todos os presentes. Deixem que o poder do espírito os vivifique, que ele viva e se manifeste através de vocês. Então vocês estarão no mundo real e suas vidas terão significado. Cada passo dado nessa direção gera nova energia. Vocês, que verdadeiramente querem descobrir quem são e estão preparados para fazer o sacrifício de abandonar velhos padrões destrutivos de pensamento e reação, vão descobrir o incomparável tesouro que existe no interior de vocês. Nesse momento, a palavra sacrifício torna-se realmente ridícula, pois vocês abandonam o nada para ganhar o tudo.

À medida que se tornam mais receptivos e sintonizados devido a aceleração do seu desenvolvimento, vocês começam a compreender que a realidade do espírito é muito maior que aquela das coisas que vocês tocam e vêem. A energia espiritual que é gerada por vocês torna-se autoperpetuadora. Isso pode ser notado tanto em suas vidas pessoais quanto nos empreendimentos em conjunto com outras pessoas. Naturalmente, mesmo depois de terem feito grande progresso, vocês ainda terão de lidar com as suas defesas e negatividades não dissolvidas, com suas resistências, distorções e escuridão. Como sempre, esses aspectos têm que, primeiro, ser plenamente reconhecidos e aceitos antes que possam ser abandonados. É impossível abrir mão de algo que vocês não sabem que têm e que não expressam.

A intencionalidade negativa

Agora eu gostaria de falar sobre a necessidade de estar atento à sua intencionalidade negativa, antes oculta, mas agora consciente. No passado, você pode ter aceito a teoria de que você também tem um Eu Inferior, de que você tem falhas e defeitos de caráter. Pode ser até que você tenha enfrentado muitos destes, lidando com eles de maneira honesta e construtiva. Mas isso não é o mesmo que achar a sua intencionalidade negativa.

É um fato importante da psicologia humana que, o que quer que as pessoas temam, ou efetivamente experimentem, elas inconscientemente querem. Todo o Pathwork está baseado nesse fato verdadeiro da vida. Agora, muitos dentre vocês estão face a face com uma atitude básica de negação em relação à vida: uma atitude que não expressa nenhum desejo de dar, de amar, de contribuir, de sair de si mesmo, de receber ou de viver bem e produtivamente. Isso pode parecer absurdo à mente consciente, que quer nada menos que toda e qualquer satisfação imaginável. Mas existe aquela outra parte da alma, num canto escondido da psique, que diz exatamente o oposto. Ela quer odiar, ser rancorosa, quer sonegar — mesmo que isso cause sofrimento e privação.

O reconhecimento dessa parte da alma é de capital importância. Ela não é necessariamente uma grande parte da personalidade. De fato, pode ser que uma parte relativamente pequena da sua consciência esteja trancada em negação, enquanto uma parte muito maior lute pelo oposto. Mas não importa quão pequena ela seja em relação aos aspectos liberados e positivos da personalidade, a parte negativa tem um poder magnético sobre a vida da pessoa justamente porque ela não está sendo conscientemente reconhecida.

Quando toma consciência dessa intencionalidade negativa, você começa a perceber o domínio devastador que tal atitude tem sobre você e sobre a sua vida. Não obstante o seu conhecimento de como ela é destrutiva e sem sentido, você ainda se acha incapaz — quer dizer, não disposto — a abandonar essa atitude. É necessário um grande esforço para ultrapassar a resistência antes que você possa aceitar essa percepção, a princípio chocante, sobre a sua vida. Na verdade, muito da resistência que você encontra em si mesmo e nos seus companheiros baseia-se exatamente em não querer enxergar a existência dessa destruição e negação sem sentido no seu interior.

Quando, porém, você finalmente a vê, isso é uma bênção. Você pode então lidar com essa negação da vida. Existem inúmeras "razões", se é que podemos chamá-las assim, para a negatividade, das quais você já tem bastante consciência. Contudo, você pode vir a descobrir que ainda não pode sair desse ponto. Ainda assim, o simples fato de saber que é *você* quem quer o isolamento, a solidão, a falta de amor, o ódio e o rancor, em vez de culpar algum destino pelo qual é inocentemente atingido, o simples fato de sabê-lo é uma chave para encontrar o próximo elo na cadeia da sua evolução.

Neste ponto, seria útil fazer uma clara distinção entre *negatividade* e *intencionalidade negativa*. A negatividade compreende um amplo espectro de sentimentos que inclui hostilidade, inveja, ódio, medo, orgulho e raiva, para citar uns poucos. Mas quando falamos de intencionalidade negativa, nos referimos à intenção de aferrar-se ao estado de negação da vida e de si mesmo. A própria palavra intenção revela que a personalidade está no controle, e faz uma escolha deliberada, pretendendo fazer, agir e ser de uma certa maneira. Ora, mesmo quando assume as atitudes mais destrutivas, cruéis e brutais, você sempre dá a impressão de que não pode deixar de ser como é. Contudo, quando força a exposição da sua intencionalidade negativa, você não pode mais se enganar com a idéia de que a negatividade apenas "acontece". Cedo ou tarde, você deve chegar a um acordo com o fato de que a sua vida é o resultado das suas escolhas. E a escolha implica a possibilidade de adotar uma outra atitude. Em outras palavras, você pode verdadeiramente descobrir, num nível profundo, que é livre. Mesmo os seus estreitos limites atuais resultam de um curso livremente escolhido que você segue e continuará seguindo até que decida mudá-lo.

Para a mente consciente, essas intenções negativas podem parecer absurdas, mas você pode ficar certo de que a intencionalidade negativa realmente existe. Admitir e lidar longa e profundamente com esse fato exige luta, esforço e paciência consideráveis, bem como uma superação interior da resistência. Eu não falo de um lampejo ocasional e vago de um reconhecimento, que então é deixado de lado. Lidar verdadeiramente com a intencionalidade negativa representa uma grande crise na vida da pessoa e significa uma transição básica. Não é algo pelo qual se passe facilmente.

Vamos agora dirigir o olhar para certos estágios e progressões fundamentais dessa transição. Você pode iniciar esse Patwork sem nenhuma consciência das suas obstinadas intenções negativas. Como eu disse, se você fosse confrontado com esse fato, não poderia dar-lhe crédito, quanto mais senti-lo e observá-lo no seu interior. Você pode ter consciência de algumas falhas e atitudes destrutivas, de alguns comportamentos e sentimentos neuróticos, mas eu jamais poderei enfatizar suficientemente que isso não é o mesmo que ter consciência da sua intencionalidade negativa.

Quando o seu Pathwork progride bem e você obtém uma percepção mais profunda e honesta de si mesmo, você pode aceitar mais os seus sentimentos, tanto os bons como os dolorosos. Você ganha força e objetividade. Através do seu renovado compromisso de sempre enfrentar a verdade de si mesmo, o que ativa as mais puras energias espirituais, você chega finalmente a descobrir a sua negação intencional de todas as boas coisas da vida. Você vai descobrir que, quanto mais frustrado se sente por não alcançar aquilo que tão ardentemente deseja, maior é a sua intenção negativa interior e menor a sua inclinação para lidar com ela. Essa correlação é extremamente importante. O mesmo se aplica às dúvidas: quanto mais você teme que o que você quer não vai se materializar, menos fé você tem na sua vida, e menos conexão existe entre você e a sua vontade negativa.

Uma nova esperança

Que a personalidade escolha um curso de negação, de rancor e de ódio, mesmo ao preço de sofrer, é tremendamente difícil de admitir. Mas uma vez que isso seja feito, abre-se a porta para a liberdade, mesmo antes que se esteja realmente pronto para atravessá-la. Antes mesmo que a personalidade esteja preparada para fazer uma nova escolha, a mera disponibilidade de outra rota, outra abordagem para a vida e para o reinvestimento das energias e recursos, traz esperança — não uma falsa esperança, mas uma expectativa realista.

Vocês se prendem tanto a falsas esperanças, meus amigos! Na verdade, vocês investem as suas melhores energias em soluções neuróticas baseadas em esperanças irrealizáveis ou em pura e simples ilusão. Existe porém uma esperança, real, realista e realizável: uma esperança que não está fadada a terminar em desapontamentos e desilusões. Essa esperança lenta mas certa torna-se realidade manifesta, resultando na satisfação e na realização do que há de melhor no seu interior e, portanto, no acesso a tudo o que a vida tem a oferecer. Pense apenas em todas as potencialidades que a vida tem a oferecer. Elas são infinitas e são suas, bastando que você peça.

Todavia, por mais importante que seja a descoberta da existência da sua intencionalidade negativa, ter consciência dela não é o mesmo que abandoná-la. Algumas vezes é possível que a tomada de consciência de uma atitude destrutiva ou distorcida a elimine automaticamente, mas isso nem sempre é verdade. Torna-se evidente repetidas vezes no trabalho evolutivo de quase todas as pessoas que, apesar de a pessoa saber como é sem sentido e destrutiva sua intencionalidade negativa, é necessário mais do que simplesmente o seu reconhecimento antes que a mente, a vontade e a intenção possam ser modificadas.

Nós já examinamos muitas das crenças e concepções errôneas, motivos e razões que fazem com que isso seja desse modo. Nós trabalhamos com muitas delas. Existe o medo do desconhecido; o medo de ser ferido e humilhado; o medo e a recusa de sentir a dor, passada e presente. Uma atitude negativa é, portanto, uma defesa contra sentimentos reais. O apego a uma direção negativa da vontade é também devido a uma recusa em assumir responsabilidade na vida ou de lidar com circunstâncias menos que ideais. É uma insistência interior de forçar os seus "maus pais" a tornarem-se "bons pais" usando a sua infelicidade como uma arma contra eles. A intencionalidade negativa é também um meio de punir a vida em geral. Alguns de vocês já exploraram, verificaram e trabalharam amplamente esses sentimentos, reações e atitudes, porém ainda insistem em apegar-se a eles. Por quê?

Nós também nos debruçamos sobre a origem dessa negação. Ela é com freqüência a única forma que uma criança tem para preservar sua individualidade. Se a resistência interior não for mantida, a personalidade se sente ameaçada: a criança equipara o abandono da resistência à capitulação, ao abandono da própria individualidade. Muitos de vocês estão conscientes disso e conhecem a inadequação de levar consigo uma posição, que foi válida um dia, para o presente, no qual ela não tem mais validade e é puramente destrutiva.

Pode parecer quase inconcebível para aqueles dentre vocês que ainda não fizeram essa descoberta de si mesmos que alguém possa admitir uma atitude sem sentido e destrutiva, que nada mais faz senão produzir resultados indesejáveis, e ainda assim insistir em mantê-la. Por que existe essa recusa aparentemente desprovida de sentido, embora você saiba que ela só causa dor a você e aos outros? Tem que haver uma razão poderosa, que obviamente vai além de qualquer das causas supramencionadas — por mais verdadeiras que sejam em si mesmas. Muitos de vocês estão presos neste ponto específico e precisam de ajuda para sair dele.

Qual a parte de você com a qual você se identifica?

Para desatar esse nó, a questão da identificação tem que ser focalizada. Qual a parte de você com a qual você se identifica? Essa identificação não é algo que o Ego consciente escolha. Uma vez mais, é algo que deve ser descoberto pela sua mente observadora. De que forma você está identificado com as diferentes partes do seu ser?

Por exemplo, se você se identifica exclusivamente com o Ego — aquela parte de você que é consciente, que quer e age — fica automaticamente impossível produzir uma mudança que transcenda a província do Ego. A mudança interior das mais profundas atitudes e sentimentos de uma pessoa não pode ser produzida pelas funções muito limitadas do Ego. Deve haver identificação com um aspecto mais profundo, mais amplo e mais efetivo da personalidade para que se possa pelo menos acreditar na possibilidade de uma mudança como essa. Qualquer modificação profunda ocorre através de um compromisso do Ego em querer a mudança e confiar que os processos do Eu Espiritual involuntário o produzam. Se não existe identificação com o Eu Espiritual, essa confiança e o clima necessário de expectativa positiva livre de pressão não podem existir. E se eles não existem, a pessoa não pode sequer desejá-los, pois a convicção do fracasso rechaçaria a impotência do Ego de uma maneira por demais desagradável. Portanto, é preferível para o Ego limitado dizer "eu não quero" do que dizer "eu não posso".

A identificação pode existir de uma maneira extremamente positiva e construtiva, ou de uma forma profundamente negativa, obstrutiva e destrutiva. A diferença não é determinada pela sua identificação com um ou outro dos vários aspectos da personalidade — como se um fosse bom e o outro mau. A identificação com qualquer aspecto da sua personalidade pode ser desejável, saudável e produtiva, ou o oposto. Por exemplo, você pode pensar: "Como pode ser destrutivo identificar-se com o Eu Superior?"

Se você se identificar com o seu Eu Superior sem estar verdadeiramente consciente do seu Eu Inferior, da sua Máscara, das suas defesas, de seus expedientes desonestos e sua intencionalidade negativa, então a sua identificação com o Eu Superior torna-se uma fuga e uma ilusão. Nessas circunstâncias, essa experiência não é confiável ou real. Ela se parece mais com sustentar "da boca para fora" uma filosofia na qual você acredita no nível puramente intelectual. Não existe problema em saber que você é uma manifestação divina com poder potencialmente ilimitado para mudar a si mesmo e a sua vida, que você é o próprio espírito do Universo em forma manifesta. Isso é verdade. E ainda assim é uma meia-verdade quando esse tipo de identificação negligencia a parte de você que precisa de um exame minucioso e de uma atenção sincera.

Seguindo a mesma linha de raciocínio, pode-se dizer que se identificar com o seu Eu Inferior ou com sua Máscara é uma coisa, mas observá-lo e identificá-lo é outra. Quando você está identificado com o seu Eu Inferior, você acredita que ele é tudo o que existe em você. Quando você o identifica, observa, admite e lida com ele, você não acredita que ele seja toda a sua realidade. Se fosse, você não poderia identificá-lo, observá-lo, avaliá-lo, analisá-lo e modificá-lo, pois aquela parte de você que faz toda essa observação está certamente com mais controle, tem mais poder e é mais ativa e real que a parte que está sendo observada, avaliada ou modificada. No momento em que você identifica algo, bom, mau ou indiferente, a parte que identifica é mais você que o que quer que esteja sendo identificado. Em outras palavras, o observador é mais real e detém mais controle que o observado.

Essa é a imensa diferença entre identificar alguma coisa e identificar-se com ela. Quando a Máscara e o Eu Inferior, ou a intencionalidade negativa, estão sendo identificados, há espaço para que sentimentos verdadeiros, inclusive a dor, sejam honestamente experimentados, e a dor não precisa mais ser negada. Isso se dá porque a energia que não é mais investida na negação o trará para a verdade. E, quando pode verdadeiramente vivenciar os seus sentimentos, você pode identificar-se com o Eu Espiritual.

O Eu Inferior deve ser identificado por você; o Eu Espiritual deve ser identificado com você. O Ego faz a identificação, mas se entrega voluntariamente de modo a ser integrado no Eu Espiritual.

Como abandonar a intencionalidade negativa

No processo de abandonar a intencionalidade negativa, a pessoa já se sente como algo mais que o seu Eu Inferior, que deve ser dissolvido. Quer dizer: suas energias estão sendo dissolvidas na sua forma atual e estão sendo reconvertidas, alteradas e canalizadas para um caminho novo e melhor. A recusa sem sentido em abandonar a vontade negativa existe porque a pessoa está completa e totalmente identificada com esse aspecto da personalidade, a despeito de outros aspectos desenvolvidos da personalidade aos quais isso pode não se aplicar. Em outras palavras, essa não é uma condição total. Não é correto dizer que uma pessoa ou está inteiramente identificada com o Eu Inferior ou não se identifica com ele de forma alguma. Existe invariavelmente uma combinação: alguns aspectos da personalidade estão livres, e nessas áreas uma profunda identificação espiritual pode ser sentida. Ao mesmo tempo, os aspectos ainda não identificados do Eu Inferior, os sentimentos ainda não vivenciados criam, em parte, um assustador mergulho no Eu Inferior, que a personalidade acredita ser a sua única realidade. Ao mesmo tempo uma terceira identificação, na qual o Ego é considerado como a única função válida e confiável, também pode existir. É assim que as pessoas estão divididas em relação à identificação.

Quando existe uma identificação secreta, embora parcial, com o Eu Inferior, abandoná-la é semelhante à auto-aniquilação. Para aquela parte da personalidade que é destrutiva, cruel, odiosa e rancorosa, isso parece o verdadeiro Eu. Tudo o mais parece irreal, talvez até mesmo falso, especialmente quando um verniz realmente falso é usado para encobrir a realidade do Eu Inferior. O abandono do ódio, do rancor e das intenções negativas se parece com o abandono do próprio ser. Essa auto-aniquilação aparente é um risco que não se pode correr, mesmo se a promessa lhe aponta que alegria e satisfação resultam desse sacrifício. Na melhor das hipóteses, essa alegria parece acontecer para uma outra pessoa que não o você familiar. De que adiantam a alegria, a satisfação, o prazer, o respeito próprio, a abundância, se eles serão experimentados por outra pessoa que não você? Esse é um sentimento e um clima não articulados em palavras.

Essa é a parte mais difícil de vencer. Ou, talvez, eu devesse corrigir essa afirmação e dizer que essa é a segunda parte mais difícil. A primeira é assumir o compromisso inicial de descobrir a verdade a respeito de si mesmo. Isso inclui a observação e a admissão mental dos seus verdadeiros pensamentos, a experiência de todos os sentimentos e a tomada de responsabilidade por eles em todos os níveis. A segunda é desembaraçar-se da sua identificação com o seu Eu Inferior.

Quando vivencia a si mesmo como real apenas no Eu Inferior, em qualquer medida que isso possa ser verdadeiro, você não pode abandoná-lo. A recusa em fazê-lo é a vontade de viver, só que deslocada do seu verdadeiro lugar. Você vive na ilusão de que, além dos seus aspectos mais negativos, nada mais do seu ser existe. Você só se sente real e energizado quando a negatividade e a destrutividade se manifestam, não importa o quanto o ambiente limite isso e o obrigue a experimentar essa energia como se existente apenas no seu interior. O amortecimento e o entorpecimento externos parecem resultar do fato de se ter "abandonado" o mal; mas ele não foi deixado de lado, absolutamente.

Meus amigos, deixem que isso os penetre: sua resistência em abrir mão daquilo que mais odeia em si mesmo deve-se a uma falsa identificação.

A saída

Como você vai achar a saída? A primeira coisa a fazer seria questionar a si mesmo: "Isso é realmente tudo o que sou? É verdade que a minha realidade deixa de existir quando eu abandono a minha vontade e a minha intenção negativas? Isso é tudo o que existe em mim?" O simples fato de levantar tais questões honestamente já vai abrir uma porta. Mesmo antes de virem as respostas — e elas em algum momento virão à luz — o fato de essas perguntas serem feitas permitirão que você chegue ao segundo estágio dessa progressão: você se dá conta de que a parte que faz as perguntas já está além da sua identidade presumida. Assim você já estabelece uma nova ponte. Daí em diante, não será tão difícil ouvir uma voz em você que responde de uma nova maneira, além do escopo limitado do Eu Inferior, que você costumava proteger com tanto zelo.

Procure formular perguntas experimentais, feitas de boa vontade e de boa-fé. Esse é o primeiro passo para descobrir a saída da sua prisão de sofrimento desnecessário. Quando você age dessa forma, não se identifica mais com o Eu Inferior, que não conhece nada além do limite dessas muralhas e que deriva a sua identidade, ou realidade, do fato de ser negativo. Em lugar disso, você chega ao ponto no qual pode identificá-lo e ser o seu observador. A identificação com o observador transforma-se então no primeiro passo de afastamento e de um primeiro avanço além da sua experiência familiar de si mesmo.

Presumamos, por exemplo, que você se acostumou a se considerar uma pessoa arrogante, fria e cheia de desprezo. O abandono dessa atitude se parece com morrer. Mas em que você se transforma com essa morte? Você se transforma no seu Eu Verdadeiro, onde estão os seus reais sentimentos e o seu verdadeiro ser. Caso esteja disposto a vivenciar seus sentimentos independentemente da sua natureza, você saberá quem você é. Caso não esteja, você continuará a ser aquele "eu" rígido, endurecido e limitado. Aqui reside a sua chance.

Não se pode alegar que, quando abandonar sua intencionalidade negativa, você instantaneamente passará a gozar a bem-aventurança. Você sentirá os seus sentimentos verdadeiros, alguns deles muito dolorosos. Mas a dor será muito mais fácil de suportar do que a posição que você mantém agora. Na sua natureza fluente, essa postura vai transportá-lo a novos e melhores estados, como o faz o rio da vida.

O compromisso deve sempre ser assumido com a verdade da personalidade — o que ela realmente sente e pensa que é. Se o alvo é um compromisso com a personalidade, com o Eu, então você não pode falhar em atingir a auto-realização. Você alcançará sentimentos mais profundos. Você irá até mesmo dar as boas-vindas à dor, porque ela é real, está em movimento e é totalmente você.

As primeiras respostas que você receberá para as suas perguntas podem nem mesmo vir ainda do seu Eu Espiritual mais profundo. As primeiras respostas podem vir da sua mente consciente. Sua capacidade de formular novas possibilidades e respostas, e de usar o conhecimento da verdade que já está integrada à sua consciência, será sentida como algo seguro e muito real. Ao mesmo tempo ela lhe dará uma nova chave para usar o equipamento à sua disposição de outras maneiras que não a sua velha rotina.

Esses novos pensamentos podem levar em consideração o fato de que tentar uma intencionalidade positiva pode ser inteligente e desejável para você. Você pode, primeiro, brincar formando novos pensamentos, pesando novas possibilidades e alternativas em relação à maneira pela qual você estabelece o seu aparato de pensamento. Essa é uma empresa excitante e que não o obriga, em princípio, a seguir qualquer curso de ação. Significa simplesmente dar um novo alcance a uma mente fortemente estabelecida. Você sempre pode exercer o seu direito de voltar ao ponto onde estava; você nunca é coagido pela vida ou por quem quer que seja. A escolha é sempre sua. Esse conhecimento vai fazer com que o risco aparente de experimentar uma nova direção de pensamento pareça menos definitivo. Apenas investigue o que sente ao pôr em movimento uma intencionalidade positiva. À medida que você dispõe dessa nova liberdade para si mesmo, você constrói uma outra ponte para uma maior expansão do Eu. Pouco a pouco, você começa a ficar calmo e a ouvir a si mesmo. Você perceberá a voz constante e sempre presente da verdade e de Deus. Ela vai aumentar de freqüência até que você se dê conta de que você é tudo o que existe. Não existe nada que vocês não sejam, meus amigos. Isso pode parecer muito distante, mas não está tão afastado quanto agora pode parecer.

Vocês, que se tornam disponíveis a novas possibilidades de conceber, perceber e formar novas atitudes interiores vão experimentar a riqueza do Universo, a riqueza do seu ser mais íntimo. Daí resultam uma nova ação e uma nova experiência exterior. Vocês, que continuam confinados às suas velhas possibilidades, devem continuar numa situação insatisfatória, não importa quão desenvolvidos possam ser em relação aos outros. Não há como ficar parado. Se fica estático, você se confina. Somente quando continua a se expandir é que você pode realmente vir a ser você mesmo.

Uma bela energia dourada quer abrir caminho através das nuvens. As nuvens se dispersam mais e mais. Na medida em que você simplesmente deseja que elas se dispersem, menos espessas elas vão se tornando. Quanto mais você se esconde por trás da negação e da dúvida, que são as mais fortes defesas contra sair do seu próprio controle, mais difícil é para a força e o sol dourados atravessá-las. Mas eles estão lá. Não acredite que você tem de se transformar numa pessoa diferente. Você fica melhor do que nunca. Quando essa mudança ocorrer, você vai reconhecê-la, vai experimentar a sua familiaridade e sentirá como é segura, como você é ela. Ela é o melhor que há em você. Você não trai a própria realidade, não se torna algo do que tenha que se envergonhar. Tente acreditar nisso. Relaxe um pouco. Deixe que a luz o penetre e aceite que a realidade não é desalentadora. A realidade é linda. O Universo está cheio de amor. A realidade é o amor e o amor é a verdade. A liberdade do seu próprio espírito será encontrada na verdade e no amor. Abençoados sejam todos vocês!

CAPÍTULO 22

ॐ

A TRANSIÇÃO PARA A INTENCIONALIDADE POSITIVA

Saudações. Deus abençõe a todos os presentes. Concentrem-se na dimensão que agora deseja comunicar-lhes sua plenitude e riqueza. Vocês podem ser enriquecidos, se assim quiserem. É uma questão de concentração e de intenção. Peçam por orientação interior para ajudá-los nessa empresa, de forma que esta palestra seja novamente útil como um passo adiante na sua busca.

Eu gostaria de falar novamente — desta vez num nível mais profundo e com uma nova abordagem — da sua tentativa de transformar a intencionalidade negativa em expressões positivas. Muitos de vocês que trilham este Pathwork estão finalmente conscientes daquilo que antes ignoravam, negavam ou reprimiam. Como é importante e vitalmente essencial isso, sem qualquer caminho de autoconhecimento, auto-enfrentamento e purificação! Mas não é suficiente, meus amigos, ter consciência; é preciso mais.

Eu também disse que uma das razões fundamentais para a dificuldade em proceder a mudança da intencionalidade negativa para a positiva é que, secretamente, a personalidade se identifica quase que totalmente com a parte destrutiva; portanto, abandonar essa parte da personalidade parece temerário, perigoso e aniquilador. A questão então é como proceder para mudar esse sutil sentimento interior de identidade. Quando não se admite ao Eu expressões negativas, elas se congelam numa ferida infeccionada de culpa e desconfiança em si mesmo, a qual, traduzida em palavras concisas, significaria: "Se a verdade a meu respeito fosse conhecida, todos saberiam que eu sou completamente mau. Mas, uma vez que esse é o meu verdadeiro eu, e uma vez que eu não quero deixar de existir, não posso querer abrir mão de mim mesmo. Tudo o que posso fazer é fingir que sou diferente."

Esse é um clima devastador na alma humana, no qual a confusão cresce e o genuíno senso de identidade se perde cada vez mais. O conhecimento teórico correto, no intelecto, pouco faz para aliviar essa condição perturbadora e dolorosa. Nesta palestra, trataremos mais detalhadamente do processo que recomendei para efetivar uma mudança.

Examine todos os pensamentos

O primeiro passo é dar-se conta de que a sua intencionalidade negativa não é realmente inconsciente no sentido estrito da palavra. Ela não é, absolutamente, um material profundamente reprimido. Ela é, na realidade, uma atitude e uma expressão conscientes; apenas ocorre que você optou por ignorá-la, até finalmente "esquecer" que ela está presente. O ato deliberadamente sustentado de desviar o olhar de alguma coisa resulta, com o tempo, em não se ver o que estava lá todo o tempo. No momento em que os olhos começam a entrar em foco novamente, o material torna-se imediatamente discernível. Um material desse tipo não é, na verdade, inconsciente. Essa diferença é muito importante.

A esta altura, muitos de vocês aceitam, encaram e admitem uma parte dessa intencionalidade negativa, mas não toda ela; vocês ainda preferem ignorar uma porção. Para tornar totalmente consciente o material restante, e também para produzir a mudança da intencionalidade negativa para a positiva, é preciso que você examine atentamente aqueles padrões de pensamento diários "pequeninos e triviais" que se tornaram parte integrante de você a tal ponto que dificilmente lhe ocorre prestar atenção neles. Contudo, todos os processos de pensamento têm um tremendo poder e devem ser perquiridos. Muitos pensamentos e reações automáticos são deixados de lado e idealizados; seu significativo poder é ignorado. Assim, você pode ignorar uma reação de má-vontade, inveja ou ressentimento acusador apesar de notar a sua intencionalidade negativa em outros aspectos. Mas são essas pequenas reações habituais que devem ser exploradas.

Por exemplo, você pode admitir um ódio ou raiva irracionais. Pode asseverar externamente que essas reações são irracionais, mas uma parte de você ainda se sente no direito de ter todos esses sentimentos por sentir-se injustamente tratada. Você ainda reage ao passado e traz sua reação para o presente. A dor e a angústia passada podem realmente ser reprimidas no verdadeiro sentido da palavra. Para tornar acessível a real experiência direta é preciso lidar com a defesa de uma maneira mais completa. A defesa é sempre, de uma forma ou de outra uma intencionalidade negativa, que não é realmente inconsciente. A dor do passado, a experiência que você nega para si mesmo, torna-se uma reação distorcida no presente. E essas reações devem ser vistas como realmente são.

Suponhamos que você descubra que está com raiva e ressentimento numa situação presente. Como eu já disse, geralmente você sabe e admite que esse é um sentimento negativo, mas emocionalmente ainda sente que está certo a respeito da questão. Pode haver aqui uma dolorosa confusão: uma parte de você sente que suas demandas e reações são injustificadas; uma outra parte sente-se tão carente e exigente que reage como se pensasse que o mundo devesse girar à sua volta, e o impede de ver todo o quadro objetivamente.

Nesse estágio, é preciso extrair o pensamento que fermenta no seu interior e examiná-lo com aquela parte de você que é madura. Você deve seguir esse pensamento confuso em todo o seu trajeto e usar todos o seus recursos e toda a sua atenção para ir mais longe na sua compreensão de si mesmo. Então, seus sentimentos negativos, com os pensamentos distorcidos que estão por trás deles, serão realmente defrontados por pensamentos verdadeiros, maduros e realistas. Estes não devem forçar aqueles a se esconderem novamente. Isso deve ser terminantemente evitado — e você, que segue este Pathwork, já sabe o bastante para não ser tentado a cair nesta armadilha. O processo deve ser um diálogo consciente. Este é um processo integrativo que, com o tempo, acabará com as divisões e estabelecerá uma identificação com o seu Eu maduro, construtivo e genuíno.

É preciso não só admitir a existência de atitudes equivocadas, destrutivas, mesquinhas e irreais; o próximo passo é saber exatamente por que essas atitudes são negativas e de que maneira elas distorcem a verdade. Você então pode considerar inteligentemente a situação realista em vez de optar por uma visão infantil e distorcida. Se você puder expressar o desejo e a intenção inteiramente irracionais que estão por trás da atitude destrutiva e, depois, expressar a maneira pela qual essa intenção se opõe à realidade, à justiça e à verdade, então, qualquer que seja a negatividade, você terá dado um outro grande passo rumo à sua transformação em intencionalidade positiva. Você terá removido uma defesa desnecessária, que o impede de viver a vida.

Seu pensamento adulto tem que se expressar ao lado do seu pensamento destrutivo infantil sobre a questão na qual você se encontra envolvido de forma tão emotiva. Isso você pode fazer, caso realmente o queira. Seus processos de pensamento geralmente funcionam muito bem quando você assim o deseja. Os processos são normalmente os mais desenvolvidos e podem ser postos a serviço do processo de purificação.

É absolutamente necessário que você conheça as ramificações e o significado das suas atitudes falhas; por exemplo, saber por que a sua raiva, a sua hostilidade, o seu ciúme, a sua inveja e as suas exigências parciais e unilaterais são verdadeiramente injustos. Só então você entenderá também que uma raiva sadia pode ser justificada. Quando isso é compreendido, você pode senti-la de forma limpa, sem culpa, dúvida, fraqueza e efeitos adversos duradouros. Embora o fato de sentir raiva e mágoa possa ser justificado, enquanto não souber claramente se a sua raiva é justificada ou não, você ficará sempre confuso. Sempre flutuará entre a culpa e o ressentimento, entre a negação e a rejeição de si mesmo, dos outros e da vida, e entre o medo e a acusação. Você irá, por um lado, tentar aliviar suas dúvidas em relação a si mesmo esforçando-se por criar argumentações; por outro lado, vai estar paralisado pelo medo e pela fraqueza, incapaz de auto-afirmar-se. Você vai estar igualmente fraco e confuso em situações nas quais expressa as suas exigências irracionais e infantis (e, então, a sua intenção negativa, uma vez que essas exigências não sejam atendidas) ou em situações nas quais você tem de proteger os seus sentimentos em nome da verdade. Com freqüência, ambas essas expressões existem numa mesma situação, o que torna tudo mais confuso ainda.

Sua mente sozinha não pode resolver esses conflitos. Os elementos destrutivos têm que ser admitidos primeiro; mas então a mente terá de confrontá-los e opor-se a eles, compreendê-los e corrigi-los.

Se a inteligência adulta é usada meramente para racionalizar a confusão dolorosa, para elaborar argumentos de defesa, para justificar a sua própria situação ou para proteger a pessoa da admissão da intenção negativa, então nada jamais se ganha. Mas se a mente adulta é usada para lançar luz sobre as demandas irracionais, tornando claro que elas são irreais e injustas e mostrando que as reações emotivas resultantes se mostram destrutivas para todos os envolvidos, então muito será obtido, e a verdade da situação emergirá.

Vá até o fim

Esse é o trabalho que o aguarda na sua próxima fase do Pathwork. Você já fez um bom progresso admitindo uma intencionalidade negativa parcial, mas por vezes essa admissão torna-se ela mesma uma fuga sutil.

Ao meramente admitir repetidas vezes um sentimento negativo, sem ir adiante, sem examiná-lo para descobrir por que e como ele está errado, você apenas abre mais uma pequena porta dos fundos. Você parece fazer a coisa certa, mas se recusa a realmente ir em frente, a ir até o fim.

As tentações do mal são muito sutis. Cada verdade pode ser posta a serviço de uma distorção. Eis por que é necessária tanta vigilância. É também por isso que fazer a coisa certa nunca é por si mesmo uma garantia de que se é verdadeiro e se está em harmonia com a lei universal. Não existe uma fórmula que possa protegê-lo do mal; somente a sinceridade de coração pode fazê-lo. Essa sinceridade de coração e essa boa vontade devem ser cultivadas sempre. Ela vem da limpeza espiritual, derivada da prática da revisão diária, da meditação e do compromisso com o mundo de Deus, com o mundo da verdade, do amor, da honestidade e da integridade. Quando existe disposição para honrar a decência, a verdade, o amor e a justiça, mais do que as aparentes vantagens do pequeno Ego, medroso, aprisionador e vaidoso, a sua libertação realmente prossegue com toda certeza. Quando isso é feito nos níveis interiores que você está contatando agora através deste trabalho, e não apenas superficialmente, no nível do ser exterior, a purificação torna-se muito profunda.

Una o nível da mente ao nível dos sentimentos. Examine o significado da sua experiência sentimental e a validade e a realidade que estão por trás do sentimento. Descubra se a presunção que subjaz a uma reação sentimental é válida. Qualquer atitude destrutiva é a expressão de um julgamento de valor subjacente, e esses julgamentos de valor devem ser muito claros quanto à sua exatidão ou falácia.

A dúvida só pode ser eliminada quando você dá espaço para uma atitude confiante e a experimenta. Caso simplesmente você admita a sua desconfiança, sem ir além para descobrir o que ela significa, por que ela está errada e como poderia ser diferente, você continua no *status quo*. Você tem de examinar o pensamento e as conclusões inerentes ao rancor, à desconfiança, ao ciúme, à hostilidade, etc, porque essas conclusões estão apenas na sua mente.

Os seres humanos têm todos os tipos de pequenos pensamentos todos os dias e em todas as horas da vida. Eles não prestam atenção a eles, mas esses pensamentos significam muito. Pensamentos têm muito poder. Todo o pensamento cria. Os seus pensamentos, tanto quanto os seus sentimentos, criam as suas ações e as suas experiências. Eles criam o estado do seu corpo, da sua mente, da sua alma e espírito.

É chegado o tempo, meus amigos, no qual um número cada vez maior de vocês pode dar esses passos de transição, passos realistas, pelos quais o mal é transformado. Você vai entregar-se a plena experiência de todos os sentimentos e dar à sua consciência o poder de governar a vida que você quer ter.

Isso é a criação positiva em ação. Isso pode ser feito. Solicite a sua orientação interior a cada passo do caminho, para deixá-lo alerta e consciente para não soterrar aquilo que deve ser tratado. Ao fazê-lo, você não apenas saberá em cada fibra do seu ser, mas sentirá e vivenciará que o que você teme é ilusão e que o Universo é um lugar rico e cheio de alegria.

Na meditação depois desta palestra, expresse a sua confiança no Universo; pense que você pode realmente ter abundância, alegria e a realização da sua vida, da sua encarnação — e essa realização traz uma paz profunda. Abençoados sejam, todos vocês, meus queridos.

CAPÍTULO 23

UM PROCESSO DE VISUALIZAÇÃO PARA CRESCER RUMO AO ESTADO UNIFICADO

Saudações e bênçãos. Esta palestra é mais um passo para ajudá-los de um modo bem específico. No processo de crescimento e expansão, a personalidade individualizada deve, sempre, evoluir em direção a novos estados de consciência e experiência. Cada estado aprofunda-se em alcance e libera uma nova substância criativa com a qual se geram experiências de vida e mundos desejáveis. Dessa forma, uma parcela cada vez maior da abundância do Universo passa a ficar disponível para o indivíduo.

Todos vocês sabem que a visualização é essencial para o trabalho de criação e recriação realizado na meditação. A menos que você possa visualizar o estado para o qual pretende dirigir o seu crescimento, dificilmente será possível alcançá-lo. Contudo, é extremamente difícil visualizar um novo estado, direcionando para ele o crescimento, sem que exista algum tipo de exemplo.

Nesta palestra, quero oferecer alguns indicadores e conceitos iniciais bem definidos do que procurar, com que sintonizar-se e o que estar preparado para assumir como seus potenciais até aqui adormecidos. Vou traçar um quadro de como é, interna e externamente, chegar ao ponto no qual a personalidade se une verdadeiramente ao Eu Divino interior, à inexaurível riqueza que é o núcleo interior de cada ser humano; o próprio centro do ser do indivíduo. Esta palestra é apenas um esboço que descreve certas condições e expressões muito básicas que podem ser seguramente generalizadas e aplicadas a todos vocês que atingiram o estado no qual o seu Eu Divino é constantemente expressado e realizado. Tentarei dar-lhes um conceito e uma visão de maneira que vocês possam começar a ver com novos olhos, e talvez reconhecer em outros aquilo para o qual antes estavam cegos.

Assuma um compromisso de todo o coração

Quando as pessoas chegam à situação de optar deliberada e conscientemente por dedicar-se à vontade e à realidade divinas, então é lançado o alicerce para que ocorram certas mudanças vitais em sua vida interior e exterior. Esse é um compromisso com a consciência absoluta que habita em toda criatura. Ela pode ser chamada por qualquer nome que você queira; Deus, consciência universal, Eu Verdadeiro, Eu Interior — qualquer que seja o nome que você atribua àquilo que transcende o pequeno Ego. Quando esse compromisso de todo coração é plenamente assumido, então certas coisas começam a acontecer na vida da pessoa. Obviamente, não se chega a esse estado cruzando-se uma linha claramente definida, mas através de um processo gradual. Antes de descrever esse processo, eu gostaria de dizer que você não deve se desviar do rumo pelo fato de ter assumido conscientemente um compromisso como esse e não encontrar a ocorrência de nenhuma grande mudança interna ou externa em sua vida.

Alguns de vocês podem se dedicar a Deus num nível consciente, mas talvez podem não perceber que existem outros níveis da personalidade em que isso não ocorre. Pode parecer muito fácil acreditar, num nível meramente consciente, que esse compromisso com Deus é o que você quer. Conscientemente, você pode estar cheio da boa vontade e realmente querer isso. Porém, a menos que tenha realmente experimentado os níveis contraditórios que existem no seu interior nos quais você não quer isso (ou nos quais você apenas o quer nos termos do seu próprio Ego, termos esses que destroem o ato da entrega de si mesmo), você vai querer voltar atrás. A menos que você admita a sua oposição, o seu medo, a sua obstinação e o seu orgulho, seu compromisso consciente será sempre bloqueado. A menos que você assuma o nível contrário do Ego que se esconde por trás da sua boa vontade, você pode nem mesmo compreender por que certos resultados ainda estão ausentes, a despeito do seu compromisso consciente em relação a verdade, a Deus, ao amor. Essa consciência é muito importante, e o Pathwork lida com ela de uma maneira muito intensa, para ajudá-lo a evitar uma das mais insidiosas obstruções: enganar-se a si mesmo.

Nós buscamos e trazemos à luz aquela parte negativa da personalidade que diz "eu não quero". Você aprenderá a ter a coragem, a humildade e a honestidade de expor essa parte — a parte que diz até mesmo "eu quero resistir. Quero ser rancoroso. Quero tudo à minha maneira ou então não quero nada!" Apenas quando as pequenas fendas da sua substância psíquica se abrem e expõem essas áreas é que você pode começar — freqüentemente com muito conflito — a modificar esse nível negativo, essa porção mais escura da sua personalidade. Quando ela fica escondida, você fica dividido e não compreende por que seus esforços positivos não vão adiante.

É então que chega o ponto em que você terá vencido essa batalha em particular. Nesse estágio, você pode abraçar a entrega à consciência divina e confiar nela com todo o seu coração. Novamente, porém, isso não ocorre de um golpe. A princípio, essa entrega exige que se lute por ela a cada momento. Você precisa de disciplina para lembrar-se dela. Embora a resistência tenha deixado de existir, o Eu Exterior ainda está condicionado ao velho funcionamento e, automaticamente, se põe à frente no nível mais superficial da mente. Nesse estágio, é preciso que você adquira um novo padrão para os seus hábitos. Talvez quando você estiver realmente com problemas, num estado de crise, vá lembrar de se abandonar, deixando que Deus assuma o comando. Mas na vida comum, nos seus afazeres cotidianos, isso ainda não ocorre. Talvez você possa fazê-lo nas áreas onde é relativamente livre, mas ainda se depara com a sua velha obstinação, com a sua velha desconfiança e falta de memória naquelas áreas em que os problemas persistem. Somente aos poucos você alcança o estado no qual um novo padrão de hábitos é instituído, no qual o ato de se entregar ao todo é realizado, onde ele se manifesta e permeia todos os seus pensamentos e percepções, todas as suas decisões e ações, todos os seus sentimentos e reações. Ainda voltaremos a esse ponto.

Vida interior e vida exterior

Primeiro, deixe-me falar sobre o relacionamento que existe entre a sua vida interior e a sua vida exterior. Existe muita confusão a respeito deste tópico. Há aqueles que alegam que apenas a vida interior é importante. Eles bloqueiam o inevitável movimento da vida interior para a exterior porque não vêem a limitação e a falsidade dessa idéia. Se a unificação e o processo divino estão realmente em movimento, o conteúdo interno deve expressar-se externamente. Em suma, a vida exterior deve espelhar a vida interior em cada aspecto possível. Mas se a sua consciência ignora essa verdade, ou mesmo abraça fortemente a crença oposta de que o exterior não importa, então você impede fluxo de todo o processo. Caso isso aconteça, o material energético mais radiante não pode expressar-se no nível do material mais grosseiro e, assim, aprimorá-lo.

O falso conceito de que o nível exterior não tem importância encerra a verdade e a beleza espirituais interiores que estão por trás de um muro, separando-as da realidade material. A pessoa com esse falso conceito começa a ver uma dicotomia entre duas coisas que, na realidade, são uma. Muitos movimentos e escolas espiritualistas de pensamento pregam o ascetismo e a negação da vida exterior sob o argumento de que essa atitude amplia a vida espiritual interior. Essa distorção é uma reação ao seu oposto, igualmente distorcido, cuja posição proclama que a forma externa é mais importante que o conteúdo interior e que pode chegar mesmo a negar que exista alguma realidade ou conteúdo interiores. Antes, afirma que só a forma exterior tem importância. O verdadeiro crescimento interior deve, no devido tempo, manifestar-se também exteriormente, embora não necessariamente com a velocidade que a pessoa orientada para o exterior pretende e que, ao esperar uma mudança instantânea, está cometendo equívocos de julgamento. Sem dúvida, é possível expressar a forma externa sem que isso seja uma expressão do conteúdo interno. Você deve, portanto, ser cuidadoso nas suas avaliações.

Essas duas distorções são contra-reações falhas, cada um tentando eliminar a outra através de uma compreensão errada da sua própria posição. Esse fenômeno pode ocorrer em todas as questões desde que a consciência esteja presa à ilusão dualista. Ao longo de diferentes eras e civilizações, e em diferentes condições culturais, uma dessas distorções opostas pode ser adotada até que o pêndulo oscile para a outra. Somente uma pessoa realmente coerente, realizada e integrada expressa a forma exterior como conseqüência inevitável do conteúdo interior.

Quando a forma exterior existe sem o conteúdo interior, ela é uma capa temporária que inevitavelmente se rasgará, embora aparente a perfeição gloriosa da realidade divina e das suas expressões. Novamente, esse é um processo que se repete em muitas áreas no decorrer do desenvolvimento humano. Todavia, uma lei vigente determina que todas as falsas capas devem rasgar-se e desfazer-se. Quando a forma exterior existe sem conexão com um conteúdo interior orgânico, ela se desintegra. Se ela existe apoiada em premissas falhas baseadas em aparências, na confusão entre a vida exterior e a interior, então a forma exterior primeiro tem que desabar para poder ser reconstruída como uma expressão orgânica do movimento e do conteúdo interior. Somente quando a forma exterior desaba e o caos interior é exposto e exaustivamente eliminado é que a beleza interior pode construir a beleza exterior, é que a harmonia interior pode construir a harmonia exterior e a abundância interior pode construir a abundância exterior. Uma visão clara desse princípio também é necessária para criar uma visualização do seu próprio movimento, o qual pode então manifestar-se na sua própria vida exterior como resultado do seu processo interior.

A realização da vida divina

Analisarei agora manifestações específicas que ocorrem numa pessoa que realmente está profundamente ancorada no processo de realização da vida divina na consciência do Ego. Quais são as atitudes, manifestações e expressões internas e externas de uma pessoa assim? Todas as decisões, grandes ou pequenas, são tomadas apoiadas na base da entrega de si mesmo, na qual o pequeno eu se abandona ao Eu Divino. Ele se põe de lado e permite que a sabedoria interior o permeie. Nesse processo, a personalidade se dá conta de que não há nada que não seja importante. Cada pensamento, cada opinião, cada interpretação, cada forma de reação recebe a chance de ser permeada pela consciência maior.

A essa altura, a resistência em prestar atenção a tudo o que ocorre é superada; formou-se um novo hábito, de modo que, agora, o processo divino se autoperpetua. Ele é tão parte da pessoa como um todo que opera mesmo naquelas raras ocasiões em que a personalidade se esquece de estabelecer o contato, quando, talvez, uma velha área ainda não aprimorada se manifesta e empurra a personalidade na direção errada. O Eu Interior está suficientemente livre para poder fazer advertências, para discordar e aconselhar — e então, deixar a decisão quanto a seguir ou não esse conselho para a personalidade exterior. Esse já é um estado de graça. Foram estabelecidas responsabilidade e confiança como resultado da prova repetida de que a realidade divina traz verdade, sabedoria, bondade e alegria. A princípio, a vontade divina não recebe confiança. Ela é confundida com uma autoridade parental não confiável, que muitas vezes pode ter proclamado como bom para a criança algo que realmente provou não ser bom. No estágio em questão, essa confusão deixa de existir. O Eu está plenamente consciente de que a vontade divina está verdadeiramente de acordo com tudo o que o coração possa desejar. Essa confiança cresce gradualmente à medida que você supera a sua resistência e entra no aparente abismo da entrega, abandonando a egocêntrica obstinação.

Esse processo divino autoperpetuador traz uma mudança revolucionária vital para toda a pessoa. Eu posso me referir apenas a algumas das suas manifestações. Pensamentos de verdade serão enviados a todo o seu ser, não obstante os pensamentos limitados que você ainda possa seguir por hábito. Você vai ouvir uma voz interior instruindo-o com uma sabedoria e um espírito unificador que o seu Eu Exterior jamais poderia produzir. De acordo com essa sabedoria, não existe a necessidade de odiar, de sentir auto-rejeição ou de rejeitar outras pessoas. As respostas e revelações mostrarão a unicidade e a unidade de tudo, o que eliminará por sua vez o medo, a ansiedade, os atritos e o desespero.

A submissão do conhecimento do Ego limitado ao conhecimento do Eu mais profundo, de forma a exercer toda a energia, coragem, honestidade e autodisciplina para tornar autoperpetuador o conhecimento mais profundo, conduz à satisfação absoluta. Sem isso como fundamento essencial, nenhuma alegria, nenhum prazer ou satisfação pode existir por muito tempo. Mesmo enquanto eles existem, a satisfação torna-se insuportável e, finalmente, não pode ser aceita. Desista da sua aposta na sua reação negativa, nas opiniões obstinadas da sua pequena mente, na indolência que o força a sucumbir aos velhos hábitos da sua personalidade separada. Você ganhará, assim, um vida verdadeira. Espere pacientemente, mas esteja pronto para receber sabedoria divina, que você pode ativar caso assim o deseje. Quando esse estágio for instituído, ou quando estiver no processo de ser continuamente aprofundado e fortalecido, então outras manifestações começarão a aparecer, interna e externamente.

Você encontrará uma imensa segurança. Essa é uma segurança que só pode ser obtida quando você descobre a realidade do Mundo Espiritual que existe no seu interior e que opera ao seu redor. Conhecerá então a profunda paz do significado da sua vida e de toda a vida. Você vai conhecer intuitivamente as conexões e será permeado por um senso de plenitude e segurança que supera todas as palavras. E tudo isso não será mais uma crença teórica à qual você se agarra ou nega, mas um fato de experiência que você pode reconhecer sempre. Sempre existe uma saída para toda escuridão e, portanto, nunca existe razão para o desespero. Você saberá que sempre é capaz de usar o que quer que experimente para aumentar a sua felicidade. Pontos escuros tornam-se oportunidades para mais luz e não precisam mais ser evitados, quer se trate de dor, de culpa ou de qualquer outra coisa. Você experimentará repetidamente o sistema aberto de criação.

Você conhecerá e usará o seu próprio poder de criar, em vez de se sentir um objeto indefeso num mundo fixo. Paz e conhecimento da retidão da vida provêm da percepção de que o seu mundo, a sua experiência, a sua vida, são criações suas. Isso abre muitas portas. Você não vive mais no mundo bidimensional do ou isto ou aquilo. Você se serve da realidade multifacetada que está à sua disposição.

A confiança e a ausência de medo que você passa a experimentar liberam uma imensa quantidade de energia e de felicidade. À medida que você perde o seu medo da raiva e do ódio, porque pode aceitar a sua própria raiva e o seu próprio ódio, eles deixam de existir. A energia agora está livre para outras expressões melhores. Você se torna capaz de sentir prazer e felicidade e não precisa mais rejeitá-los. Em vez de criar solidão, você pode criar relacionamentos: a felicidade do relacionamento mais íntimo com um companheiro e a satisfação de amizades profundas e abertas. O prazer não o assustará mais porque você sabe em cada poro e em cada célula do seu corpo que o merece. Cada poro e cada cédula em você são expressões de uma consciência que agora está em harmonia com a sua Consciência Divina.

Muitos de vocês se encontram num estado intermediário no qual sentem novas alegrias e novos prazeres que nunca souberam que existissem. A vida se lhes abre como nunca antes. Mas você também não está capacitado a suportar muito disso. A razão para tal é que você ainda não se entregou totalmente à Consciência Divina, ou ainda não encarou suficientemente aspectos negativos que existem em você e ainda se agarra a eles. Portanto, você teme o prazer, que se torna mais assustador que o mundo cinzento que você ainda deseja e cria, um mundo sem prazer nem dor. Você muitas vezes quer decididamente preservar esse estado de cor cinza sem saber que o faz. É um cinzento que lhe dá conforto, mas que a longo prazo o deixa vazio.

Uma inevitável manifestação do processo contínuo de realização do seu Eu profundo é a incrível criatividade que brota da sua vida interior. Você é criativo em idéias, alternativas, em talentos, em riquezas de sentimentos e na habilidade de viver e relacionar-se com as outras pessoas. Você descobre o tesouro dos seus poderes criativos, da riqueza dos seus sentimentos e da plenitude do seu próprio ser. Só passando pelo vazio é que você pode encontrar essa plenitude. E isso exige uma coragem que vem quando você medita ou ora por ela. Você tem de querer a plenitude e dedicar-se a ela. Essa plenitude de sentimentos, essa riqueza de idéias criativas e a capacidade de viver no agora com todo o seu interesse e paz vão aprofundar-se e ampliar-se. Isso não consistirá em opostos mutuamente excludentes, mas em diferentes facetas da mesma plenitude. Os momentos em que você parece perder essa perspectiva serão menos freqüentes e menos conflituosos.

Uma vez que agora você tem o poder de criar, você pode criar uma compreensão intuitiva mais profunda acerca de si mesmo, dos outros e da vida. Sua atitude de relaxamento em relação a cada parte de si mesmo elimina a necessidade de encobrir e de fugir do que quer que exista no seu interior e, portanto, deve torná-lo consciente das outras pessoas nos seus níveis mais profundos. Você lê os pensamentos dessas pessoas e compreende as conexões mais profundas dentro delas e entre elas, de forma a poder ajudá-las, ter empatia por elas e amá-las. Você não precisará jamais temer os outros e defender-se contra eles com as defesas destrutivas do seu Ego.

A união interior com o seu Eu eterno torna possível usar a sua capacidade criativa para explorar qualquer área de verdade universal que verdadeiramente deseje compreender. Você conhece agora o poder do pensamento e da consciência, e pode focalizá-lo como resultado da autodisciplina que aprendeu a ter. Assim você pode cultivar uma receptividade para experimentar o estado eterno além da morte física. Essa percepção não é confiável enquanto você a busca movido pelo medo da morte. Ela só é confiável quando você não teme a morte, porque agora você pode morrer da mesma maneira como pode sentir dor. Sempre que você quer alguma coisa por medo do seu oposto, o resultado não pode ser digno de confiança. Você só pode criar a partir da plenitude, e não a partir da necessidade e da pobreza.

Portanto, a dificuldade está em criar inicialmente a plenitude. A busca do oposto daquilo que você teme é uma fuga e o conduz a uma divisão antes que à unificação. É preciso tomar a estrada exatamente oposta. Você tem de morrer muitas mortes, agora mesmo, a cada dia da sua vida, para descobrir a eternidade da vida. Só então você viverá sem medo.

Como você pode morrer todas essas pequenas mortes? Siga exatamente o processo que descrevi: abra mão do pequeno Ego, das pequenas opiniões, das reações negativas nas quais você investe tanto. Você tem que morrer para isso tudo. O pequeno Ego, com os seus pequenos investimentos, tem de morrer. Dessa maneira você pode transcender a morte e, intuitivamente, experimentar a realidade da vida ininterrupta.

Quando você viver sem medo da morte por experimentá-la tantas vezes, você saberá que, em princípio, a morte física é a mesma coisa. Você descobre isso abrindo mão temporariamente do Eu menor, apenas para encontrar um despertar maior da personalidade, o qual então une-se com o pequeno eu. Você vê, portanto, que nem mesmo o pequeno eu do Ego realmente morre. Ele é ampliado e unificado com o Eu maior e não abandonado. Mas ele parece ser abandonado e você deve estar preparado para dar o salto.

Quando isso acontece, uma medida de eternidade manifesta-se na sua vida no mesmo instante. Ela se manifesta não apenas eliminando o medo de morrer, mas também num sentido prático mais imediato. Ela vai mantê-lo cheio de vitalidade e juventude, dando-lhe como que um gosto prévio da atemporalidade da verdadeira vida.

Outra manifestação exterior é a abundância. Uma vez que a verdadeira vida espiritual é abundância ilimitada, em alguma medida você deve começar a manifestá-la quando concretiza o seu Eu Divino. Se você puder abrir espaço na sua consciência para a abundância exterior como reflexo da abundância universal, você vai criá-la e vivenciá-la. Se a quer vivenciar por medo da pobreza, você também cria uma divisão, uma ruptura. A abundância que você cria por medo não é construída sobre a realidade, e a sua frágil estrutura será inevitavelmente esmagada novamente, de forma que você possa deixar de ser pobre e dissolver a ilusão da pobreza. Só depois disso é que a riqueza real e unificada pode crescer. Somente quando pode ser pobre em primeiro lugar é que você pode permitir-se ser rico como uma expressão exterior do conteúdo interior. Então você não vai mais querer ser rico em nome do poder ou de ganhos externos aos olhos de outros, ou por cobiça e medo, mas para ser uma verdadeira expressão da abundância que é a natureza do Universo.

Outra manifestação exterior do processo contínuo de concretização da vida diária é o equilíbrio apropriado de todas as coisas: o equilíbrio entre o afirmar-se e o ceder, por exemplo. O conhecimento espontâneo de quando um ou outro é adequado vem de dentro. Ou então considere o equilíbrio adequado do altruísmo correto e do egoísmo errado. Todos esses equilíbrios e dualidades vão tornar-se elementos de uma unificação e de uma harmonia espontâneas. O conhecimento intuitivo de quando, do que e de como virá não porque você assim decidiu com a sua mente, mas por ser uma expressão de verdade e beleza interior que alcança expressão no nível exterior, de forma bela e apropriada.

Haverá estabilidade e beleza em todo o seu ser — uma cortesia e um cavalheirismo que nunca precisam ter medo do ridículo, nem que outros tentem tirar vantagem deles. Existirá uma ordem sem um traço de compulsão, ordem em todas as coisas da sua vida. Ordem e beleza são relacionadas e interdependentes. Vai haver generosidade, um dar e receber num fluxo constante. Vai passar a existir uma profunda capacidade de ser grato e de apreciar os outros, a si mesmo e a todo o Universo criativo.

Uma nova liberdade para ser gentil e vulnerável vai fazê-lo verdadeiramente forte e afastar a falsa vergonha. Concomitantemente, você vai sentir uma nova liberdade para ser forte e afirmativo — e até mesmo para ficar com raiva — sem falsa culpa. Você conhecerá e agirá a partir do seu interior, pois estará em permanente contato com a sabedoria, com o amor e a verdade da sua realidade divina interior.

A solidão emocional, que é o quinhão voluntariamente escolhido de tantas pessoas, gradualmente começa a desaparecer entre vocês, meus amigos. No seu desenvolvimento vocês aprendem a ser reais, a funcionar sem máscaras e fingimentos. Conseqüentemente, vocês começam a se sentir bem com a intimidade. Ao deixar simultaneamente de sentir a síndrome dor/prazer, um verdadeiro êxtase e profunda fusão em todos os níveis necessariamente lhes darão a mais profunda realização que um ser humano pode experimentar. Vocês progredirão para novas alturas e profundidades de experiência, nas quais exploram o universo interior em uníssono. A solidão e a tortura do conflito entre a necessidade de proximidade e o medo dela não existirão mais. Esses relacionamentos se fundem em todos os níveis. A abundância do Universo se evidencia em todas as áreas da vida. Vocês a sentirão na participação, no respeito, no calor, na facilidade e no conforto com que você se torna íntimo e se funde com a outra pessoa, ou no dar à outra pessoa e no receber dessa mesma pessoa. A segurança do seu sentimento vai torná-los igualmente seguros a respeito do fato de que estão sendo amados.

Vocês experimentarão a profunda satisfação de dar, de ajudar, de cumprir uma missão e de serem devotados a fazê-lo, e vão regozijar-se no incessante processo criativo que está em ação em tudo isso.

Todos esses são parâmetros para vocês, meus amigos. Estes não devem ser usados para deixá-los desanimados, impacientes ou intolerantes. São parâmetros que vocês podem usar para criar sua visualização interior deliberada em relação a todas e quaisquer dessas expressões de vida. E então vocês talvez fiquem mais fortemente motivados a ir mais longe na procura daquilo que ainda se interpõe no seu caminho. Esta palestra vai lhes dar muitas ferramentas para o trabalho de vocês.

O amor do Universo se estende sobre vocês e penetra fundo nos seus corações, meus queridos amigos. Sejam abençoados. Fiquem com Deus.

CAPÍTULO 24

ಇ

ESPAÇO INTERIOR, VAZIO FOCALIZADO

Meus amados amigos, vocês são abençoados em corpo, alma e espírito. O seu Pathwork é abençoado, em cada passo do caminho. Vocês às vezes podem duvidar disso, quando as coisas ficam difíceis. Mas quando isso acontece, não significa que as bênçãos lhes foram negadas; significa apenas que vocês encontraram partes da sua paisagem interior que precisam ser atravessadas com sucesso. Para cruzar o terreno difícil é preciso compreender o seu significado para o seu próprio ser e, assim, dissolver as barreiras que se erguem no caminho de vocês.

Já discutimos ocasionalmente essa paisagem, esse relevo interior. Fiz menção ao *espaço interior*, que é o mundo real. A expressão "espaço interior" é usada com muita freqüência no mundo de vocês, nos tempos atuais, em oposição a espaço exterior. A maioria dos seres humanos pensam no espaço interior como uma descrição meramente simbólica do estado de espírito de uma pessoa. Não é assim. O espaço interior é uma grande realidade, um mundo real. Ele é, de fato, o Universo real, enquanto que o espaço exterior é apenas uma imagem de espelho, um reflexo daquele. Eis por que a realidade exterior jamais pode ser entendida. A vida nunca poderá ser compreendida e absorvida através da experiência quando é vista apenas de fora. É por isso que a vida é tão frustrante, e freqüentemente tão assustadora, para tantas pessoas.

Vejo que é difícil compreender como o espaço interior pode ser um mundo em si mesmo: *O* mundo. A razão dessa dificuldade reside, novamente, no contínuo limitado de tempo/espaço da sua realidade tridimensional. Tudo o que você vê, toca e experimenta é percebido a partir de um certo ângulo muito limitado. A mente está focalizada, acostumada, condicionada a operar numa certa direção e é, portanto, incapaz, neste ponto, de perceber a vida de qualquer outro modo. Esse modo de perceber a realidade, porém, não é de forma alguma o único, nem o correto, nem o mais completo.

A descoberta da realidade interior

Em toda disciplina espiritual, o objetivo é perceber a vida dessa outra maneira, aquela que vai além do reflexo exterior, que se concentra em novas dimensões a serem encontradas no espaço interior. Em algumas disciplinas, essa meta pode ser diretamente mencionada, ou jamais pode ser mencionada como tal. Mas quando um certo ponto de desenvolvimento e purificação á atingido, a nova visão desperta — algumas vezes de forma repentina, outras vezes de modo gradual. Mesmo o caráter repentino da visão é uma ilusão, porque ela, na realidade, é o resultado de muitos passos árduos e de batalhas interiores.

Foi reconhecido que cada átomo é uma duplicação do universo exterior como você o conhece. Esse reconhecimento é muito significativo. Talvez você possa imaginar que, da mesma maneira que o tempo é uma variável que depende da dimensão a partir da qual ele é experimentado, assim é o espaço. Da mesma forma que não existe realmente um tempo objetivo, fixo, assim também não existe um espaço fixo e objetivo. O seu ser verdadeiro pode viver, respirar e mover-se, e cobrir grandes distâncias no interior de um átomo, de acordo com as suas medidas. Quando o espírito se retira para o mundo interior, a relação de medida muda, do mesmo modo que muda a relação com o tempo. Eis por que você parece perder contato com as pessoas ditas "mortas", e a perder o conhecimento em relação a elas. Elas vivem na realidade interior que, para você, é ainda apenas uma abstração. Todavia, a verdadeira abstração é o espaço exterior. Na morte física, o espírito, aquilo que está vivo, *retira-se* para o mundo interior, e não como muitas vezes se supõe erroneamente, para o céu. Ele não se eleva para fora do corpo; ele não flutua no espaço exterior. Se, por vezes, uma percepção extra-sensorial parece revelar essa visão, esta é, novamente, produzida pelo reflexo do evento interior, como num espelho.

Da mesma maneira, a maioria dos seres humanos, há séculos, tem procurado por Deus lá em cima, nos céus. Quando Jesus Cristo veio, Ele ensinou que Deus vive nos espaços interiores, onde Ele deve ser encontrado. É por isso também que todas as práticas e exercícios de meditação se concentram no espaço interior.

Há muito tempo eu sugeri um exercício de meditação no qual você não pensa, no qual você se esvazia. Aqueles dentre vocês que ocasionalmente experimentam esse exercício sabem como é difícil fazê-lo. A mente está repleta com o seu próprio material e pará-la não é uma tarefa fácil. Existem várias maneiras de fazer isso. As religiões orientais geralmente abordam essa prática através de longa prática e disciplina. Isso, junto com a solidão e a quietude exterior, com o tempo pode produzir a quietude interior.

Nossa abordagem neste Pathwork é diferente. Estes ensinamentos não querem retirá-lo do seu mundo. Pelo contrário, o objetivo é ficar *dentro* do seu mundo, da melhor maneira possível. Compreender, aceitar e criar nele, do modo mais positivo e construtivo. Isso só pode ser feito quando você conhece e entende plenamente a si mesmo e quando atravessa, como eu disse, os espaços difíceis. Isso deve equipá-lo melhor para funcionar nesta realidade tridimensional. Então não existe divisão entre os espaços interior e exterior. Na medida em que a verdade interior reina, aumenta a percepção da verdade exterior. Na medida em que cresce a compreensão que você tem de si mesmo, nessa mesma medida cresce a compreensão do mundo. Ao aprender a remodelar o que em você é imperfeito, falho, você aprende também a reestruturar — a transformar — a sua vida exterior. Aprendendo a respeito da sua eterna beleza enquanto manifestação divina, a sua visão expande-se na mesma proporção para uma maior apreciação da beleza da obra do Criador. Na proporção em que a paz ganha realidade no seu interior, assim você fica em paz com este mundo mesmo quando está cercado por experiências indesejáveis. Em outras palavras: não são necessárias condições exteriores de absoluta reclusão para alcançar o espaço interior. Você toma a rota externa, na qual transpõe diretamente o que parece ser o maior dos obstáculos: as imperfeições existentes no seu interior e à sua volta. Você se aproxima delas, lida com elas, até que percam o seu aspecto assustador. Esse é o seu caminho, o seu Pathwork.

A concentração no vazio interior é um exercício adicional muito útil, mas que jamais deve ser a única abordagem à auto-realização, da mesma forma que o enfrentamento das condições adversas no seu mundo jamais deve ser a única abordagem para a sua salvação e para a salvação do mundo.

O vazio focalizado cresce, ao mesmo tempo deliberada e espontaneamente, à medida que você remove os obstáculos internos. Nos estágios iniciais, você sente apenas isso: o vazio, o nada. Se a sua mente puder se acalmar, você encontra o vazio; é isso que torna essa tentativa tão assustadora. Ela parece confirmar a suspeita de que não há nada dentro de você; de que você é realmente apenas o seu Eu exterior, mortal. É por isso que a mente fica tão ocupada, tão barulhenta — para embotar a quietude que parece anunciar o nada.

Uma vez mais você precisa de coragem para atravessar um túnel de incerteza. Você precisa assumir o risco de admitir a grande quietude, que é, a princípio, vazia de significado, desprovida de qualquer coisa que denote vida ou consciência.

Eu acho que a maioria de vocês já notou que a voz do seu Eu Superior envia suas inspirações através da mente não necessariamente logo depois de uma meditação ou prece, mas passado algum tempo, em geral quando você menos pensa. É nesse momento que a sua mente está suficientemente relaxada e livre de vontade própria para deixar que o Eu Superior se manifeste. O mesmo se aplica em relação à experiência do universo interior — do mundo real.

O vazio focalizado vai colocá-lo em contato com todos os níveis do seu ser. Ele permite a emergência do que estava oculto — as distorções, os erros, o material do Eu Inferior e, no devido tempo, a realidade do seu Eu Superior e o vasto mundo de vida eterna no qual ele habita. Existem muitas etapas e fases a serem vencidas. Os últimos estágios só podem ter lugar quando já tiver ocorrido certa purificação e integração. O vazio não focalizado é uma diminuição da consciência. O vazio focalizado, por sua vez, é um aumento da consciência. O primeiro é uma falta de sintonia, uma vaga viagem a esmo da mente que pode conduzir a um vazio inconsciente. O sono ou outros estados da inconsciência são os seus estágios finais. O vazio focalizado é extremamente concentrado, consciente e plenamente presente.

Se você focalizar o mundo interior e excluir o exterior, você não apenas cria uma divisão, mas também uma condição na qual esquece o propósito da sua encarnação. Como é possível que você cumpra a sua tarefa, qualquer que ela seja, se não utilizar o mundo exterior para esse fim? Você não teria vindo a esta dimensão se isso não fosse uma necessidade para você. Portanto, é preciso fazer uso dela e sempre colocar as condições internas e externas numa relação significativa entre si. Você está aprendendo a fazê-lo neste Pathwork. Todas as suas experiências exteriores estão relacionadas com a sua personalidade, com os vários níveis do seu Eu. O seu ser interior sempre cria as suas condições externas; esta é uma verdade que você logo aprende a reconhecer neste Pathwork. Se o relacionamento entre o externo e o interno não é um modo constante de vida, o equilíbrio inevitavelmente criará condições desfavoráveis. Você pode ver como algumas vezes, no seu mundo, pessoas que praticam muitas boas obras exteriormente enfrentam dificuldades com tanta freqüência quanto outras que nunca dedicam um pensamento ao próximo. A boa intenção e as boas obras exteriores devem ter um foco interno para evitar uma condição de desarmonia e uma divisão perigosa.

Os estágios do vazio focalizado

Com o tempo, o vazio focalizado o leva até a luz do eterno. Talvez possamos categorizar certos estados básicos, mesmo que de forma um tanto simplificada. Na realidade, esses estágios se sobrepõem com freqüência e não ocorrem rigidamente na seqüência aqui esboçada para fins de esclarecimento.

1) Você percebe o ruído e o movimento da mente.

2) Você consegue parar esse ruído, encontrando o vazio, o nada.

3) Reconhecimentos sobre a personalidade, conexões entre alguns aspectos do eu e experiências externas tornam-se claras. Surge uma nova compreensão, e com ela níveis até então não reconhecidos de material do Eu Inferior. Esse estágio é realmente um raio de orientação divina, e não uma mera experiência do Eu Inferior. O reconhecimento do Eu Inferior é sempre uma manifestação da orientação que vem do Eu Superior.

4) Manifestação direta de mensagens do Eu Superior, ou aquilo que você chama de abertura do seu canal. Você recebe conselhos, encorajamento, palavras destinadas a dar-lhe coragem e fé. Nessa fase, a orientação divina ainda opera primariamente através da sua mente. Não se trata, necessariamente, de uma experiência emocional e espiritual total. A manifestação pode excitá-lo e alegrá-lo, mas essa reação é um resultado do conhecimento que a sua mente absorveu e achou convincente.

5) Neste estágio, ocorre uma experiência direta, total, espiritual e emocional. Todo o seu ser é preenchido pelo Espírito Santo. Você *sabe*, não indiretamente, através da sua mente, mas diretamente, através de todo o seu ser. O conhecimento obtido através da mente é, na realidade, sempre indireto. Trata-se de um conhecimento que vem de outro lugar. A mente é o instrumento necessário para que os seres humanos funcionem neste nível de consciência. O conhecimento direto é diferente.

Essa fase tem muitas subdivisões, muitos estágios. Existem muitas, ou melhor, ilimitadas possibilidades nas quais o mundo real pode ser experimentado. Uma delas é simplesmente o *conhecimento total*, o qual afeta cada fibra do seu ser, cada nível da sua consciência. A experiência do mundo real também pode ocorrer através de visões de outras dimensões, mas essas visões jamais são simplesmente coisas vistas. São sempre uma experiência total que afeta a pessoa como um todo.

No mundo real, em oposição ao seu mundo fragmentado, a percepção de cada sentido é total. A visão nunca é apenas visão. É simultaneamente audição, paladar, sentimento, olfato — e muitas outras percepções a cujo respeito você não sabe nada no seu nível de ser. Neste quinto estágio, o ver, o ouvir, o perceber, o sentir, o saber, são sempre totalmente inclusivos. Eles englobam cada capacidade que Deus criou. E você dificilmente pode imaginar a riqueza, a variedade, as ilimitadas possibilidades dessas capacidades.

O vazio focalizado é o estado ideal para sermos preenchidos pelo Espírito Santo. O Espírito Santo é todo o mundo de Deus em todo o seu esplendor, na sua indescritível magnificência. Sua riqueza não pode ser expressa em linguagem humana. Não há como descrever o que existe quando o medo, a dúvida, a desconfiança — e, portanto, o sofrimento, a morte e o mal — são superados. O vazio focalizado é, portanto, nada mais que uma porta aberta para uma plenitude que só existe no mundo do espírito.

A prática do vazio focalizado jamais deve ser realizada com uma atitude de expectativa imediata. De fato, é preciso que não se tenha *nenhuma expectativa*, absolutamente. Expectativas são o mesmo que tensão, e a tensão impede o necessário estado de total relaxamento, interno e externo. As expectativas também são irreais, pois pode levar muitas encarnações de desenvolvimento antes que um ser humano possa chegar pelo menos próximo dessas experiências. Então, a presença de quaisquer expectativas causará decepções que, por sua vez, deflagram uma reação em cadeia de mais emoções negativas, tais como dúvida, medo e desencorajamento.

Estou falando sobre esses tópicos porque eu quero prepará-lo para uma importante prática dentro da meditação. Eu já falei a respeito no passado quando me referi aos vários modos de meditação, particularmente em relação à *impressão* e à *expressão*. Muitas das duas meditações lidaram com impressão, e devem continuar assim. Esse aspecto da impressão é uma limpeza da mente e serve para fazer dela uma ferramenta construtiva. Então a ferramenta se transforma num agente criativo.

O aspecto da expressão começou a se manifestar em certa medida com aqueles cujos canais estão abertos, talvez apenas ocasionalmente. Mas você precisa saber que existem mais estágios, mais fases e possibilidades, e você deve abordá-las com paciência, respeito e humildade. Você precisa compreender que essas experiências vão abrir os amplos espaços nos quais muitos mundos, muitos universos, muitas esferas existem, infinitas planícies, montanhas e mares de indescritível beleza. Você deve saber que esses espaços interiores não são abstrações ou expressões simbólicas; eles são muito mais reais e acessíveis que o seu mundo exterior, objetivado, que você acredita ser a única realidade. O espaço interior é baseado em medidas diferentes, numa relatividade diferente entre tempo/espaço/movimento e medida. Mesmo uma consideração cega e nebulosa desse conceito de sua parte vai mudar a sua perspectiva e criará uma nova abordagem para a continuação do seu trabalho no Pathwork.

Você não precisa passar horas praticando o vazio focalizado. O propósito não é esse. Mas você pode praticá-lo toda vez que rezar e meditar, depois de usar a mente para imprimir a sua substância espiritual e alinhá-la com a intenção divina.

O "você" real que vive no mundo real

O espírito pode penetrar a matéria na proporção em que a verdade espiritual, a saúde espiritual, estão sendo estabelecidas. E a auto-responsabilidade de uma pessoa é, na realidade, a chave para isso. Quando o Eu fica mais forte, uma proporção maior da vida pode penetrar a matéria; uma proporção maior do espírito pode ser suportado na carne. Portanto, você verá, à medida que cresce em estatura, ganhando autoconfiança, mais do seu Ser Verdadeiro é manifestado na sua encarnação física. Mais talentos podem vir à luz, talentos dos quais você nada sabia antes. De repente, uma nova sabedoria se manifesta, uma nova compreensão e capacidade de sentir e de amar; uma força até então não sentida desdobra-se a partir de você. Todas essas manifestações são o "você" real que vive no espaço interior — o mundo real. À medida que você dá espaço para esses aspectos, eles abrirão caminho para o interior da vida da matéria, e cumprirão a sua parte no plano evolutivo. Essas atitudes não crescem a partir de fora; elas não estão sendo acrescentadas a você; são, isso sim, resultado do fato de o seu ser exterior manifesto abrir espaço para o ser interior, até então não manifesto. Isso acontece através do processo de crescimento, o difícil trabalho que você assume neste Pathwork. E, depois de um certo ponto do seu desenvolvimento, ele pode ser ajudado pela focalização sobre o vazio interior até que você descubra que o vazio é ilusão. Ele é uma plenitude, um rico mundo de glória. Você pode receber tudo o de que precisa dessa fonte interior e traduzi-lo na sua experiência exterior.

Ao se aproximar sem medo do vazio, você também remove um obstáculo à vida. Concentrar-se no espaço interior significa, para começar, abordar o que parece ser o vazio. Através desse vazio, você alcança a plenitude do espírito, a totalidade da vida na sua forma pura e desobstruída. Essa substância da vida contém todas as possibilidades de expressão, de manifestação. A alegria de experimentar essa realidade é maior do que qualquer outra. Nessa alegria, está a sua união com o Criador, na qual você é realmente uno.

Vocês podem ver, meus amigos, que nada na personalidade de vocês, nenhum aspecto dela, é insignificante em termos de criação e evolução. Não existe isso de "aspecto meramente psicológico". Toda atitude, toda maneira de pensar, de sentir, de ser e de reagir reflete-se diretamente na sua participação no plano maior das coisas. Sabendo isso, você pode, mais uma vez, achar mais fácil dar mais valor à sua vida, ao seu Pathwork, ao seu esforço. Você aprenderá, uma vez mais, a unificar uma dualidade arbitrária — preocupações espirituais *versus* preocupações mundanas.

Dê espaço à vida desobstruída, ao espírito livre! Deixe-o preencher cada parte do seu ser, de forma a, finalmente, saber quem você realmente é. Todos vocês são abençoados, meus queridos.

UMA PALAVRA FINAL

❧

O MAL TRANSFORMADO; O MAL TRANSCENDIDO; O ESTADO UNIFICADO

Saiba que, por natureza, toda criatura busca ser como Deus. O objetivo da natureza não é nem a comida, nem a bebida, nem a roupa, nem o conforto ou qualquer outra coisa da qual Deus seja excluído. Quer você goste, quer não, quer o saiba, quer não, secretamente a natureza busca, caça, tenta descobrir a trilha na qual Deus pode ser encontrado.

Meister Eckhart[1]

Pode ser tentador pensar que o trabalho com o Eu Inferior só é necessário nos estágios iniciais do caminho espiritual e que, à medida que o indivíduo explora os reinos transpessoais e que se move em direção ao unitivo, as considerações sobre o Eu Inferior podem ser deixadas para trás. Esse, porém, não é o caso.

O Guia explicou de que modo a obstinação, o orgulho e o medo são as principais raízes do mal pessoal. Desses três, o medo tem se mostrado o mais difícil para as pessoas identificarem como uma fonte de mal. Mas basta um pouco de reflexão para que se veja como o medo de ser ferido pelos outros nos leva muito facilmente a feri-los. Como disse o Guia, o mal é uma defesa contra o sofrimento; quer seja um sofrimento real ou apenas temido.

Além disso, o medo é uma raiz do mal, pois está em total discordância com a realidade última. Na verdade, o Universo é benigno e, portanto, não há nada que temer. Na realidade, o Universo é uno e, por conseqüência, não existe ninguém fora de mim que possa me ferir.

Nos estágios mais adiantados do desenvolvimento espiritual, o medo é o maior obstáculo. Nesse nível, o medo não é o medo de ser ferido pelos outros. Antes, é o medo da entrega do sentimento que o indivíduo tem de ser um Ego separado. Como afirma Meister Eckhart, toda a natureza anseia e luta pela experiência de tornar-se semelhante a Deus, de atingir o estado de unidade com tudo o que existe. A "iluminação" é a experiência de realizar total e completamente essa unidade divina.

Por mais estranho que possa parecer, a iluminação não precisa ser buscada; ela já está aqui e, portanto, não é preciso viajar para encontrá-la. Ao contrário, nós devemos ver cada vez mais claramente as maneiras pelas quais estamos fugindo constantemente da iluminação. Não importa quais sejam os nossos métodos de fuga, a causa desta é o medo. Temereos aquilo que desejamos. Temereos a perda do nosso sentimento de identidade separada; temereos a morte do Ego, acreditando, equivocadamente, que isso significará o fim da existência.

O Guia apontou o fato de que a maioria dos caminhos espirituais tentam, através de várias práticas espirituais, levar a pessoa a uma experiência do estado unificado; e ele reconhece que por vezes são bem-sucedidos ao atingir esse objetivo. Ele também sinalizou um perigo inerente a esses caminhos: que é possível alcançar essa meta de *transcendência* do estado humano enquanto se deixa ainda partes de si mesmo atoladas no Eu Inferior. Existem muitos exemplos neste nosso século de mestres espirituais que atingiram uma substancial *transcendência*, mas que revelaram ter ainda deixado por fazer uma grande quantidade de *transformação* do Eu Inferior.

A posição do Guia é a de que a maioria das pessoas que empreendem uma busca espiritual tenta uma transcendência prematura, causada pela falha em ver claramente o próprio Eu Inferior e de um desejo de estar além do ponto no qual verdadeiramente se está. O Guia continua a enfatizar, portanto, a necessidade do movimento horizontal de transformação; a necessidade de um exame contínuo de si mesmo para descobrir o Eu Inferior e, então, seguir adiante *trabalhando* esse material, *transformando-o* em vez de tentar *transcendê-lo*.

Mas, como também já dissemos em muitas das palestras contidas neste volume, depois de um certo ponto o trabalho não pode ser feito a menos que a pessoa aprenda a mudar o seu senso de identidade. Mudar, quer dizer, do pessoal para o transpessoal; da pequena consciência do Ego para a Consciência Maior. E, uma vez que essa mudança tenha sido concluída, é correto dizer que ocorreu uma transcendência. Esse é um trabalho na direção vertical, e não na horizontal. É claro que ambos são necessários; e achar o equilíbrio adequado entre o horizontal e o vertical, entre transformação e transcendência, é um dos mais sutis e mais importantes aspectos do trabalho pessoal.

Portanto, usando as definições do dicionário, "mudar em composição ou estrutura, caráter ou condição" (transformação) *e* "elevar-se acima ou ir além dos limites de" (transcendência) são ambas necessárias. Nós precisamos aceitar plenamente a nossa condição humana e, então, pouco a pouco, descobrir que somos mais que simples humanos.

Ser humano é ser falho e imperfeito, mas isso não é motivo para desespero. Vivemos num nível intermediário, nem céu, nem inferno. Essa é a condição da nossa existência. Nessa condição, temos uma nobreza e um propósito. Nosso propósito é, precisamente, aprender a nos examinarmos honestamente, ver claramente as nossas imperfeições, resolver mudar, aprender como mudar e, então, prosseguir, de forma diligente e corajosa, com o trabalho de transformação de nós mesmos. Essa é a nossa nobreza. É para isso que existe o estado humano.

Ao prosseguir no Pathwork de autotransformação, tornamo-nos progressivamente mais amorosos e mais sábios. A nossa clareza aumenta, assim como a nossa coragem, a nossa alegria e a nossa compaixão. A vida se abre, tornando-se a um tempo mais ampla e mais profunda. A dor, o pesar e o desafio, nós ainda os teremos, mas aprendemos a não ser esmagados por eles.

Mas, você pode dizer, não somos todos nós algum dia esmagados pela morte? A morte só é vivenciada como uma derrota esmagadora se a pessoa ainda estiver totalmente identificada com o Ego encapsulado na carne. Pois até mesmo a morte perderá o seu aguilhão à proporção que viermos a saber que a alternância de morte e vida não é mais assustadora que a alternância de sono e vigília.

Em outras palavras, à medida que aceitamos o nosso estado de seres humanos com as suas falhas e imperfeições, e temos a coragem de encarar e de transformar o nosso Eu Inferior, nos fortalecemos até o ponto de poder nos dar conta de que somos mais que humanos. Nascimento e morte são ingredientes básicos da condição humana, mas a verdadeira essência de uma pessoa precede o nascimento e a morte. Em outras palavras, o trabalho contínuo na transformação do Eu Inferior resulta numa capacidade de transcendê-lo, e a transcendência final é a que leva ao estado de unidade divina do qual fala Meister Eckhart.

O caminho é desafiador. Como disse Cristo, a pérola de grande preço deve ser adquirida ao custo de *tudo o que você possui*. Mas a jornada é, em essência, segura.

Como disse o Guia, em muitas palestras e de muitas formas diferentes: "Você não tem nada a temer."

Donovan Thesenga

---

1. *Meister Eckhart*. Tradução (para o Inglês) R. Blakney.

Para maiores informações sobre o Pathwork

Há numerosos Pathwork Centers em atividade e uma rede de vários grupos de estudo e de trabalho com as palestras sobre Pathwork na América do Norte, na América do Sul e na Europa. Acolhemos com alegria a oportunidade de ajudá-lo a estabelecer contato com outras pessoas interessadas em aprofundar-se nesse estudo. Para pedir qualquer palestra ou livros sobre Pathwork, ou para obter mais informações, entre em contato com os centros regionais marcados com um asterisco (*):

Califórnia
Pathwork of California, Inc*
1355 Stratford Court # 16
Del Mar, California 92014
Ph. (619) 793-1246
Fax: (619) 259-5224
E-mail: CAPathwork@aol.com

Região Central dos Estados Unidos
Pathwork of Iowa
24 Highland Drive
Iowa City, Iowa 52246
Ph. (319) 338-9878

Região dos Grandes Lagos
Great Lakes Pathwork*
1117 Fernwood – Royal Oak,
Michigan 48067
Ph./Fax (248) 585-3984

Eixo América-Inglaterra
Sevenoaks Pathwork Center*
Route 1, Box 86 – Madison, Virginia 22727
Ph. (540) 948-6544
Fax: (540) 948-3956
E-mail: SevenoaksP@aol.com

Nova York, Nova Jersey, Nova Inglaterra
Phoenicia Pathwork Center*
Box 66, Phoenicia
New York 12464
Ph. (800) 201-0036
Fax: (914) 688-2007
E-mail: PATHWORKNY.ORG

Noroeste
Northwest Pathwork
811 NW 20th, Suite 103-C Portland, Oregon 97209
Ph. (503) 223-0018

Filadélfia
Philadelphia Pathwork
901 Bellevue Avenue
Hulmeville, Pennsylvania 19407
Ph. (215) 752-9894
E-mail: dtilove@itw.com

Sudeste
Pathwork of Georgia
120 Blue Pond Court –
Canton, Georgia 30115
Ph./Fax (770) 889-8790

Sudoeste
Path to the Real Self/Pathwork
Box 3753 – Santa Fe,
New Mexico 87501
Ph. (505) 455-2533

Estados Unidos
Pathwork Foundation
P.O. Box 6010, Charlottesville,
VA 22906-6010 – USA
Tel.: (434) 817-2660
E-mail: pathworkfoundation@pathwork.org
http://www.pathwork.org

Pathwork Brasil
http://www.pathwork.com.br

Brasil
Pathwork Regional Bahia
Bahia, Ceará, Pará
Av. ACM, 2501, Sala 412/Candeal
41288-900 – Salvador – BA
Tel./Fax: (71) 3353-7091
E-mail: pathworkbahia@yahoo.com.br
http://www.pathworkba.com.br

Brasil
Pathwork Regional São Paulo
Rua Roquete Pinto, 401
05515-010 – São Paulo – SP
Fone: (11) 3721-0231
E-mail: pathwork@pathwork.com.br
http://www.pathworksp.com.br

Brasil
Pathwork Regional Paraíba
Paraíba, Pernambuco e Alagoas
Rua Josias Lopes Braga, 497
Bairro Bancários
58051-300 – João Pessoa
Paraíba – PB
Tels. (83) 3235-5188/9967-8303/3224-2362
E-mail: claubetenobrega@terra.com.br

Brasil
Pathwork Regional Brasília
Brasília e Goiânia
Setor Terminal Norte, Conj. 0,30
Centro Clínico Life Center, sala 113
70630-000 – Brasília – DF
Tel: (61) 3340-5253
E-mail: eloisaprata@brturbo.com.br

Brasil
Pathwork Regional Sul
Rio Grande do Sul e Santa Catarina
Av. Iguaçu, 485/401
90470-430 – Porto Alegre – RS
Tel: (51) 9963-0623
http://www.pathworksul.com.br

Brasil
Pathwork Regional Rio
Rio de Janeiro e Espírito Santo
Rua Duque Estrada da Barra, 57 –
Apto. 102 – Gávea
22451-090 – Rio de Janeiro – RJ
Tel: (21) 2529-2322/8224-4333
E-mail: gmdell@globo.com
http://www.pathworkrio.com.br

Brasil
Pathwork Regional Minas Gerais
Rua Santa Catarina, 1630 – Pilotis
Bairro de Lourdes
30170-081 – Belo Horizonte – MG
Tel: (31) 3335-8457
E-mail: rnlac@terra.com.br

Luxemburgo
Pathwork Luxembourg
L8274 Brilwee 2
Kehlen, Luxembourg
Ph. (352) 307328

Países Baixos
Padwerk
Amerikalaan 192
3526 BE Utrecht
The Netherlands
Ph./Fax (035) 6935222
E-mail: Trudi.groos@pi.net

Uruguai
Uruguai Pathwork
Mones Rose 6162
Montevideo 11500, Uruguay
Ph. (598) 2-618612
E-mail: lgf@adinet.com.uy

Argentina
Pathwork Argentina
Castex 3345, piso 12 – Cap. Fed.
Buenos Aires, Argentina
Ph. 0054-1-801-7024

Canadá
Ontario/Quebec Pathwork
P. O. Box 164
Pakenham, Ontario KOA - 2X0
Ph. (613) 624-5474

Alemanha
Pfadgruppe Kiel
Ludemannstrasse 51
24114 Kiel, Germany
(0431) 66-58-07

Holanda
Padwerk*
Boerhaavelaan 9
1401 VR Bussum, Holland
Ph./Fax (03569) 35222

Itália
Il Sentiero*
Via Campodivivo, 43 – 04020 Spigno
– Saturnia (LT) Italy
Ph. (39) 771-64463
Fax: (39) 771-64693
E-mail: crisalide@fabernet.com
http://www.saephir.it./crisalide.

Mexico
Pathwork Mexico
Pino # 101, Col Rancho Cortes
Cuernavaca, Mor 62120 Mexico
Ph. 73-131395
Fax: 73-113592
E-mail: andresle@infosel.net.mx

Há traduções do material sobre Pathwork disponíveis em holandês, francês, alemão, italiano, português e espanhol.

OS AUTORES

Eva Pierrakos nasceu na Áustria e viveu na Suíça antes de mudar-se para os Estados Unidos em 1939. Durante esse período, ela se tornou o canal para um guia espiritual altamente evoluído, que deu uma série de palestras com as quais este livro foi compilado. Durante 20 anos, Eva despertou o interesse de um número crescente de mestres, de agentes de cura e de terapeutas que se sentiram atraídos para o caminho da autotransformação ensinado pelo guia. Ao trabalhar com o marido, o psiquiatra John C. Pierrakos, fundador da *Core energetics*, Eva desenvolveu um sistema completo de autotransformação. Eva morreu em 1979 deixando um rico legado de mais de duzentas e cinqüenta palestras do Guia, dois centros Pathwork em pleno florescimento e milhares de alunos e seguidores de seus ensinamentos.

Donovan Thesenga era um terapeuta da bioenergética quando tomou conhecimento do método Pathwork em 1973, tornando-se logo um membro do grupo mais diretamente ligado a Eva Pierrakos. Em 1976 ele doou ao Pathwork o seu centro de 130 acres perto de Madison, na Virginia, que se tornou o segundo Centro Pathwork.

Depois da morte de Eva, tornou-se um forte patrocinador da organização e publicação das palestras do Guia, de tal forma que pudessem atingir um público maior. Agora ele é organizador supervisor da série de livros Pathwork que estão sendo publicados. Sua esposa, Susan Thesenga, é a autora do livro *The Undefended Self*.

Impresso por :

gráfica e editora

Tel.:11 2769-9056